La m

5

CW00536738

Un pensiero piccolo
in confronto alla vera
bontà e gentilezza!
Auguri, Enzo

Andrea Camilleri

Il re di Girgenti

Sellerio editore
Palermo

2001 © *Sellerio editore via Siracusa 50 Palermo*
e-mail: sellerioeditore@iol.it

2001 *ottobre seconda edizione*

Camilleri, Andrea <1925>

Il re di Girgenti / Andrea Camilleri. - Palermo: Sellerio, 2001.
(La memoria ; 520)
ISBN 88-389-1668-3
853.914 CDD-20

CIP - *Biblioteca centrale della Regione siciliana*

Il re di Girgenti

a Rosetta

Parte prima

Come fu che Zosimo venne concepito

Capitolo primo

Ora comu ora, i Zosimo se la passavano bona. Ma sidici anni avanti, quanno erano di frisco maritati, Gisuè e Filònia la fame nìvura avevano patito, quella che ti fa agliuttiri macari il fumo di la lampa. Erano figli e niputi di giornatanti e giornatanti essi stessi, braccianti agricoli stascionali che caminavano campagne campagne a la cerca di travaglio a sicondo del tempo dei raccolti e quanno lo trovavano, il travaglio, potevano aviri la fortuna di mangiare per qualiche simanata, pre sempio una scanata di pane con la calatina, il companaticu ca poteva essere un pezzo di cacio, una sarduzza salata, una caponatina di milanciani. La notte, se si era di stati, dormivano a sireno, a celu stiddrato; se si era di 'nvernu, s'arriparavano in quattro o cinco dintra a un pagliaro e si quadiavano a vicenda con il sciato.

Una matina che la truppa stascionale, una trintina di pirsone tra màscoli, fìmmini, vecchi e picciliddri, si stava spostando dal feudo Trasatta al feudo Tumminello, Gisuè e Filònia avevano intiso una voci luntana luntana che s'avvicinava e s'allontanava per come il vento girava. Pareva la voci di uno in punto di morti. Faciva:

«Pi l'animi santi di lu Priatòriu, salvatemi! Accorruo-
mo! Aiuto, genti! In nomu di Diu tiratemi fora di ccà!».

Gisuè disse a Filònia, ch'era scantata assà da quella voci lamentiosa ca le pareva di fantasima o d'un'arma addannata, di raggiungere la truppa, che caminava avanti
senza avere sentito nenti, e di non parlari con nisciuno.
S'avviò di corsa verso il loco da cui veniva la chiamati-
na sempre cchiù dispirata. Arrivò sopra lo sbalanco del
sciume Pirrera, che fiume era solamenti quanno gli pareva e piaceva a lui, per il resto dell'anno era una spac-
catura, una cicatrice nella terra, e s'addunò che a mezza costa, una quinnicina di metri cchiù sutta, c'era un
omo che era arrinisciuto a fermare la sò caduta affer-
randosi a un cespuglio, una troffa di saggina, mentre che
il cavaddro era andato a spaccarsi l'ossa una trentina di
metri ancora cchiù in basso, supra le pietre ferrigne e i
massi puntuti e bianchigni che facevano lettu al fiume.
Gisuè di prescia sciogliette la fanci affilata che teneva attaccata alla vita, con essa a colpi violenti tagliò un ramo
d'àrbolo d'aulivo, si fece un bastone resistente. Rimise
la fanci alla cinta, si levò il gilecco, lo gettò a terra e principiò la scinnuta difficoltosa e perigliosa assà. Se metteva un pedi a vacante, nisciuno doppo avrebbe saputo arriconoscere la carne sò cristiana da quella del cavaddro.
Ci mise una mezzorata bona per arrivare a paro dell'o-
mo che con le mano s'artigliava alla troffa e appoggiava
tutto il peso del corpo sulla punta del pedi mancino che
aveva inchiovato a una radice sporgente. Lo sbintorato,
doppo tanto vociare, pareva avere perso la parola. Taliava il suo soccorritore con occhi d'agniddruzzo orfano.

Era un riccone, vestito di panno fino intrassuto d'oro, stivaloni di capretto che dovevano costare quanto mai Gisuè avrebbe potuto guadagnari in tutta la porcazza vita sò, grossi anelli d'oro e petri priziuse alle dita di tutt'e due le mano, una catina d'oro massiccio al collo con una patacca sparluccicante che gli posava sul petto. Madunnuzza biniditta! A Gisuè gli mancò lo sciato. Quello non era un omo di carne e sangue, ma una minera, una trovatura che avrebbe assistimato per tutti gli anni che gli restavano da campare la famiglia sò e i figli che ancora c'erano da fare! Signuruzzu santu, chi fortuna ca gli stava capitando! Stava addiventando riccu!

«Salvatemi!» fece l'omo con un filu di voci.

«Sta minchia!» pinsò Gisuè.

Ma non disse nenti, stava ragionando, abbisognava tirarsi il paro e lo sparo. Qual era la migliori convinienza? Ammazzarlo in loco forse sarebbe stato errore, non c'era lo spazio necessevole per l'opira; capace che quello, al colpo di falci, mollava la presa senza che lui avesse avuto modo d'agguantarlo a mezz'aria e andava a catafottersi allato al cavaddro e capace macari che nella caduta si perdeva la catina d'oro o si strazzava il vestito. E allura ti saluto, ricchizza! Non c'era che da armarsi di forza e pacienza, portare l'omo a salvamento e, appena fora dallo sbalanco, scannarlo con un colpo di fanci. Però Gisuè non sapeva da dove principiari, l'omo non pareva più in condizione di cataminarsi, di darsi adenzia. E se quello, arridotto com'era, faceva che sbagliava la mossa di un pedi e andavano tutti e dù a tenere compagnia al cavaddro? No, no: l'unica era fare quello

15

che c'era da fare sul posto istisso. Gisuè s'afferrò a un'altra troffa, si calò tanticchia cchiù in basso e, arrivato all'altizza degli stivaloni dell'omo, scavò con una sola mano un pirtuso, un buco per fare sì che l'omo potesse infilarci dintra un pedi, quello di dritta, che se ne stava arravogliato all'altra gamba. L'omo doveva però girare completamente supra la punta del pedi mancino e mettersi con la faccia contro la pareti. Non ci fu verso, quello pareva addiventato una statua di màrmaro, non si spostava di un centilimetro. Allura Gisuè gli agguantò di forza il pedi a mezz'aria per infilarlo nel pirtuso.

«No! No!» fece dispirato l'omo serrando le cosce e tirando fora una voci fimminina che a Gisuè parse quella di Filònia quanno la sbirginò. Finalmente ci arriniscì a mettere nel pirtuso quel pedi mallitto, e l'omo poté pigliare abento, distribuire meglio il piso del corpo. Ora a Gisuè gli necessitava di trovari la posizione giusta che gli acconsentiva di tenersi fermo solo coi pedi e avere le mano libere. La trovò dopo prova ca ti riprova, un'altra mezzorata di faticazza. Prima di accominciare, si fece il ripasso. Con una mano doveva teniri l'omo impicciato alla pareti e con l'altra mollargli un colpo di fanci. Voltato di spalle com'era, quello non si sarebbe addunato di nenti. Principiò a sciogliere la fanci dalla cinta.

«Ehi! Voi! Laggiù!».

Gisuè aggelò, quella era certo la voci di Diu, del Signuruzzu che l'arrimproverava per il piccato, il micidio che stava per commettiri. Ma subito gli venne un altro pinsèro e stavolta di raggia:

«Ma comu è possibili ca u Signuri Diu, con tutte le

cose ca havi da fari nell'universu criato, veni a scassari la minchia propiu a mia?».

«Ehi! Voi laggiù, taliate in alto!».

Gisuè isò a fatica la testa. C'erano una ventina di facce in cima allo sbalanco e una faccia capintesta che parlava:

«Tenete fermo il principe. Non fate niente. Scendiamo noi».

Santianno contro la sfortuna che gli era capitata, aviri un tesauro a passo di mano e perdirlo, Gisuè obbedì. Il suo naso era a paro col culo del principe, capì che quello si era cacato per lo scanto. Non si capacitò: certo che tutte le criature della terra facivano i bisogni sò, ma comu mai la merda di un nobili feteva assai di cchiù di quella di un povirazzo?

Arrivò in cima allo sbalanco ch'era mortu di stanchizza. Nisciuno gli aveva dato una mano nell'acchianata, tutta la vintina di cristiani con corde e paranchi si era aggrumata torno torno al principe, l'aveva impasturato e tirato a sarbamento. A lui né ai né bai. S'acconsolò pinsando che quanno se ne ivano tutti, scinniva di bel nuovo nuovamente nello sbalanco e arrecuperava la bardatura del cavaddro sfragillato che, macari a distanza, gli pareva cosa da poterci campare anni e anni filici e cuntentu.

Il principe stava assittato 'n terra, uno gli si era messo darrè le spalle, a pecorone, perché il nobilomo putisse comodamente appuiarsi, un altro, acculato davanti, gli faceva ora sciaurare l'essenzia di una bottiglietta ora gli dava a viviri da una fiaschetta nica, cummigliata di villuto viola.

Allato, addritta, con le vrazza conserte, c'era un omo longo e sicco sicco, tutto vistuto di nìvuro, ancora cchiù carrico d'oro e petri priziuse del principe. Avevano portato una littìca, una carrozza in quelle timpe si sarebbe arrovisciata e di dare un cavaddro al principe non era cosa, difatti quanno si susì addritta non si reggeva, dù servi lo dovittiro tenere. Però non pareva si fosse fatta cosa gravi, zuppichiava solamenti.

«Qualcuno si cali nello sbalanco e vada a ricuperare i finimenti del cavallo» ordinò appena ebbe ripigliato colorito e sciato.

Gisuè trovò modo d'acconsolarsi ancora: quanno se ne ivano tutti, si calava e si andava a tagliare una bella coscia di cavaddro.

«Dopo» continuò il signor principe «qualche altro imbrachi la carcassa e la porti alla villa».

Gisuè non trovò cchiù nenti di cui acconsolarsi.

«Tu vieni qua».

Gisuè s'avvicinò scantato, il principe pareva infuscato mentre lo taliava, vuoi vidiri che quello aveva inzertato l'intinzioni sò d'ammazzarlo e pigliarsi tutto l'oro ca si portava appresso?

«Come ti chiami?».

«Zosimo Gisuè».

«E qual è il nome?».

«Gisuè».

«Che fai?».

«Nenti fazzo, cillenza. Che staiu facennu? Nenti. Voscenza mi chiamò e iu vinni».

«Non dico ora, asino scecco. Lavori?».

«Sissi, quanno capita. Domani attacchiamo al feudu Tumminello che ci sono di cogliere le aulive».

«Va bene, vattene. Ti manderò a chiamare».

Gisuè si calò a pigliari il gilecco e sinni scappò. Gli aveva fatto impressioni l'altro omo, quello longo e sicco sicco, che non aveva mai detto parola, ma l'aveva sempri squatrato centimetro per centimetro, squasi che considerasse quanto poteva valere al mercato una chilata della sò carni. I ricchi erano capaci della qualunque.

A bassa voci, quanno alla fine della jornata di travaglio la truppa dormiva, Gisuè contò a Filònia tutta la facenna e le disse macari della pinsàta che aveva avuto d'ammazzare l'omo caduto, il principe riccone. «Male facisti a non farlo» disse Filònia ch'era fìmmina di preciso concetto. «Tant'è veru che il principe non ti desi manco un tarì per avergli salvato la vita. Se gli davi subito un colpo di fanci, a quest'ora eramu ricchi. Si vede che u Signuri voliva accussì». «Però disse ca mi mandava a chiamari». «E tu ci cridi alla parola di un riccu?».

Filònia però si sbagliava. A la matina del terzo jorno da quanno era successo il fatto, s'apprisentò il campiere del feudu Trasatta, don Aneto Purpigno.

«Gisuè, veni ccà».

Gli spiegò che il signore e principe voliva vederlo a matino del jorno appresso. Gli avrebbe pagato il travaglio che pirdiva.

«Voi venite con mia, don Anè?» spiò Gisuè.

«No, ci vai solo» disse il campiere Purpigno taliando a Filònia che gli faceva sangue assà. «Io resterò qua».

«Ma a mia la strata pi la villa del principe chi me la inzigna?».

«Te la inzigna la vestia mia» fece il campiere scendendo da cavaddro. «Poi, quanno torni, me l'arripiglio».

Nel baglio della villa, che a metterlo a coltivazione ci potevano campari cinco famiglie, un servo si pigliò adenzia del cavaddro, era tri ore che caminava. Sul portone spuntò uno col gilecco tutto arraccamato che gli arrivava a mezza coscia. Aveva babbucce coi tacchi alti un parmo e mezzo e lui ci stava supra in quilibrio. Gisuè non s'impressionò: quello era un servo, macari cchiù importanti di quello che gli aveva pigliato il cavaddro, ma sempri servo.

«Voi siete Gisuè?» spiò facendo la vucca storta comu davanti a una cosa di schifiu.

«Sì? Andate, il signor principe v'aspetta. Salite la scalonata, trasite nel salone, di fronte c'è una porta, sempre dritto c'è una sala e doppo ci sta la càmmara da letto del signor principe».

La scalonata, ca pareva fatta pi li giganti, era tutta di màrmaru ed era fridda fridda. I pedi di Gisuè, incretati da quanno aveva principiato a caminare, spessi di pelle per la callatura, che mai avevano accanosciuto scarpi, prima s'arrifriddarono e po' s'aggelarono. Gisuè trasì nel saloni facendo uno stranuto che lo rintronò e gli fece lacrimiare gli occhi. Sentì che il mòccaro gli colava dalle nasche e allora si puliziò il naso stringendolo tra dù dita e dando una forti susciata: il mòccaro parte cadì 'n terra e parte gli allordò la mano e Gisuè se l'asciucò passandola sui cazùna. Ma si fermò di botto. A mano mancina, in un angolo, c'era una fìmmina la quale, essendo ch'era tutta nuda senza un centimetro di pezza, s'ammucciava le minne con un vrazzo e la natura con una mano. Quella, sicuru comu la morti, era la mogliere del principe che si era allura allura susuta dal letto e passiava accussì accredendo che non ci fosse nisciuno.

Gisuè voltò le spalli e niscì dal saloni, gli era venuto scanto che lo bastoniavano datosi che aveva taliato la principissa nuda. Aspittò tanticchia e doppo, quanno stimò che la principissa aveva avuto il tempo di tornari nelle sue càmmare, mise adascio adascio la testa dintra. La fìmmina non si era cataminata, stava sempri nella stissa 'ntifica posizioni. La taliò meglio: era bianca comu la morti, forsi il principe l'aveva fatta imbalsamare. Voltò la testa e vitti un'altra fìmmina comu la prima, tutta nuda, e stavolta la buttanazza manco si cummigliava, stava con le minne e la natura allo scoperto. Gisuè si mise a curriri e finalmente arrivò nell'altra sala. Non c'era manco una seggia, nenti. Nella pareti di faccia ci stavano quattro porti, tutte chiuse.

Si armò di santa pacienza, si avvicinò alla prima porta di dritta, isò la mano a pugno e tuppiò forte. Si fece male, non era ligno, ma muro. Arretrò di due passi: la porta c'era e non c'era. C'era, in quanto s'appresentava come porta, non c'era in quanto non c'era. Talè, che minchiata, era una cosa studiata pi' pigliare pi' fissa la genti. S'avvicinò alla seconda e, per prudenzia, tuppiò con la mancina. L'istessa cosa, puro questa di muro era. E accussì la terza e accussì la quarta. Ma da dovi si trasiva?

«Ora scinno, piglio il cammareri a pidate e mi fazzo dire qual è la vera trasuta» pinsò Gisuè.

Si voltò e sulla porta del salone vide che c'era propio il caposervo.

«Vi state sbagliando» disse, frisco come un quarto di pollo. «La porta è di là».

E fece 'nzinga verso il muro mancino. Ca quali porta? La parete era tutta intonaca di bianco. A questo garrusiare, Gisuè s'arraggiò e taliò fisso il servo, senza cataminarsi. Il cammareri sentì feto di legnate e allora si mosse, arrivò proprio al centro della parete e tuppiò. Gisuè sentì rumore di ligno.

«È arrivato Gisuè, eccellenza».

«Fallo entrare».

Il caposervo appuiò una mano alla parete e ammuttò. Si raprì una porta bianca come il muro, fatta in modo che quanno stava chiusa nisciuno la vedeva.

«Entrate» disse inchinandosi fino a terra.

Era una scòncica, un dileggio, ma Gisuè fece finta che l'inchino gli spettasse.

Appena trasuto, la prima cosa che vide fu un grande letto col baldacchino aperto, un letto tanto granni che sopra ci potevano stare comodi tre mariti e tre moglieri.

«Baciamolemani a voscenza» disse Gisuè inchinandosi. Stava facendo tutto quello che la sira avanti gli aveva insegnato u zù Casio Lippo, che in gioventù era stato omo di frequentazione. «Salutiamo, asino scecco» disse una voci alle sue spalle. Gisuè si girò di scatto. Era una magarìa, non c'era dubbio. Ora vidiva un letto granni come il primo e in mezzo ci stava curcato un principe uguali priciso all'altro. Lo volevano fare nesciri pazzo in quella casa? Il principe capì lo scanto di Gisuè.

«Voltati adagio» disse.

Gisuè si rivotò e arrivide l'istisso letto con l'istisso principe.

«È uno specchio, asino scecco».

Quella parola Gisuè non l'aveva mai sentita. Accanosceva invece la parola spacchio che era quel liquito denso dovi consisteva la simenza dell'omo. Possibile che lo spacchio potesse diventare un grande specchio che diceva com'era l'omo fatto? Fortunatamente il principe gli sciolse il dubbio.

«Ti sei mai visto nell'acqua ghiacciata?».

«Sissi, una volta. Avevo deci anni. Dalle parti di un paìsi chiamato Cammarata. C'era un friddo ca tagliava l'ossa».

«Benissimo. Fai conto che lo specchio sia fatto d'acqua ghiacciata».

Allora a Gisuè tornò a mente quella volta ch'era picciliddro decino e si era addivertito a taliare la faccia sò. Puro stavolta, davanti allo specchio, Gisuè fece gli occhi torti e rise. Fece la funcia, le labbra strette e sporte in avanti, e rise. Si mise la mano che faceva corna sulla fronte, e rise.

«O animale grazioso e benigno» fece il principe.

«Dice a mia?».

«Lascia perdere» disse il principe principiando a susirisi dal letto.

23

«Hai appetito?».

«Tanticchia, cillenza. La caminata col cavaddro fu longa».

Il principe batté le mani in aria, non passò un biz che si aprì una porta che prima Gisuè non aveva veduta e spuntò un cammareri parato d'oro, picciottedro, tutto allisciato.

«Questo è Cocò, il mio valet de chambre. Vale tant'oro quanto pesa. Ha un solo difetto, se difetto si può chiamare: ogni tanto gli piace fare la parte di fìmmina».

Gisuè non ci capì nenti, salvo che quello si chiamava Cocò.

«Di' a Monzù Filibert di farmi servire il mezzo capretto che non mangiai iersera. Porta pure una cannata di vino buono».

Prima che Cocò niscisse, il principe gli carezzò il darrè e Cocò taliò a Gisuè con un sorriso pudico.

«Tu lo sai chi sono io?».

«Sissignore» arrispose Gisuè che godeva di memoria bona e s'arricordava le parole di u zù Casio. «Vostra cillenza è il principe don Filippo Pensabene di Baucina, patrone dei feudi Trasatta, Tumminello, Argirò e Ponentino».

«Sbagliasti. Mi chiamo sempre lo stesso, ma non ho più i miei feudi. Anzi, non possiedo più niente. Nemmeno questa casa, nemmeno questo letto».

«Dice davero? E comu fece a perdiri li ricchizzi?».

«Con le carte».

«Ahi li carti! Sono la ruvina di la genti!».

«E tu che ne sai, scecco?».

«Me lo dissi u zù Casio. U zù Casio dici magari che è meglio arriciviri una cortellata che una carta d'abbocato».

«Ma no!» fece il principe ridendo. «Io intendevo le carte da gioco. Per quindici giorni e quindici notti ho giocato col duca Sebastiano Vanasco Pes y Pes, che era quell'uomo vestito di nero che hai visto quando m'hai salvato dal precipizio. E ho sempre perso. Non c'era niente da fare, potevo cangiare gioco, dalla bàzzica, con o senza variante della bésigue, alla bestia, con o senza variante del maus, dalla bassetta allo sbaraglino, dal lanzichenecco al pitocchetto a due e via dicendo, la sorte m'era sempre avversa. La notte avanti di quando m'hai salvato, mi sono persa anche questa casa. Il duca mi ha magnanimamente concesso di starci ancora per sette giorni. E la sai una cosa? Quel cornuto m'aveva sempre imbrogliato. Lo capii a un tratto mentre eravamo assieme a cavalcare per farci passare la stanchezza. Ma non ci potevo far niente. Aveva vinto».

«Ma comu, cillenza? Mi pare d'aviri accapito che quel duca v'imbrogliò! Ricurriti alla liggi!».

«La legge! Tu lo sai chi comanda in Sicilia?».

«U re di Spagna».

«Sì, ma il re se ne sta in Spagna e qui ci sta il suo viceré, la cui figlia, bellissima, si chiama Isabella, si è maritata proprio col duca Pes y Pes. Mi sono spiegato?».

«Sissignura. Di sicco o di sacco, voscenza havi sempre torto».

«E quella mattina, appena compresi il sistema del duca per imbrogliarmi, trovai pure la soluzione alle mie future pene. Spronai e mi gettai nel precipizio».

Gisuè ci mise mezzo minuto a capire quello che il principe aveva detto. Poi isò le vrazza e raprì la vucca, assumendo la posizione di quel pupo del presepio che viene detto «lo spavintato». Posizione sbagliata in quel momento, perché così la panza di Gisuè arrestò scoperta al poderoso calcio che il principe, il quale s'era opportunamente messo gli stivali, gli sferrò.

Gisuè cadì sulle ginocchia, ingobbito, tenendosi la panza con le due mano. E fu un'altra posizione sbagliata perché il principe, agguantato un lungo calzastivali di còrio e osso, pigliò a scudisciargli le spalle, facendo voci di raggia.

«Ma se fu voscenza a chiamare aiuto! Chi culpa ne haio iu?» arriniscì a dire Gisuè in mezzo alle botti che gli segnavano la carni.

«Certo che chiamavo, ignorante bestia! Chiamavo perché mi veniva istintivo! Chiamavo perché m'ero istintivamente aggrappato a quel cespuglio! L'uomo, quando decide d'ammazzarsi, deve arrivare subito alla morte, altrimenti tutto il corpo, se quella decisione trova intoppo, si mette a recalcitrare come un cavallo!».

Il discorso era stato lungo e perciò lunghe furono le botti che il principe secutò a dargli mentre parlava. Gisuè arrisolse di tenere chiusa la vucca, tanto avrebbe avuto sempre torto, come il principe istesso col duca Pes y Pes. Finalimenti il principe si faticò e si gettò stanco morto su una putruna. Gisuè sentiva un foco d'infernu nell'unica piaga che erano addiventate le sue spalli.

«Vuoi ancora ringrazio?» spiò il principe.

«Nonsi, quello che m'ha fatto di ringrazio mi basta e m'assuperchia». Tuppiarono. Trasì Cocò che si mise a conzàre un tavolinetto vicino alla finestra. Lo cummigliò con un linzoletto bianco come l'armuzza santa di un picciliddro morto appena nasciuto, e sopra ci posò un piatto d'argento, una coppa d'argento, un bucale d'argento e un cuteddro puro isso d'argento. Tutto sparluccicava. Per ultimo ci mise 'ncapo un vacile, naturalmente d'argento, pieno a metà d'acqua.

«E che ci fazzo con tutte queste cose?» si spiò prioccupato Gisuè.

Tuppiarono ancora. Stavolta trasì un omone, coi baffi accussì grandi che parevano rami d'àrbolo, tutto vestito di bianco, una parannanza bianca e un cappello macari isso bianco, a forma di fungo porcino. Sul palmo della mano isata teneva un piattone d'argento, con dintra mezzo capretto con le patate 'nfurnate. Gisuè sentì arrivare nelle nasche quel sciàuro e gli parse che i dulura alla schina gli stavano passando.

«Bien levé, monsieur le Prince. Voilà!» fece l'omo bianco.

«Merci, monsieur Filibert».

Monzù Filibert posò il piattone sul tavolinetto.

«Qu'y a-t-il à déjeuner?» spiò il principe a Monzù.

«E certo che voli digiunare!» pinsò Gisuè. «Cu la sbintura ca ci sta capitando!».

Allora Monzù principiò a recitari una litania, ma litania non era, si rese conto Gisuè, era invece l'alenco delle cose che Monzù aveva priparato per il mangiare del principe, magari se gliele diceva nella parlata stramma con la quali parlavano.

«Càzzica!» si disse Gisuè. «Macari a mia piacissi digiunari accussì!».

Il principe congedò Monzù che sinni niscì con un inchino che a momenti gli faceva sbattere la fronti 'n terra.

Né Cocò né Monzù Filibert avevano fatto vista di Gisuè che se ne stava ancora ginucchiuni e con le spalli che gli gettavano sangue.

«Accompagnami nella càmmara di commodo» disse il principe a Cocò mentre si susiva lento.

Cocò si precipitò, gli porse il braccio. Gisuè se n'arristò a ginucchiuni, non è che non potesse stare addritta, ci poteva stare benissimo, era omo stacciuto e forte, ma stando in quel modo capace che faceva pena e si risparmiava altre eventuali vastuniate.

Il principe e il servo scomparirono darrè una porta. Dopo picca tornò solo Cocò.

«Il principe ha detto che potete mangiare. Alzatevi».

Gli pruì le mani, Gisuè le pigliò e si susì.

«Fate un po' vedere» fece Cocò girandogli alle spalle.

«O Dio! Quel brutto cattivone del principe vi ha fatto la bua! Levatevi la camicia».

Gisuè se la levò, macari se la cammisa non c'era più, era un pezzo di pezza strazzato di cui arrestavano solo il pettorale e le maniche.

Cocò corse all'armuar, lo raprì, da un cascione pigliò

due fazzoletti di seta e da sopra di un tangèr un vasetto di crema. Gli spalmò con dilicatizza la crema e poi gliela asciucò coi fazzoletti, mentre che murmuriava:

«Guarda quel cattivone come ha ridotto queste belle spalle! Così sode! Così muscolose! Ah, che colpa, rovinare così la grazia di Dio!». Tra le mano fimminine di Cocò e lo spalmo della crema, Gisuè si sentì arrifriscare tutto. Poi Cocò lo guidò al tavolinetto. Siccome le botti gli avevano smorcato sete, Gisuè pigliò il vacile con l'acqua pi vivirisilla tutta. Cocò glielo tolse di mano.

«Questa serve per lavarsi le mani, stupidone!».

E gli versò il vino dal bucale nella coppa. Magari quando il principe tornò dal cammarino di commodo, lavato e profumato, Gisuè non s'arrestò di mangiari e trincari. Appena finì, s'addunò che il principe stava tutto vistuto, assittato davanti a lui.

«Dagli una camicia mia» disse il principe a Cocò.

Il cammareri tirò fora dall'armuar una cammisa di seta e mentre aiutava Gisuè a mettersela, gli passava le mano sul petto.

«Ha visto, signor principe, che peli? Sembrano stocchi d'erbaspada!».

«Vattene» fece il principe. E Cocò sinni niscì.

«Siediti».

Gisuè s'assittò.

«Parliamo da uomo a uomo» disse il principe taliandolo nelle palle degli occhi. «Mi restano solo quattro giorni. E tu mi devi aiutare a morire».

Capitolo secondo

La cavalcata di ritorno a Gisuè manco gli parse, il suo pinsèro era pigliato dal discorso che gli aveva fatto il principe, e su ogni parola di quel discorso egli pistiava e ripistiava.

«Amico mio, qui la cosa è lampante, in fonte. Pare acqua sorgiva. È sicuro che io da povero non ho più voglia di campare, mi devo ammazzare. Solo che sento che all'ultimo minuto può mancarmene il coraggio. Ho bisogno di qualcuno che mi stia a fianco e, al momento opportuno, sappia aiutarmi. Tu sei un uomo generoso, hai messo a repentaglio la tua vita per salvarmi, ora non metti a repentaglio niente se m'ammazzi. Sono convinto che persino il Signore Iddio, quando sarà venuto il tuo momento, non avrà nulla da rimproverarti: hai solo compiuto un altro gesto di generosità. E a mia volta io saprò essere generoso, ti regalo cento onze, gli ultimi denari che mi restano. E nessuno saprà niente, faremo le cose a modo. Io fra quattro giorni dovrò lasciare la villa. Quindi tu ora ti pigli il cavallo e te ne torni a lavorare, al campiere gli dici che, per ordine mio, la bestia per ora la tieni tu. Da qui a tre giorni è il tempo che hai a disposizione per decidere. Se è sì, inforchi il cavallo e torni qui, a qualsiasi ora del giorno o della notte io sarò pronto. Se è no, mi rimandi il cavallo col campiere».

Cent'onze! Con cent'onze ci poteva accattare un pezzetto di terra, nico, ma bastevole per farci un orto col quale lui e la famiglia sò potevano campari. Pirchì non gli aveva di subito detto di sì al principe? Questa addimanda lo martelliò fino a quanno non trovò la risposta proprio in vista della truppa che travagliava: pirchì una cosa è ammazzari a sangue càvudo e una cosa è ammazzari a sangue friddo.

La truppa fici un lungo «oh» di maraviglia quanno lo vide arrivari. Tutti sapevano oramai la storia del sarvataggio e s'erano fatti pirsuasi che il principe avesse chiamato Gisuè per levarsi il debito del salvamento di vita. E se tanto mi dà tanto, la cammisa di seta che Gisuè portava era bon signo. Gisuè smontò e attaccò la vestia a un tronco d'àrbolo. Don Aneto Purpigno non era nel loco. Macari Filònia non c'era. Gisuè si levò la cammisa e fece per principiare a travagliare.

«Che stai facenno?».

Era la voci del soprastanti, Colotto Zìcari, omo nano d'altizza e tristo, di core tinto e di pinsèro sempre marvagio.

«Che fazzo? Mi sto mettendo a travagliari».

«Eh, no. Oggi non travagli, t'arriposi. A chi vuoi pigliari pi fissa? Vuoi doppio guadagno? Don Aneto Purpigno mi disse che il principe ti avrebbe pagato la jornata persa. Lo fece?».

«Sissignori, mi spiò quanto guadagnavo a la jornata e me la desi».

«E allora? Vai a cercare piuttosto a tò moglieri c'havi mezz'ora che se n'andò a fare i bisogni suoi e ancora non torna. Cha fa, fabbrica corda, tò moglieri?».

C'era qualcosa che non quatrava. Gisuè taliò u zù Casio e questi con la testa gli fece 'nzinga di no, di non andare. E dunque c'era trainello.

«Ora ci vado» fece Gisuè rimettendosi la cammisa e, per pigliare tempo, fece finta che si levava una spina dal pedi.

Allora i travaglianti stascionali attaccarono la canzuna di San Giovanni, quella che faceva:

Cumpari, cumpari cu u San Giuvanni,
semu cumpari insino a Natali.
Zoccu avemu nni spartemu,
pure l'acqua ca vivemu,
e s'avemu pani e ossa,
nui nni jamu dintr'a fossa,
e s'avemu pani e risu,
nui nni jamu in Paradisu.

Gisuè sorridì. La truppa, con quella canzuna, gli stava arricordando quale era il doviri suo, e cioè spartire con tutti quello che il principe gli aveva dato come ringrazio. Era una liggi sempre praticata: il guadagno della jornata ognuno se lo teneva per sé istisso, ma se arrivava un guadagno di straforo, quello andava spartito fra tutti.

Come l'anno avanti, quanno u zù Casio aveva pirsuaso il soprastanti Billìa a farsi leggere la ventura. U zù Casio aveva un modo spiciali di taliare negli anni a venire delle criature: li faceva pisciare in terra e poi, da come il liquito si spartiva, ne traeva la consequenzia. Quella volta di Billìa, la pisciazza parse di difficoltosa lettura e abbisognò tempo: il tempo preciso che la truppa facissi scomparire mezzo cantaro di aulive che doppo venne equamente diviso.

«O fìmmina sciacquata! O fìmmina 'nzucchirata!» sospirò don Aneto Purpigno.

Filònia gli stava dritta avanti, gli occhi bassi, com'è di giusto a una fìmmina onesta.

«O cavalla sarvaggia che chi arrinesce a mettervi briglia diventa Dio!» prosecuì don Aneto che, avendo in gioventù praticato come sottocammareri la casa di un conte spagnolo, aveva imparato che con le fìmmine valeva più il sono della parola di quello dell'argento. Ma Filònia era d'altra piniòne.

«Quant'è longarioso st'omo! Quanno arriva alla sostanzia?» pinsava.

Don Aneto principiò un complicato paragoni tra Filònia e la luna, ma Filònia addicidì di pigliari l'iniziativa, di quel passo facevano notte.

«Ma pirchì vossia mi turmenta? Chi voli da una povirazza comu a mia?».

Don Aneto Purpigno s'incaniò, come se Filònia gli avesse fatto offisa.

«Povirazza?! Vui povirazza! Non lo dite manco per sgherzo!».

«Ah, siconno vossia io sugnu ricca?».

«Ricca?! Ricca sfondata siete, più ricca di la regina di Spagna!». Vuoi vidiri che facevano notte l'istisso?

«E dove le tengo queste ricchezze?».

«Nelle carni vostre, Filònia! Voi possedete tre feudi: uno a levante, uno a ponente e l'ultimo a mezza costa. In quello di levante c'è una vallicella profumata e ummirosa, sopra alla quali c'è macari un boschetto fitto fitto; in quello di ponente non ci sono àrboli o erba, tutto è liscio, la terra è comu la sita e in mezzo a dui vallunate ci sta una grotticella stritta e ammucciata; in quello di mezza costa ci stanno due montagnole bianche come il latte e hanno la cima rosa. Non vi parono ricchezze queste?».

«Ma vossia non lo sape che questi feudi, come dice vossia, si l'accattò mè marito Gisuè?» spiò Filònia mentre dintra di sé rideva pirchì li paroli di don Aneto l'avevano addivertuta.

«Ma io non me le voglio accattare! Ci voglio veniri ogni tanto a passiare, una volta nella vallicella e una volta nella grotticella. Ma sempre tenendo a vista il feudo delle montagnole».

Filònia capì giusto: non si trattava di isarsi la gonna e appuiarsi a un àrbolo o stinnirisi sull'erba. Quello la voleva nuda.

«E quante volte si voli fare queste passiate?».

«Diciamo una volta al mese. E ogni volta, per il disturbo, vi posso dari un tarì».

Un tarì? Quant'era tirato, lu porcu! L'avrebbe fatto spasimiàre. Gettò un'occhiata di sdegno a don Aneto.

«Senza offisa, donna Filònia. Pinsateci».

«Chi haiu a pinsari? Bonasira».

Filònia voltò le spalle per andarsene, ma si sentì richiamare. Don Aneto aveva in mano un tarì e gliene faceva mostra.

«Chi vulite? Voi stessu m'avete detto di pinsaricci».

«Donna Filònia, statemi a sentiri. Nel feudo di mezza costa, ai due lati, ci sunnu due pezzi di terra chini di sciùri. Io vurria sintiri u profumo di una sula di queste sciurerie».

Filònia, che per travagliare portava la cammisetta sbracciata con sopra uno scialletto, con la mano dritta agguantò il tarì e isò contemporaneamente il vrazzo mancino. Don Aneto tuffò il naso dintra i pila dell'asceddra della fìmmina.

Oh cannella! Oh spezia priziusa! Oh garofano! Oh girsumino d'Arabia!

Già scurava e le aulive squasi non si vedevano più quanno Colotto Zìcari s'infilò due dita in vucca e, fischiando alla pecorara, signò la fine del travaglio. Tutta la truppa assugliò Gisuè che se ne stava stiso sotto un àrbolo e in mano teneva una bacchettina che aveva tagliato da un ramo.

«Chi ti desi lu principi?».

«T'arrigalò oro?».

«Un pezzo di terra?».

Senza arrisponniri, Gisuè si levò la cammisa di seta e si girò, facendo vidiri a tutti le spalli piagate.

«Accussì mi ringraziò! E io il ringrazio ora me lo sparto con voi».

35

E principiò a dare vergate a tutti, all'urbigna, a chi capitava capitava. La truppa si scansò come poté e poi s'allontanò, murmuriando contro la tirchieria e l'ingratezza del principe.

Gisuè pruì la cammisa di seta a Filònia che intanto s'era avvicinata.

«Chista pigliatilla tu, a mia mi pari cosa di fìmmina».

E poi ancora, alla truppa che si priparava pi' la santa nuttata:

«Ah, mi l'avia scurdatu! Mi desi puro da mangiari mezzo capretto. Quanno l'addigerisco, ve lo spartite».

Gisuè, al quale non ci poteva sonno, arrisbigliò a sò mogliere.

«Vieni cu mia. Avemu a parlari».

Torno torno la truppa dormiva, la faticata jornaliera era forte e ora pareva che stavano a segare àrboli.

Arrivati luntani da grecchie che potevano sintiri, Gisuè attaccò.

«Quanno arrivai, tu non c'eri e Colotto Zìcari mi disse d'iri a circariti. Ma u zù Casio mi fece 'nzinga di no».

«Quel grannissimo cornuto!» fece Filònia. «Voleva fari succedere un burdello. Voliva che tu mi trovassi con don Aneto».

Ecco qual era il trainello, lo sfondapiede nel quale Colotto sperava che cadesse.

«E che voleva don Aneto Purpigno da tia?».

«Chiddru ca vonno sempri l'òmini. Dici ca pi' ficcari una volta al mese cu mia, mi dona un tarì a botta».

Gisuè sputò sdignosamente 'n terra.

«Tantu ti stima?» spiò ironicamente.

«Vogliamo passare la notti a parlari di stu strunzu?» tagliò Filònia. «Contami invece la verità di quello che successe col principe, tu non mi persuadi, sei infuscato».

E Gisuè le contò per filu e per signo la vicenna del principe e la proposta ca gli aveva fatto.

«E te la stai a pinsari? Ma comu, l'autro jorno, quanno sinni stava appiso ni lo sbalanco, tu lo volevi ammazzari e ora ca ti l'addimanna iddru istisso ci di-ci di no? Faccillo chisto favore al principe, accussì pu-temu finarmente mettiricci a mangiari».

Fu notti trubbuliata per squasi tutte le persone che fino a questo punto sono trasùte nella storia nostra.

Don Aneto Purpigno, nudo e solo dintra a un pagliaro, con una mano a coppa sul naso tentava di conservare il sciàu-ro dell'ascella di Filònia, mentre l'altra mano faceva da pom-piere e cercava freneticamente d'astutare l'incendio.

Il principe don Filippo Pensabene di Baucina si vo-tava e s'arrivotava nel letto, il linzòlo a un certo mo-mento gli si arrivogliò tanto che gli parse d'essiri im-bozzolato. Sonò il campanello che aveva al capizzale e poco doppo s'apprisentò Cocò assunnato.

«Che volete, eccellenza?».

«Spogliati e coricati accanto a me. Consolami, Cocò».

A Palermo, nella càmmara da letto del suo palazzo vicino al Càssaro, il duca Sebastiano Vanasco Pes y Pes stava assittato, nudo e sconsolato, supra una putruna, mentri la duchessa Isabella, nuda e bellissima, passia-va da una parete all'altra con le mano sui fianchi.

«Me siento agitada».

Dava sempre questa istissa risposta al marito che le spiava il perché avesse pigliato a smaniare appena doppo che avevano fatto l'amuri. Però, quanno per la vintesima volta, senza fantasia e perciò senza manco cangiari una parola, il principe nuovamente le spiò, donna Isabella sbottò e tirò fora quello che si teneva dintra da tre anni, da quanno s'erano maritati.

Disse che a lei le gustava mucho practicar col suo esposo nel casamiento, era sacramental e quindi magari ogni noche, ma solo con lui perché gli altri hombres le avrebbero fatto asco, schifìo, e perciò el problema no era aquél. La cuestión era che lei capiva che il suo esposo, appena finivano di juntarse, si poneva siempre la misma pregunta: ci sarebbe stata stavolta la concepción de un hijo? Ebbene, che il suo esposo lo sapesse una volta per tutte: lei era ben cierta di no ser estéril, la verdad era che lei sentiva nel suo regazo la semilla de su esposo arrivare già fría y muerta. Ecco tutto. Che il suo esposo la scusasse, ma in convento le avevano insegnato las reglas de Santa Teresa d'Avila. Diceva la Santa che bisognava siempre hablar simple, castizo y religioso.

Invece, in quanto al pensar, donna Isabella seguiva una regola tutta sua, ma questo al marito non lo disse.

Distrutto, don Sebastiano si pigliò la testa tra le mano.

Don Filippo Pensabene era arrinisciuto a chiudere occhio solo verso la prima matinata, puro Cocò durmiva, stremato dalle consolazioni che aveva prodigate al suo patrone. La tuppiata del caposervo alla porta esplose perciò nella testa del principe come una cannonata.

«Chi è?» spiò arraggiato.

«Io sono, eccellenza. È tornata quella persona che è venuta ieri mattina e desidera parlarle».

«Un momento».

Arrisbigliò Cocò che di subito addiventò giarno.

«Ancora?!».

«No» disse il principe. «Te ne devi andare di corsa in camera tua».

«Avanti» fece don Filippo dopo essersi accertato con un'occhiata che nella càmmara non c'erano più tracce di Cocò.

Trasì Gisuè. Il principe si sentì di subito sireno e lucito.

«Allora, ti sei deciso?».

«Ccà sugnu, cillenza» disse Gisuè allargando le vrazza.

«Ti sono grato. Io sono pronto» replicò il principe satando dal letto e pigliandolo per un braccio. «Siediti che parliamo».

Magari don Filippo s'assittò allato a lui.

«Io haiu scanto» attaccò Gisuè.

«E di che, asino scecco?».

«Che poi dùnano a mia la colpa di la sò morti. Macari dìcino ca fui io ad ammazzarlo pi livaricci i cento onze».

«Mi credi così stupido? Ho pensato a tutto. Tu, sulla tarda mattinata, te ne vai via da qui e torni a lavorare al feudo. Consegni il cavallo a don Aneto e gli dici che non ne hai più bisogno. Chiaro?».

«Sissi, cillenza. Fino a stu puntu, sì».

«A chi ti domanda perché ho voluto rivederti, rispondi che è stato perché ti volevo ricompensare per il salvataggio. Poi, quando tutti si sono messi a dormire, vieni di corsa, senza farti notare da nessuno, allo sbalanco, all'altezza di dove era ferma la portantina. Chiaro?».

«Mi abbisogneranno armeno armeno dù ori a pedi e di cursa».

«Tu non ti preoccupare. Chi arriva primo, aspetta l'altro. Intesi?».

«Sissi, cillenza».

«Hai appetito?».

«A u solitu, cillenza».

Si ripitì la stessa funzione di l'altra volta. Don Filippo sbatté le mano, arrivò Cocò, niscì, tornò con Monzù, priparò il tavolino. Qui ci fu una novità. Prima che Gisuè attaccasse a mangiari una cosa che non aviva mai mangiato, che si chiamava faraona e che pareva una gaddrina, il principe, alla prisenzia di Cocò e di Monzù, ittò un'onza supra il tavolinetto.

«Questa è tua, Gisuè. Per avermi salvato la vita».

Gisuè arrivò che la truppa stava finendo di mangiari pani e calatina. Mostrò a tutti l'onza che il principe gli aveva dato.

«Mi desi un'onza per il ringrazio. Doppo scangiamo e spartemo».

La delusione fu palpabile. Ma comu?! Uno ti sarba la vita e tu, che sei riccu, gli dai un'onza sola pi ringrazio? Spartuta per quant'erano, a testa sarebbe toccata quasi quanto la paga di una jornata di travaglio.

«Sempri megliu che una pedata nei cugliuna» si rassegnò u zù Casio ch'era filosofo.

Gisuè s'avvicinò a don Aneto Purpigno che stava assittato allato a Filònia, ma non mangiava. Don Aneto pareva avviluto, aveva la faccia sbattuta e i calamari sotto agli occhi.

«Il principe m'ha ditto che il cavaddro non mi serve più e voli che voi glielo riportate narrè ora stissu».

Don Aneto si fece più nìvuro. Susendosi, sussurrò alla grecchia di Filònia:

«Pinsati alla proposta».

Quanno don Aneto Purpigno sinni partì, Colotto Zìcari friscò alla pecorara la ripigliata del travaglio. Gisuè si levò la cammisa.

«Che vuoi fari?» spiò Colotto.

«Travagliari».

«U principi non ti pagò la jornata?».

«Stavota no. Vuol dire che vossia mi conta solo mezza jornata».

Colotto Zìcari la tirò tanto a longo che friscò la fine quanno non solo non si videvano più le aulive, ma macari la faccia delle pirsune. Tutti avevano la schina rotta. E perciò furono subito pigliati di sonno.

«Chi fu? Sinni pentì, il principe? Nun voli più muriri?» spiò Filònia al marito.

«No, ora, appena sugnu sicuro ca tutti dormino, minni vaiu. U principe m'aspetta, è cosa fatta».

«Allura pirchì tornasti?».

«Vosi accussì u principi. Dici che abbisogna fari in modo che la colpa di la sò morti non venga data a mia».

Buttanazza di la miseria buttana, doppo manco una mezzorata che Gisuè correva verso l'appuntamento, sinni vinni l'acqua. E non quattro stizzi, ma una pioggia vera che in breve fece difficoltosa assà la curruta di Gisuè. Sicché quanno arrivò al loco stabilito, era vagnato fràcico, col sciato grosso e sudato.

«Ora mi piglio un malanno» pinsò.

Il principe era già arrivato, stava addritta sotto un àrbolo al quali aveva attaccato il cavaddro.

«Pensavo non saresti più venuto».

«Vossia mi scusassi, cillenza, ma la chiuvùta m'ha fatto tardare il passo. Non ci mancavo di parola, a voscenza».

Il principe non disse niente. E allora Gisuè spiò:

«Comu voli morìri, cillenza? Voli ca lo catafotto nello sbalanco?».

«No. Ci ho pensato bene. Voglio morire impiccato».

«Impiccatu? E la corda unn'è?».

«L'ho portata io. Me la sono fatta dare, con una scusa, da Cocò. È lì, legata alla sella. Pigliala».

Erano cinco metri di corda bastevole.

«Lo sai fare il nodo scorsoio?».

«Quello scurrevolo? Sissi, cillenza».

«Allora fallo, mentre io prego».

Il principe si mise agginucchiuna, si fece il signo di la Croce, calò la testa e principiò a priàre. Priò a longo e quanno finì s'addunò che Gisuè non era ancora arrinisciuto a fare il nodo scorsoio.

«Che succede?».

«Succedi ca la corda è vagnata».

«Ecco l'intoppo che ti spezza la volontà» disse il principe e, più che assittarsi, parse crollare a terra. Gisuè, santianno, continuò a travagliari con la corda. Tutt'inzemmula, il principe si susì e si mise a curriri. Gisuè lassò la corda e pigliò ad assicutare don Filippo che pareva addiventato un lepro. Lo fermò a un centinaio di metri, affirrandolo pi li gambi.

«Non voglio morire!» gridò il principe mollandogli un cavucio in faccia, senza che però Gisuè lassasse la presa.

«Eh no, signure e principe» disse Gisuè. «I patti sunnu li patti e vannu arrispittati».

A questo richiamo a essiri omo di parola, il principe s'acquietò.

«Scusami» disse. Si susì e seguì Gisuè.

Finalmenti il nodo della corda parse fatto. Però non scorreva bene.

«Meglio di accussì non può veniri».

«E pazienza» fece don Filippo.

«Ora io acchiano sopra a quell'àrbolo» disse Gisuè «e attacco la corda».

«Se tu sali sull'albero» fece il principe «io, quant'è vero Iddio, me ne approfitto e scappo».

«E allura come si fa?».

«Si fa così. Tu mi dai un pugno in faccia e mi fai svenire».

«Va beni».

Gisuè gli mollò un cazzotto e quello cadì 'n terra comu un piro. Quanno finì d'attaccare la corda, aveva terminato di chioviri e il principi era sempri sbinuto.

«Deve moriri senza cuscenzia o con la cuscenzia?» si spiò Gisuè.

A forza di scutuluna, di schiaffi in faccia, don Filippo s'arrisbigliò.

«Tutto a posto?».

«Sissi, cillenza».

«Allora procediamo».

S'avvicinò all'àrbolo e considerò la longhizza di la corda.

«Mi pare giusta» disse. «Ma tu dovresti pigliare una grossa pietra e portarla qua in modo che io possa salirci sopra e mettermi il nodo attorno al collo».

«Non ce n'è di bisogno» fece Gisuè. «Se voscenza mi acchiana supra li spalli a cavaseddro, ci arriva».

Gisuè si curvò, il principe gli salì di supra a cavalcioni. Gisuè lo portò a livello della corda e il principe se la passò intorno al collo.

«Appena ho finito di dire la giaculatoria» disse il principe «tu basta che fai due passi avanti».

«Va beni».

Ma che era sta jacculatoria?

«Gesù, Giuseppe e Maria, a voi confido l'anima mia».

Questa era la jacculatoria.

«Amènne» disse Gisuè pirchì accussì gli era stato insegnato di dire doppo ogni prièra.

E tentò di fari un balzo in avanti. Tentò, pirchì le gambe del principe gli si erano serrate 'ntorno al collo e stringevano tanto che a momenti l'assufficavano.

Arriniscì a liberarsi, fece tri passi avanti e quanno si voltò a taliare, don Filippo pareva un pupo dell'opira dei pupi nisciuto pazzo. Gettava le gambi e le vrazza da ogni parti, aggirava supra se stesso. Si vede che il nodo non era arrinisciuto a stringersi bene. Gisuè pigliò la curruta e con un balzo s'attaccò alle gambi di don Filippo. Si susì da terra, pigliò a dondoliare. E mentre dondoliava, pinsava al sacchitello con le cento onze che il principe gli aveva consegnato appena era arrivato e che ora teneva alla cinta. Mentre dondoliava, gli venne di cantari per la cuntintizza. E si mise a cantare.

Capitolo terzo

A una cert'ora della matinata, Cocò venne arrisbigliato da Monzù che, comu u solitu, s'era apprisintato dal principe per spiargli cosa desiderava mangiari a mezzojorno. Non avendolo trovato curcato, s'era rivolto a Cocò. Macari lui si mise a cercare il patrone, senza arrisultato. Misero di mezzo il capocammareri, non sapeva nenti. Uno dei guardiani delle stalle arricordò che, la notti avanti, aveva sentito rumorata. Al loco suo, il cavaddro del patrone non c'era. Si fecero allora pirsuasi che il principe sinni fosse nisciuto a passiare e si misero il core in paci. Macari quanno a mezzojorno non tornò, non furono pigliati di preoccupazione, spisso il patrone faceva accussì, nisciva di prima matina e tornava a notti fatta. Però, quanno fu notte fatta e del principe ancora non si vedeva manco l'ùmmira, si fecero pinsèro.

Se il principe una notti, metti caso, non aveva 'ntinzioni di arricamparsi, lo lasciava sempre detto a qualcuno. Bisognava perciò organizzare la ricerca, capace che il principe era caduto dal cavaddro, si era fatto mali e non poteva cataminarsi. Ipotesi però alla quale non cridivano: in questo caso il cavaddro se ne sarebbe tornato alla stalla. Il capocammareri stabilì che tutti i servi, fatta eccezioni di Monzù e di Caterino, che era troppo vecchio, si munissero di una vestia e di un'arma, quindi assegnò loro le zone di ricerca. Ma all'ultimo momento s'appresentò Monzù, era affezionato al principe che sapeva degnamente apprezzare l'arte sò di cucina. Il capocammareri assegnò al cuoco le parti dello sbalanco, e quindi fu Monzù a trovare il suo patrone che pinnuliava da un ramo. Scinnì da cavaddro e sparò un colpo in aria per avvertire gli altri.

Tagliarono la corda, ma non arriniscirono a levargli il nodo dal collo, era troppo stritto. Portarlo a villa prisintò qualche difficortà, dato che il principe era addiventato rigido come un baccalà, pareva di ligno, un palo. Arrisolsero alla fine di legarlo con le corde alla schina d'un cavaddro, nella direzione testa-coda. A farla brevi, tra una cosa e l'altra, arrivarono a vista della villa che già faceva luce.

Quando il duca Sebastiano Vanasco Pes y Pes, quell'istissa matinata, scinnì dalla carrozza e mise pedi nel baglio della villa, sentì subito feto d'abbrusciato. Nelle stalle non si vedeva un cavaddro, non c'erano né uno stalliere né un servo. Gli si fece incontro un vecchio cammareri in lagrimi:

«Spirì! Spirì, u patrone mè!».

Sparì? Vuoi vedere che quel cabrón del principe se n'era fujuto senza riconoscergli per iscritto la proprietà della villa e dei feudi? Diede una pedata al vecchio per levarselo di davanti e si precipitò verso lo scalone per acchianare nelle càmmare di sopra. Non fece a tempo.

«Señor!». Era la voce di Hortensio che lo chiamava.

Il duca s'era portato appresso, nel caso che fosse nata qualche sgradevole discussione col principe, due òmini spagnoli da tempo al suo servizio, Honorio, che era uno sdisonorato di prima grannizza, e Hortensio, che del fiore quasi omonimo non aveva certo la gradevolezza. Erano pirsune di pronto stocco, specie se lo stocco poteva indirizzarsi alle spalle, non al petto, dell'avversario.

Il duca tornò nel baglio proprio nel momento in cui ci trasiva la processioni col morto. La corda torno torno al coddro del principe parlava chiaro. Il duca ordinò che il catafero venisse portato nella càmmara e messo così com'era sopra il linzòlo. Mentre i servi facevano l'opira sò, il duca s'addunò che sopra il tavolinetto c'era un foglio di carta con la firma e il sigillo del principe.

«Fuera todos!» gridò. «E cerrate la puerta! Voglio restare solo per pregare por l'alma de mi pobre amigo».

Appena tutti sinni niscero, il duca si precipitò al tavolinetto. Aveva visto giusto. Il principe stabiliva che tutte le sue proprietà, case e feudi, non avendo egli parenti prossimi, passavano di mano, erano possesso di don Sebastiano. Dopo la firma e il sigillo, c'erano altre due righe dove si diceva che nessuno doveva essere incolpato per la morte che andava a darsi.

Su quest'ultime parole don Sebastiano ci arragionò supra tanticchia. Certo che con quella frase il principe non intendeva alludere a lui, che colpa ne aveva lui, il duca, se il defunto era così estúpido da no entender quando uno l'embrollava al juego? Doveva riferirsi a qualcun altro. Ma a chi, se non aveva parenti e amici e i servi apparivano tutti devotissimi? Ad ogni buon conto, col tagliacarte separò dal foglio quelle righe che fortunatamente venivano dopo la firma e il sigillo. Si mise in tasca il pezzetto di carta, s'aggiustò una faccia d'occasione, raprì la porta.

«Potete entrar. Ma qualcuno vada pronto a Montelusa a llamar al Capitán de justicia».

Don Stellario Spidicato era stato eletto Capitano di giustizia a furor di nobile dato che il popolo in queste cose contava meno delle formìcole. Era l'omo giusto, un cretino col botto, pronto ad ammuccare la prima minchiata che un potente gli diceva per un misto d'imbecillità e di servilismo. Saputo che il duca Vanasco Pes y Pes, marito della figlia del viceré, voleva vederlo, ci mise meno di un'orata, correndo a retini stese, per arrivare da Montelusa alla villa di feudo Trasatta.

Nella càmmara da letto, i servi, inginucchiati, prigavano. Monzù aveva a fatica composto il catafero, gli aveva arravogliato un rosario nelle mano. Solo Cocò non priava ma chiangiva. A Diu non ci credeva e il principe, che ogni tanto gli pigliava la botta di religioni, lo rimproverava:

«Cocò, tu pensi troppo al tuo culo e per niente alla tua anima».

Stellario Spidicato taliò il morto e pronunziò la sintenzia.

«Chiaro in fonte. S'ammazzò».

«Così pare» fece il duca.

Il Capitano di giustizia aggelò. Forsi aveva parlato trop-po prestu. Che voleva veniri a significare quel «pare»?

«Pare che s'ammazzò» si corresse prontamente.

«Già» disse il duca don Sebastiano a mezza vucca.

Calò un silenzio piombigno. Macari i servi avevano interrotto le priere e stavano a sintiri.

«Guardate la nariz» fece cupamente don Sebastiano.

Madonna biniditta! E che era sta nariz? E dove si trovava?

Pi fortuna, il duca indicò col dito il naso del morto.

«Vedete? È come se l'avessero rotto con un pugno. Vedete la sangre sulla cara?».

«Eh già» fece Stellario Spidicato senza compromet-tersi.

«La cuestión è questa. Chi ha dato questo colpo al-la nariz del principe antes che lui si ahorcara? O non è da suponer che il principe sia stato ahorcado da uno sconosciuto?».

Aveva seminato molti dubbi, il dubbio portava sem-pre frutto.

«Non lo sapremo nunca» concluse allargando le brac-cia.

Seppellito il principe nella cappella di famiglia del ci-mitero di Montelusa, il duca passò tutte le carte per en-trare in possesso dei beni all'abogado vicereale che il suocero gli aveva mandato da Palermo. Dato che le co-se sarebbero andate longhe, quattro jorna doppo la morte del principe alla villa arrivò la duchessa Isabel-la con la sò cammarera pirsonale.

La cammarera, chiamata Rosario (talè, sti spagnoli: mettiri a una fìmmina un nomu d'omo!), era curta, pilusa, i gambi torti, un occhio a Cristo e l'altro a San Giuvanni, grossa quanto un varlirotto di vino. I minni ci pendevano come due visazze vacanti. Il duca non la potiva soffriri e quindi la spedì a dormiri all'ultimo piano 'nzemmula agli altri servi, senza stare a sintiri le proteste della duchessa che la voleva allocare nella càmmara dove prima ci stava Cocò. Il quali Cocò, tra chianti e lagrimi, venne macari lui mandato all'ultimo piano.

Rosario si mise di subito a fare voci che era peligroso per una mujer dormiri sola tra tanti ominazzi, ma a don Sebastiano non ci poté ragione.

A mezzojorno, altra tragedia, stavolta senza strepito. A Monzù questo spagnolo non ci aveva mai fatto sangue fin dalla prima volta che l'aveva canosciuto. Ma vederselo comparire il matino istesso che avevano trovato il patrone appiso, tutto vistuto di nìvuro come un carcarazzo, pronto a pigliarisi la robba che con l'inganno del joco aveva fottuto al principe, gli fece sbotari lo stomaco. Squasicché, quanno arrivò la duchessa, Monzù non fece cosi spiciali, ma priparò i piatti soliti con l'adenzia e l'impegno di sempre.

Quanno mise in tavola la seconda portata, s'addunò che mentri la duchessa della prima s'era liccata le dita, don Sebastiano invece non l'aveva manco assaggiata. All'occhiata interrogante di Monzù:

«È una porquería» disse allontanando il piatto.

Un'ora appresso, senza dignarsi d'avvisare il novo patrone, Monzù Filibert caminava verso Montelusa supra un carretto, per affittare una carrozza e appresentarsi al duca di Salaparuta che era tri anni che lo voleva a servizio pagandolo due volte tanto del poviro principe morto.

Nel primo doppopranzo, seguito da Hortensio e da Honorio, il duca si firriò tutta la villa, che era enorme. In una parete della cantina, ammucciata darrè una para di grandissime botti, scoprirono una porticina di ligno, cummigliata di filinie, ragnatele. Don Sebastiano ordinò d'aprirla e Hortensio e Honorio ci arriniscero doppo essersi allordati tutti. Dato lo scuro fitto, dovettero addrumare dù torci. C'erano tre celle, scavate nella roccia, ognuna chiusa da una porta fradicia. In una c'erano catene impiccicate al muro per attaccarci un omo mano e pedi. Le tre celle non erano state evidentemente usate da dicine e dicine d'anni. Il duca ordinò ai due di non aprire vucca con nisciuno.

Prima di sira, si fece appresentare i servi uno a uno. Stava assittato darrè lo scagno dello studio e allato aveva Hortensio e Honorio. Facivano spavento.

A tutti, don Sebastiano rivolse l'istissa intifica dimanna:

«El difunto señor principe, después d'essere caduto nel despeñadero, e prima che scomparisse, s'era incontrato con qualcuno?».

Ricivitte da tutti l'istissa intifica risposta:

«Sissignore, il principe si era incontrato due volti con Gisuè Zosimo, l'omo che l'aveva sarbato dallo sbalanco, dal despeñadero, comu lu chiamava il signor duca».

A proposito di quegli incontri, Cocò fu quello che sapiva i dittagli. Il poviro principe, che u Signuruzzu ci sarbassi l'arma per quanno era stato beddro e bono, aveva mandato a chiamari Gisuè con don Aneto Purpigno, capo dei campieri. Gisuè s'era appresentato e inveci di riciviri il ringrazio, comu forsi s'aspittava, aveva avuto una fracchiata di lignate.

«Por qué?».

Cocò non lo sapeva. Però il principe aveva fatto una cosa stramma: aveva dato da mangiare a Gisuè mezzo capretto. Non c'era senso: prima lo vastoniava e poi lo consolava?

«E qué pasó la segunda volta?».

Cocò disse che la secunna vota il principe aveva parlato sulu a sulu con Gisuè. Poi gli aveva dato da mangiari comu u solitu e gli aveva arrigalata un'onza per il salvamento. Gisuè sinni era nisciuto dalla villa in matinata istissa e non l'aviva arrivisto più nisciuno. Nonsi, in quelle jornate il principe s'era incontrato solo con Gisuè e non aveva messo pedi fora dalla villa.

Prima di licinziari la servitù, il duca disse al capostalla che la matina appresso, alle prime luci, doveva andare a circari don Aneto per dirgli che il novo patrone lo voleva vidiri immediatamente.

Poi, dopo mangiato, pani cacio sasizza e mènnuli duci, se ne andò a letto. Donna Isabella già durmiva, stanca del viaggio e delle storie della jornata. Don Sebastiano rimase vigliante sino a tardi, a pinsari a Gisuè Zosimo e ai suoi rapporti col principe. Finì col farsi pricisa piniòni, ed era piniòni che, messa in pratica con juicio, poteva risultargli assai guadagnevole.

Don Aneto riferì al duca tutto quello che sapeva sulla facenna, vale a diri nenti. Il principe, bonarma, gli aveva ditto d'andare a chiamari Gisuè e di mettergli a disposizioni il sò cavaddro col quale quello poteva iri e viniri e difatto con la vestia era iuto e vinuto. Di più non sapiva, in cuscenza.

«Dónde está ahora questo Zosimo?».

«È duminica, eccillenza. Ogni duminica Gisuè e sò mogliere Filònia sinni vanno a Montelusa. Poi tornano verso l'avimmaria. Dumani a matina hannu a ripigliari a travagliare».

Congedato don Aneto, il duca dette un priciso orden a Honorio e a Hortensio.

Gisuè e sò mogliere avivano passato la santa duminica in casa della soro di Filònia che di nomu faciva Angilina e che si era bono maritata con uno scarparo di Montelusa, Girlando Pitrella, omo di giusta parola e assà ascutato dalla gente squasi fosse un judice, anzi meglio. Quanno Gisuè e Filònia trovavano travaglio stascionale, Angilina e il marito davano adenzia a Pippìno, il nicareddro di Filònia e di Gisuè. Se lo tenevano in casa e lo trattavano meglio di un figlio, forsi pirchì a Girlando e Angilina u Signuruzzu, ch'è sempri lodato, aveva nigato u piaciri d'aviri un picciliddro. Ora Pippìno aviva due anni e sei misi ed era sperto come un diavolo.

Gisuè e Filònia, prima che facesse scuro, abbrazzato e vasato il nicareddro, s'avviarono verso il feudo Tumminello, ci volivano tri ori boni di camino. Doppo una mezzorata che avivano lasciato la porta di Montelusa e parlavano di come comportarisi con le cento onze che Gisuè aveva suttirrate ai pedi di un àrbolo di carrubbe, si vittero comparire davanti due òmini vestiti di nìvuro. Filònia si scantò e Gisuè la parò col suo corpo.

«Niente miedo, paura» disse uno sorridendo.

«Solamente una pregunta, una domanda» fece l'altro.

Briganti non erano, erano vestiti boni. Gisuè si rinfrancò.

«Chi vulite?».

«Siete voi Gisuè Zosimo?».

«Sissignura».

In un vìdiri e svìdiri, Hortensio puntò uno stocco alla gola di Gisuè mentre Honorio mollava un cavucio potente nella panza di Filònia che cadì 'nterra sbinuta.

Ma Gisuè non solo era stazzuto, possidiva macari riflessi pronti.

Afferrò la mano di Hortensio e la torcì. Hortensio circò allora di dargli una ginocchiata nei cugliuna ma Gisuè si scansò. A questo punto Honorio, che era vinuto a trovarsi alle spalle di Gisuè, affirrata una pietra, gliela sbatté sul cozzo. Quello allentò, i ginocchia ci addivintarono di ricotta. Allora Hortensio gli scatasciò un pugno in faccia con tutta la forza che aveva. Gli attaccarono le mano darrè la schina, lo strascinarono fino a dove avivano lasciato tri cavaddri, supra di uno ci misero Gisuè di traverso, montarono sugli altri due e partirono.

Quanno Filònia raprì gli occhi, s'arricordò di subito del fatto. Non fece né voci né si mise a chiangiri, inveci si susì e, malogrado che la panza gli facesse dolori per il calcio, la prima cosa che si dette gana fu di circari nelle vicinanze se metti caso i dù òmini avessero sasinato a sò marito e ne avessero ammucciato il corpo in mezzo all'erba. Filònia aveva la vista bona e, per quanto già facesse scuro, fu certa che Gisuè era stato pigliato vivo e portato u Signuruzzu sulo sapiva addovi. Ripigliò, currenno, la strata per Montelusa e arrivò allo steri ca manco poteva parlari, si sentiva assufficare. Davanti allo steri, che era la casa unni ci stavano le guardie, c'era appunto una guardia che la taliava senza curiosità, non ci spiò pirchì fosse accussì agitata. Filònia aveva le garge secche, ma si sforzò di parlari l'istisso.

«Vogliu vidiri a don Stellario Spidicato».

«Voi non potiti voliri nenti, voliri non è parola ca v'apparteni» fece la guardia taliandola stavolta di malo.

«Dicitimi vui come devo dire».

«Doviti dire: putissi aviri la grazia di vidiri il Capitano don Stellario Spidicato?».

«Putissi aviri la grazia di vidìri il Capitano Stellario Spidicato?».

«Vi sbagliaste, vi siete scordata il don».

Facendosi forza per non satargli addosso e sbinchiargli la facciazza di gran cornuto a unghiate, Filònia stavolta ripeté giuste le parole, ma la guardia non disse né ai né bai.

«Allura, la pozzo aviri la grazia?».

«Non potiti pirchì il Capitano non c'è».

Sputazza nella vucca Filònia non aveva, ma fece lo

stesso il gesto e la rumorata di sputargli sui pedi con disprezzo, quindi voltò le spalle e si mise a curriri verso la casa della sorella.

Angilina e Girlando stavano mangiando, Pippìno era stato messo a dormiri e perciò, per non arrisbigliarlo e farlo scantare, Filònia contò il fatto a bassa voci, vivendosi una cicarata di vino.

«Veni con mia» disse Girlando mettendosi in sacchetta un trincetto affilatissimo, era considerato un maestro nell'arte di maneggiare quello strumento sia sul còrio che sulla faccia delle persone.

La guardia, che era ancora al suo loco, arraccanoscì Filònia, ma non si cataminò.

«Tu lo sai chi sono?» spiò Girlando.

«Sissi».

«E chi sono?».

«Vossia è don Girlando Pitrella».

«Bravu. E chista signura è mè cugnata».

«Onori e piaciri».

«Potissi aviri la grazia di conosceri il nome tò? Me ne volissi arricordare».

«Don Girlando, vossia mi deve scusare, io non lo sapiva ca la signura era cognata a vossia e pirciò…».

«Per questa vota lascio perdiri. C'è u Capitano?».

«Sissi».

Quanno lo vide trasire nella càmmara, il Capitano si susì.

«Don Girlando, che piaciri!».

L'anno avanti, a causa di carestia, la genti, spinta dalla fami, aveva attaccato quattro palazzi di deputati, la casa del pìscopo (il vescovo s'era rifiutato di cedere il grano agli affamati), e lo stesso steri. Don Calòrio Pinna e don Agazio Renella erano stati ammazzati e l'istisso Capitano don Stellario Spidicato aveva già la corda torno al coddro quanno era intervenuto don Girlando che, con la sua autorità sulla popolazioni, era arrinisciuto a tirarlo fora vivo dai mali lazzi.

«C'è qualche cosa che pozzo fare per voi?».

«C'è» disse don Girlando.

Honorio e Hortensio arrivarono a notti alla villa, ma prima di trasire nel baglio, imbavagliarono Gisuè e attaccarono il cavaddro a un àrbolo. Poi andarono nello studio dove li aspettava il duca che ordinò a Honorio d'acchianare all'ultimo piano per accertarsi che tutti i servi dormivano. A pedi leggio, Honorio firriò le càmmare, e ci parse che tutti fossero in sonno profondo. Ci parse, perché Caterino aveva il sonno dei vecchi, che s'arrisbigliano macari se una foglia si smove. Ridisceso nello studio, ricevette l'ordine di andare con Hortensio a pigliari Gisuè, portarlo nella grotta con le catene e incatenarlo lasciandolo con la vucca cummigliata. I due eseguirono, però non s'addunarono che, mentre trasportavano Gisuè attraverso il baglio, Caterino li taliava da una finestrella. Tutto aveva vecchio Caterino, tranne la vista che pareva quella di un marinaro picciotteddro. Quanno tutto fu a posto, il duca pigliò letto. Donna Isabella, ch'era vigliante, aspettò la mano del marito sulla coscia, che era il signo del comienzo, ma il duca non si mosse. Era dalla notte che gli aveva detto la verdad che il suo esposo non usava più practicar con lei e lei, essendo joven y caliente, aveva sempre bisogno di práctica.

Dalla descrizione che la mogliere di Gisuè gli aveva fatto, don Stellario si fece persuaso che erano le due pirsune a servizio del duca quelli che avevano pigliato a Gisuè. E certo era macari che i due non avevano fatto quello che avevano fatto di testa sò, ma per un ordine di don Sebastiano. Il che veniva a significare rogna, e grossa assai. Rassicurò Girlando e Filònia, disse che avrebbe accominciato di subito a circari. Mentri Filònia sinni tornava a casa del cognato dove avrebbe passato la nottata, don Stellario ordinò che all'indomani, all'arba, quattro guardie a cavaddro si dovevano appresentare sotto a sò casa.

Fu così che di prima matina il rapprisintanti della giustizia arrivò alla villa scortato da quattro armati.

Hortensio si precipitò a svegliare il duca.

«Lo devo acompañar nello studio?».

«No. Deve quedarse fuera».

Si vestì con tutto comodo, scinnì, spuntò dal portone con la faccia nivura, non salutò nisciuno.

«Qué pasó?».

«Signor duca, aieri sira, appena fora di Montelusa, due pirsone hanno pigliato un omo».

«Perché venite a contarme este asunto?».

«Pirchì, con tutto il rispetto, la mogliere dell'omo pigliato ha descritto le due pirsone che assomigliano precise ai due signori che stanno allato a vostra eccillenza».

«Ma ese hombre es loco!» disse Hortensio arridendo.

Honorio invece s'infuscò e fece un passo avanti. Don Sebastiano lo fermò con un gesto.

«Questi due signori» dichiarò il duca con voce alta e ferma «ayer, todo el día, sono stati nella quinta, nella villa».

Don Stellario ci pinsò sopra un momento, poi allargò le vrazza.

«Signor duca, ci scusassi il disturbo».

E fece per acchianari a cavaddro. Fu allora che il duca sorrise.

«Venite nel mio studio, señor Capitán, a bere un bicchiere. I vostri hombres lasciateli volver a Montelusa».

Quanno furono soli, il duca attaccò di subito.

«Voi, Capitano, siete un hombre che ha cerebro. Avete capito muy bien. Sono stati Hortensio e Honorio a efectuar la detención de Gisuè».

Effettuare l'arresto? Ma arristari la genti era cosa sò, non del duca. Don Stellario s'arraggiò tanto che usò paroli spagnoli.

«Tra detención y secuestro c'è una bella diferencia, signor duca».

«Seguro. Ma io ho ordinato la detención».

«Arristari le pirsone è cosa di competenza del Capitano di giustizia».

«No aquí. Yo estoy informado. Per una ley del milletrecentodue, i principi Pensabene di Baucina hanno diritto di alta e bassa justicia nelle loro propriedades. Pues, essendo yo heredero del principe, ho la misma podestad. Claro?».

«Ma sono più di quattrocento anni che i Pensabene non hanno esercitato questo diritto!».

«Non fa importancia. La podestad non è stata borrada, cancellata. Se voi, signor Capitano, avete qualche duda, dubbio, potete presentare la cuestión al viceré».

Don Stellario capì ch'era stato inculato.

Mentre nello studio si svolgeva questa eleganti discussioni legale, un jornatante, su ordine del campiere, arrivò nel baglio della villa con una mula carica di otto sacchi d'aulive da mettere in salamoria per i bisogni dei patroni. Caterino l'aiutò a scarricare. E fu accussì che poté dirgli d'avvirtiri la truppa che Gisuè era stato pigliato dagli òmini del duca.

«Ma pozzo almeno sapiri pirchì l'avete fatto arristari?» spiò don Stellario.

«Questo sì. Per avere asesinado al principe».

«Ma che dici vostra eccillenza? Il poviro principi s'ammazzò con le sue stesse mano!».

«Questo è quello che l'asesino ha voluto far creer. En cambio ha stordito con un puño il pobre don Filippo e gli ha messo la cuerda al cuello. Vi ricordate che vi feci notar que el muerto aveva la nariz rotta e la sangre nella cara?».

«Eh già» fece don Stellario. Poi s'arrisolvì a spiare: «Ma per quale scascione l'avrebbe ammazzato?».

«Por rabia. Por desilusión».

«Di che?».

«Gisuè Zosimo aveva salvato la vida del principe e

justamente esperava una recompensa. Invece il principe la primera vez che lo fece venire alla villa lo trattò col bastón e la segunda vez gli diede solo un'onza di recompensa. Allora Gisuè con una excusa attirò al principe fuera della villa e lo mató».

Il ragionamento del duca non quatrava, faceva acqua da tutte le parti.

Don Stellario Spidicato si tirò il conto. Ora come ora, tornando a Montelusa e dicendo che non era arrinisciuto a trovari Gisuè, pigliava tempo. Ed era la meglio cosa.

«Volete asistir all'interrogatorio del prisionero?» spiò con un sorrisino don Sebastiano che già s'aspittava la risposta.

«Ma no!» fece il Capitano di giustizia pronto a lavarsi le mano cento volte più di Pilato. «Mi rimetto alla vostra equità».

Scinnì dallo studio, arrivò nel baglio, inforcò il cavaddro e sinni scappò come se fosse assicutato dal diavolo.

Capitolo quarto

Doppo tanticchia che faciva corriri a galoppo il cavaddro verso Montelusa, il Capitano di giustizia ci
arripinsò e rallentò. Era sicuro che, appena arrivava
allo steri, davanti al portone trovava ad aspettarlo la
mogliere di Gisuè e don Girlando Pitrella. Che poteva contare a loro? Che la giustizia non ci poteva
con un cornuto superchiatori di spagnolo? Sarebbe
stata una perdita di prestigio enormi, se lo sapevano
tutti si sarebbero sentiti autorizzati a cacargli dintra
il letto. La prima cosa da fari era intanto di pigliari-
silla commuda. E pisare bene le paroli che avrebbe
dovuto dire.

Quanno il giornatante che aviva portato il carrico alla villa tornò nell'auliveto del feudo Tumminello, la truppa non aveva ancora finito la matinata e perciò il giornatante si mise a travagliari, macari per non fari discussioni con quel beccamorto di Colotto Zìcari, il soprastanti. Però, appena si trovò allato a un compagno,
parlò a mezza voci.

«U duca spagnolo si pigliò a Gisuè».

Finalmenti Colotto friscò il riposo e la mangiata e ac-

63

cussì tutti poterono discutiri liberamenti la questione. Si spiavano macari che fine aveva fatto Filònia.

«Ma che ci potemu fari nautri povirazzi?» sospirò uno.

«Qualchi cosa la potemu fari» asserì pinsoso u zù Casio.

Quanno Colotto friscò la ripigliata del travaglio e tutti si susirono, u zù Casio se n'arristò stinnicchiato 'n terra.

«E tu?».

«A mia mi fa mali la schina, sugnu vecchiu».

«Si sei vecchiu, vatinni al camposanto. Ma fino a quanno stai qua, travagli comu a l'àutri».

«E si minni vaiu?».

«Io non ti pago manco la mezza jornata che hai fatto».

«Mettitilla 'n culo, la mezza jornata» disse una voce anonima dalla truppa.

Colotto capì che c'era nirbuso tra la genti e feci finta di non aviri sentito parola. U zù Casio si susì e pigliò a caminare verso la trazzera. Un passaggio su uno scecco o un carretto verso Montelusa l'avrebbe sicuramente attrovato.

Hortensio raprì la porta fradicia della cella e di subito una zaffata di feto fece sbotare lo stomaco a don Sebastiano: il prigioniero s'era fatto i suoi bisogni addosso.

«Levategli la mordaza» ordinò don Sebastiano.

Alla luce della fiaccola che il suo compagno Honorio teneva alta, Hortensio sciolse il bavaglio.

«Non la feci per scanto, ma pi necessità» proclamò Gisuè.

Ci teneva alla precisazione.

Ma con quel feto il duca non resistiva.

«Che si lavi. Che Caterino porti roba limpia. Después, quando esté lavado, me lo portate nello studio».

Don Stellario, in contrario a quello che s'aspittava, davanti al portone dello steri non trovò né Filònia né don Girlando. Spiò a una guardia, la quali gli contò che sì, i due erano stati quasi tutto il doppopranzo davanti allo steri, ma doppo era vinuto un vecchio, avivano parlato e se n'erano iuti.

Il Capitano di giustizia s'appagnò. Che veniva a dire? Con don Girlando non era cosa da babbiarci, quello non era un nobili, non era un ricco, era solo un mastro scarparo, ma una parola sò capace che smoviva la genti. Abbisognava tenerselo bono. Rimontò a cavallo e s'appresentò alla casa dei Pitrella.

Quanno trasì, al tavolino di mangiare c'era mastro don Girlando con un vecchio che non accanosceva. Filònia, la mogliere di Gisuè, era assittata supra un letto, con gli occhi grossi come due milinciane, e allato aveva a sò soro Angilina che la consolava. Pippìno invece giocava càmmara càmmara portandosi appresso con uno spago un carrettino di ligno.

I due òmini, al vedere il Capitano, si susirono.

«A Gisuè si lo pigliò il duca» fece don Girlando.

«Lo saccio» disse don Stellario. «Ci parlai, non sente ragioni».

«Ma iddru non havi il potiri d'arristari un omo».

«Lui dice che l'havi per una liggi vecchia di cento e cento e cento anni narrè. Io pozzu, volendo, scriviri al viceré. Ma lo sapiti tutti che il viceré è sociro di don Sebastiano».

Fece una pausa per dare più importanza a quello che stava per dire: se quelli abboccavano, si scaricava della rogna.

«Pirchì non chiamate un avvocato?».

Il vecchio, che ancora non aveva rapruto vucca, fece una risata.

«Signor Capitano, non lo sapi come si dice? Con l'abbocato ci si perdinu l'ova e l'acci».

Il vecchio si riferiva a una storia leggendaria. Un viddrano, con sei uova e alcuni mazzi di sedano, stava per andare a venderli al mercato di Montelusa. Un prepotenti gli aveva tagliato la strada e gli aveva portato via la mercanzia con un pretesto. Il viddrano, certo di aviri la ragioni dalla parte sua, aveva chiamato un avvocato e aveva fatto causa al prepotenti. Conclusione: il viddrano aveva perso la causa, aveva dovuto pagare l'abbocato e ci aveva rimesso le uova e i sedani.

Davanti a quella ferrigna convinzione, don Stellario non seppi che replicari.

Fu Filònia a fare la dimanna più sensata:

«Ma pirchì il duca l'arristò?».

La verità è sempre rivoluzionaria, avrebbe detto qualcuno anni appresso. Don Stellario era omo gnorante ma intuì che se avesse ditto la verità sulla scascione dell'arresto, avrebbe scatenato una rivoluzione, vale a dire un burdello.

«Il duca non me l'ha voluto dire».

«Vossia s'è voluto pigliari il disturbo e noi la ringraziamo» disse mastro don Girlando. «Ma abbiamo capito che la liggi non c'entra».

«È accussì» fece il Capitano di giustizia, e sinni niscì.

«Yo, el duca don Sebastián Vanasco de Pes y Pes, acuso este hombre, Gisuè Zosimo, d'avere asesinado al principe don Filippo Pensabene, mio amigo, per resentimiento y espíritu de venganza, vendetta».

Le parole del duca cadirono in un silenzio funnuto. Nello studio, darrè il tavolo, ci stava assittato don Sebastiano che aveva allato, addritta, Hortensio e Honorio.

Gisuè era davanti al tavolo, macari lui addritta ma incatinato. Portava cazùna e cammisa puliti che gli aveva dato Caterino. In fondo allo studio, impicciati alla parete, ci stavano i servi e 'na poco di camperi, tra i quali don Aneto Purpigno.

Il duca voleva un processo pubblico, l'aveva fatto sapiri a tutti.

«Tu, Gisuè Zosimo, te declari culpable o inocente?».

«Non l'ammazzai io a don Filippo» disse a voci chiara e alta Gisuè.

S'era fatta l'ora di andari a mangiari.

«El prisionero sia riportato nella celda» stabilì il duca. «El proceso riprenderà mañana por la mañana. Questa noche el prisionero avrà tiempo para pensar y para decir la verdad».

Aneto Purpigno venne pigliato da una botta di subitaneo odio. Ma comu? Sto strunzo di duca, con la smania che gli era vinuta di fari il judice, gli aveva fatto scompariri Filònia a un passo di quanno lui se la poteva godere.

«Signor duca!» gridò mentri tutti stavano niscenno dallo studio, «voglio la grazia di potere io stesso abbadare a questo asasino».

Don Sebastiano lo scrutò. Aveva saputo che don Aneto era omo spiccio e che non taliava in faccia a nisciuno, aveva sempri fatto l'interesse del patrone sò. E poi Hortensio e Honorio non ce la facevano a badari a tutto.

«Va bien» disse.

Don Aneto Purpigno s'avvicinò a Gisuè e gli mollò una timbulata in faccia.

«Grannissima carogna! Ci penso io a tia!».

Se un siciliano voli fare inganno a un altro siciliano è necessario che non lo talii negli occhi. Don Aneto, mentri schiaffiava Gisuè, ne circò lo sguardo. E Gisuè capì che don Aneto stava facendo l'opira dei pupi. Si mise macari lui al gioco.

«Grannissimo cornuto! Appena nesciu di qua, t'ammazzo!».

Don Aneto replicò con un'altra timbulata.

Il duca sorrise, quei due òmini s'odiavano, Gisuè era in bone mano.

«Ma che necesidad c'è di questo proceso?» spiò Hortensio. «Se vostra excelencia vuole fare desaparecer quell'hombre…».

Non arriniscì a finire la frase. La porta dello studio si raprì di botto e Cocò, pallito, chiangente e trimante, trasì, gettandosi di subito a ginucchiuni, le mani giunte in priera.

«Mi pirdunassi, cillenza, mi pirdunassi!».

«Che ti prende?».

«Ci devo parlari di Gisuè».

«La puerta» fece il duca a Honorio che andò a chiuderla.

«Ahora habla».

«Gisuè è nnuccenti, cillenza! Non fu lui ad ammazzare il principe!».

«Tu come fai a saperlo?».

«Pirchì quanno il principe mi mandò fora per parlari sulu a sulu con Gisuè, iu, dalla càmmara allato, sentii tutto. Un patto ficiro. Gisuè duviva aiutari il principe ad appendirsi, pirchì pinsava che, all'urtimo minuto, ci veniva a mancari il curaggio. Ci promisi a Gisuè cento onze. Questa è la santa virità, lo giuro supra a la Cruci!».

E scoppiò in singhiozzi.

Lento e sullenne, il duca si susì.

«Levati, joven generoso y valiente!».

Cocò si mise addritta, il petto ancora scosso, con una mano s'asciucò il mòccaro che gli colava dal naso.

Il duca intanto aveva rapruto un cascione, ne aveva tirato fora un sacchettino di tela spessa, l'aveva isuto in aria.

«Qui ci sono diez onze. Prendi!».

Tirò il sacchiteddro e Cocò lo pigliò al volo.

«Questa è la recompensa per il tuo corazón leal y puro! Tu però non hablar con nessuno di quello che ci hai detto. Mañana por la mañana, cuando volverá a empezar il procedimiento, tu farai testimonio a favor de Gisuè. Ahora vai. E silenzio!».

Completamente strammato, perché tutto s'aspittava dal suo gesto meno il ringrazio del duca, con un sàvuto arrivò vicino a don Sebastiano, principiò a vasargli le mano allordandole di lacrime, mòccaro e sputazza. Dovette intervenire Hortensio per liberare il suo patrone.

Appena Cocò fu nisciuto:

«Esta noche, mátalo» disse il duca a Honorio.

Cocò era appena arrivato a metà corridoio, con le gambi che ancora gli facevano trìnguli mìnguli, quanno si sentì chiamari. Era Honorio. Arrivato alla sua altizza, l'omo non gli disse nenti, gli mise le mani sui fianchi, se lo tirò più vicino. Continuò a taliarlo negli occhi, senza parlari. Poi isò la mano dritta e passò leggio leggio l'indice supra le labbra del picciotteddro.

«Tu» disse.

Il dito accarizzò una guancia.

«Tu».

Un orecchio.

«Tu».

Cocò si sentì squagliari. L'omo gli disse qualche cosa all'orecchio appena accarizzato.

«Sì» disse Cocò.

La fortuna aiutò a don Aneto Purpigno. Proprio sutta la porta di Montelusa, mentri si spiava come avrebbe fatto a trovari la casa di mastro Girlando Pitrella, vitti a zù Casio che sinni stava tornando a Tumminello. Don Aneto scinnì da cavaddro e gli s'avvicinò.

«Bonasira».

«Bonasira».

«Si può ammucciari u suli?» spiò Aneto al vecchio.

No, il sole non si poteva nascondere.

«E l'amuri?».

«Manco».

«Perciò vui, zù Casio, vi sarete certamente addunato di quanto io sugnu pigliato da Filònia».

«E mali fa vossia. Filònia è fìmmina maritata».

«Macari io sugnu omo maritato».

«Non è l'istissa cosa».

«Lo dite vui. Mia mogliere sapi maniare il coltello meglio di Gisuè».

«Chi vuliti di mia?».

«Sapiri dovi abita Filònia a Montelusa. Vui vi doviti persuadiri che io mali non cinni posso fari».

U zù Casio ci arragionò un momento. Se ci diciva dov'era la casa dello scarparo, a Filònia non la compromittiva, con lei c'erano altre pirsune. E quindi spiegò ad Aneto come doveva fari per arrivarci.

Prima di trasiri, don Aneto Purpigno taliò da una finestrella dintra il catojo a due càmmare che era tutta la casa dello scarparo. Un omo, che doviva essiri Girlando Pitrella, mangiava con una fìmmina, che assomigliava a Filònia. Filònia invece stava assittata supra un letto nel quale dormiva un picciliddro. Si vede che Filònia non aveva gana di mangiari.

Gesù! Ma era possibile una cosa come a chista? Che miracolo era? Filònia aveva gli occhi rossi di chianto, la punta del naso macari iddra arrussata, i capiddri all'aria, li labbruzza gonfiati dai mozziconi che s'era data per non fari voci, eppuro era ancora più beddra. Sissignore, più beddra!

Tuppiò, la porta era aperta a mezzo, trasì.

«Bonasira» disse e non altro pirchì la voci gli mancò, vacillò, si dovette appuiare allo stìpito.

Sopra l'adori di cacio stascionato che i due stavano mangiando, l'aveva colpito, come una stilettata nelle nasche, l'adori di Filònia fatto più forti dalla sudareddra nirbusa.

Oh bàrsamo fino! Oh sciùri di zàgara! Oh acqua di rose!

Non arrinisciva a livari gli occhi da quelli di Filònia e macari la fìmmina pareva incatinata con lo sguardo.

«È don Aneto Purpigno, u camperi del feudo Trasatta» fece Filònia così vascia di voci che parse non aviri parlato.

Ma don Girlando Pitrella l'aveva intesa. Un camperi! La fitinzìa di l'òmini erano i camperi. Quanno un servo s'appatta col patrone, addiventa peju di lu patrone.

«Che volite?» spiò alterato.

«Vegnu comu amico» fece don Aneto isando le vrazza e mettendosi nella posizioni di mano in alto.

«E comu fazzo a cridirivi?» spiò ancora mastro Girlando.

«Gisuè mi disse una cosa che solo donna Filònia può capiri».

«Dicitila».

Don Aneto Purpigno si rivolsi direttamenti a Filònia.

«Io non saccio u significatu, ma vi dico le paroli per come Gisuè me le disse: non è pi lu piaciri ma pi lu duluri».

Filònia avvampò, abbassò gli occhi. Era successo la seconda vota che aveva fatto l'amuri con Gisuè. A un certo momento lei aviva pigliato a fari «ahi! ahi» e Gisuè le aveva ditto: «Ti piaci, eh?» e lei aviva arrisponnuto: «Ma quali piaciri, è duluri, una petra puntata mi sta scassando la schina».

«Viene come amico» confermò Filònia.

«Assittatevi e gradite un vuccali di vinu» fece mastro Girlando.

Don Aneto contò come si fosse guadagnata la fiducia del duca. Ma la cosa interessava relativamente allo scarparo.

«Si può sapere pirchì il duca lo pigliò?».

«Certo. Dice che non è vero che il principe s'impiccò, ma che è stato Gisuè ad ammazzarlo».

«E Gisuè che arrisponnì?».

«Che non era vero, e basta».

Quindi, pinsò Filònia, non voleva parlari del patto che aveva fatto col principe. Nisciuno forsi lo doviva sapiri, quindi lei non avrebbe detto niente.

«Ma pirchì il duca pensa sta cosa?» spiò mastro Girlando.

«Pirchì Gisuè non sarebbe arrimasto contento del ringrazio che gli aveva fatto il principe dopo che lui gli aveva sarbato la vita».

«Non mi quatra. Il duca se ne fotte altamente della morti del principe. Non erano manco amici. Perciò io mi spio: pirchì sta facendo tutta quest'opira?».

«Me lo spio macari io» disse don Aneto. E poi aggiunse:

«Niscemo fora a parlari».

Gli costava non accarizzari con gli occhi Filònia, ma il sciàuro di lei gli confondeva il pinsèro.

Mastro Girlando era omo fino. Appena furono fora, attaccò.

«Ho capito perché vi state compromittendo in questa facenna».

«Pirchì, si vede?».

«Si può ammucciari u suli?» spiò mastro Girlando.

Parlarono sino a notti fatta. Alla fine non poterono che accordarsi su di una deludente conclusione, e cioè che non c'era altro da fari che aspettari a come si metteva la cosa. Meno mali che don Aneto sarebbe stato in grado di tenere informata la famiglia.

«La pozzo salutari a donna Filònia?» disse don Aneto quanno venne l'ora d'irisinni.

Mastro Girlando allargò le vrazza. Si può ammucciari u suli?

Trasirono in casa. Filònia s'era addrummisciuta, teneva stritto al petto il picciliddro. Don Aneto non ebbe curaggio d'arrisbigliarla.

Chi s'arrisbigliò inveci nella villa, e capì che l'ora era giusta, fu Cocò. Senza fari la minima rumorata si vistì, scinnì le scale, niscì nel baglio, l'attraversò, si trovò fora dal portone. L'appuntamento stabilito era sotto l'aulivo a mano manca, il primo del filare. Lo scuro si poteva tagliari col coltello. Sentì un fischio leggio, si diresse da dove proveniva. L'àrbolo era un aulivo saraceno gigantesco che, inveci di spicare in alto, s'era messo coi

74

rami raso terra e pareva un ammasso di serpenti. Honorio, appena vitti Cocò, l'abbrazzò stritto stritto pi la vita. Cocò invece gli gettò le vrazza al collo e lo vasò a longo, fino a quanno gli venne il sciato grosso. Honorio si sbottonò la pattina dei cazùna e Cocò afferrò l'asta.

«Nella boca» disse Honorio.

Ubbidienti, Cocò si mise a ginucchiuni.

«Basta» disse a un certo momento Honorio.

Sempri ubbidienti, Cocò si calò le vrachette e s'appuiò con le due mani a un ramo vascio.

Honorio gli si mise di darrè. La cosa fu longa e più durava più Cocò si lamentiava di piaciri. Nell'attimo istisso in cui sburrava, Honorio gli desi col taglio della mano sul cozzo una potenti botta. Cocò morì sul colpo.

Mentri Honorio s'aggiustava, dal ramo più alto dell'aulivo calò Hortensio.

«Muy bien» fece.

Carricarono lo sbinturato supra un cavaddro, vi montò macari Hortensio e se ne partì.

Honorio tornò a informare il duca che l'ordini era stato eseguito e che Hortensio era in viaggio per gettare il catafero di Cocò nell'istesso sbalanco dove era caduto il principe. Il duca disse a Honorio di andare all'ultimo piano, senza svegliare nessuno, e scoprire dove Cocò aveva messo le onze che gli aveva dato.

Donna Isabella sentì il marito che si curcava. Aspettò la mano sulla coscia. Niente. Ma che gli pigliava? S'era offiso per il discorso che gli aveva fatto? Si ripromise che la notte appresso gli avrebbe parlato, così lei non se la sentiva più di continuare, aveva bisogno di sentirsi un omo dintra.

A mettiri la corda intorno al coddro di Gisuè fu, senza volerlo, don Aneto Purpigno. Il camperi era arrinisciuto a farsi sì e no due ore di sonno. Non voleva arrivare tardi alla villa, doviva esserci quanno il duca avrebbe rifatto la farsa del processo. Inveci di pigliari la trazzera, guidò il cavaddro per una scorciatura che, a un certo momento, costeggiava lo sbalanco. E fu propio sull'orlo del pricipizio che vitti, alla scarsa luci dell'alba, una scarpa in bilico, che oscillava al vento di prima matina. Pigliato di curiosità, scinnì dalla vestia, s'affacciò. Nello sprofondo, sul greto, c'era un corpo. Don Aneto non se la sintì di fari la perigliosa calata, a mezz'ora di strata c'era un viottolo che scinniva al sciume. Il camperi girò il cavallo, biastimiando. Capace che arrivava tardo.

«Yo, el duca don Sebastián Vanasco de Pes y Pes, declaro abierto el segundo día del proceso contra Gisuè Zosimo acusado di avere asesinado al principe don Filippo Pensabene».

La scena era l'istissa dell'altra volta, i servi sinni stavano in fondo allo studio, in mezzo alla càmmara in catini c'era Gisuè, Hortensio e Honorio erano allato al duca che s'assittò lento.

Prima che il duca si mettesse nuovamente a parlari, sulla porta comparse, affannato, don Aneto Purpigno che fici 'nzinga a Honorio di volergli parlari. Honorio gli s'avvicinò e Aneto gli parlò a bassa voci. Il duca aggrottò la frunti ma non disse niente. Tutti furono pigliati di curiosità, meno Gisuè che arristò fermo e impassibili. A sua volta, Honorio parlò alla grecchia del duca. Don Sebastiano ascutò, poi si susì.

«La noticia che aprendo in questo momento è una confirmación di quello che già sapevo. Ayer il servo Nicola Parrinello, Cocò, ha confessato a me, in presenza dei signori Hortensio Precioso y Honorio Fierro, d'essere stato complice di Gisuè Zosimo nell'omicidio del principe don Filippo Pensabene e de haber recibido una recompensa di diez onze. Trastornado dal remordimiento, esta noche Nicola Parrinello è muerto suicida, gettandosi en un despeñadero, il suo cuerpo è stato ritrovato alla madrugada da don Aneto Purpigno. Yo penso che el precio della sua traición, diez onze, sia ancora nella sua habitación. Autorizo a la servidumbre a cercare questo dinero e a repartirlo tra voi». Si fermò perché gli era venuto un pinsèro. Come mai la servidumbre non aveva minimamente reagito alla notizia della muerte di Cocò? Doveva incaricare Honorio di fare un'indagine.

Non sapiva, il duca, che Caterino, il quale pareva ridiventari picciotto durante la notti, aveva visto Cocò scinniri li scali e l'aveva seguito. Aveva assistito, ammucciato, alla terribili morti del picciotteddro e l'aveva contata all'àutri cammareri.

«Dopo quanto è successo, ritengo inútil proseguir el proceso. Todo è claro. La condena per questo delito è la muerte. E perciò condeno a Gisuè Zosimo a essere ahorcado».

«Che minchia significa ahorcado?» spiò Gisuè a don Aneto che gli si era messo allato.

«Appiso» disse il camperi.

Capitolo quinto

L'istissa matinata nella quali condannò Gisuè a morire appiso, il duca, in mancanza di Monzù, chiamò Rosario, la cammarera pirsonali della duchessa, e le ordinò d'occuparsi della cucina.

Rosario fece un grido acutissimo, di porcu scannatu.

«Es un encargo provisional» disse don Sebastiano nel tentativo di calmarla.

Fu peggio, la cammarera arraggiò, fece voci che lei di cotture non se n'intendeva, ch'era vinuta in quel posto scordato da Dio e popolato d'ominazzi che aspettavano il momento giusto per saltarle addosso, solo per dari adenzia alla patrona sò. Accurrì donna Isabella ai cui pedi si gittò Rosario con le mano nei capiddri. All'occhiatazza della mogliere, don Sebastiano s'arrinnì e desi l'incarico al servo Caterino.

La scelta fu bona e sbagliata nell'istisso tempo. Bona pirchì nella sò remota gioventù Caterino aveva fatto parti di una banna di briganti e si era guadagnato, presso tutti i latitanti e malagenti del circondario, fama e onuri come cocu toccato dal Signuri; sbagliata pirchì Caterino era omo minnicativo e gli erano arrimasti sulla panza il micidio di Cocò prima e l'ingiusta con-

danna di Gisuè doppo. Perciò preparò un brodo di gad-
druzzo con sapienza e passioni e, un mumentu prima
di farlo portari in tavola da Rosario, che a quel compito minore s'era piegata, senza farinni addunare alla
cammarera, lungamente ci pisciò dintra.

Pigliata la prima cucchiarata, alla duchessa ci venne da vomitari, il duca invece il brodo se lo surchiò
tutto e disse alla fine che era squisito. A sentire
quell'aggettivo, donna Isabella parse pigliata dal diavolo: ma che bocca aveva – spiò al marito – per
agliuttirsi quella lordìa che persino un cantaro avrebbe rifiutato? E sinni niscì, negandosi di stare ancora a tavola.

Il duca, a vidirla accussì annirbata, capì che la fìmmina non ne poteva più dell'astinenza alla quale la
stava obbligando. Decise allora di stringere i tempi della filama che andava tessendo.

Senza manco finiri di mangiare, trasì nella càmmara dove Honorio, Hortensio e quello che credevano un
loro nuovo amigo, don Aneto, stavano scolandosi un
litro a testa. I tre si susirono.

«Accompagnatemi dal prisionero».

Gisuè era sempri attaccato alla catina.

«Vi aviso che la sentencia sarà efectuada mañana por
la mañana, nella hora che più mi será comoda».

Gisuè lo taliò, frisco come un quarto di pollo, parse
che la morti d'appiso riguardasse n'àutra pirsona. Certe volte capita che uno non ce la fa a persuadersi che
è arrivata l'ora della morti sò.

«Voglio un parrino, mi voglio confessari».

Don Sebastiano esitò solo un momento. Non poteva negare el consuelo della religión a un moribundo, tanto più che se a Palermo lo venivano a sapere quelli dell'Inquisición, poteva lui stesso finire peor que ahorcado. Gli venne naturale rivolgersi a don Aneto Purpigno, ch'era del posto.

«De acuerdo».

Don Aneto partì sparato.

Invece d'andari a circari di subito il parrino, il camperi, appena a Montelusa, si precipitò nella casa di mastro Girlando Pitrella. Avevano già saputo della condanna a morte di Gisuè. Chi glielo aveva detto?

«L'aria» fece mastro Girlando. «Certe volti le cose si sanno per via d'aria, si dice una parola in un pàisi lontano e quella parola non hai tempo di fare biz che è già arrivata. L'ha portata l'aria».

Mastro Girlando continuò che nella tarda matinata avevano persuaso Filònia ad andare al mercato, non c'era nicissità, solo per farle pigliare tanticchia d'aria, e lì aveva sentito che il duca aveva stabilito la morti del marito sò. Era sbinuta. Un catapano, una guardia daziaria, l'aveva raccolta e portata in casa.

Don Aneto venne colpito da una stilettata di gelosia verso le mano del catapano: certamente ancora conservavano l'adori (oh zammù! oh acetosella! oh cileppo!), il sciàuro della fìmmina.

«E dovi è ora donna Filònia?» spiò.

«Dormi nell'àutra càmmara e mè mogliere sta con iddra».

Non l'avrebbe vista, pacienza.

«Lo lassamo moriri accussì?» fece don Aneto.

«Nonsi. Stamattina presto vinni u zù Casio a dirimi una cosa che si poteva fari alla disperata. Io ci dissi ch'e-ro d'accordo».

«La pozzo sapiri?».

Mastro Girlando gliela disse. Don Aneto consentì: in mancanza d'àutro, era la meglio.

La ricerca del parrino si dimostrò difficoltosa. A Montelusa ce ne stavano assà. Il primo interpellato fu patre Calcedonio Schirò. Pisava, al netto, centono-vantasei chila. Quanno doviva andare in casa di un cri-stiano, lo portavano in sei, assittato sopra una specie di purtantina, ma quasi sempri c'era il problema che patre Calcedonio non ci passava dalla porta delle ca-suzze e pirciò, metti caso che si trattava di daricci l'Oglio Santo, il moribondo veniva trasportato sulla stra-ta dove il parrino faceva l'officio sò.

«Posso mettermi in carrozza e venire alla villa» dis-se patre Calcedonio.

Il parrino aveva fatto levare tutta una latata della car-rozza per poterci trasiri.

«Ma la mula ce la fa a farsi l'acchianata del Salsetto?».

Eh già. Per andare alla villa con una carrozza, l'ac-chianata del Salsetto abbisognava farsela, non c'erano santi. Don Aneto si rese conto che la risposta non po-teva essere che una.

«Nonsi».

Il secondo interpellato fu patre Palizio Intelisano.

«Vogliamo babbiare?» fece il parrino alla richiesta di Aneto, «non lo vedete che sto facenno?».

«Nonsi, che sta facenno?».

«Staiu priparando la chiesa pi la festa di San Calò».

«Va beni, ma pi la festa ci vogliono ancora tri jorni. E quello invece l'ammazzano domani a matino. In quattro ore andiamo e torniamo».

«E che saccio come se la piglia San Calò? Tu lo sai com'è fatto, il santo. Per la minima cosa gli savuta la mosca al naso. Capace che pensa che io l'ho trascurato e mi fa succediri una disgrazia. È minnicativo, e io mi scanto».

Don Aneto si stuffò. E addecise di ricorrere a patre Uhù Ferlito, che da cinque anni si era trasferito in una caverna che c'era nella montagna del Crasto. Ci voleva un'orata e mezza di cavaddro, ma don Aneto Purpigno non si scoraggiò.

A venticinque anni patre Ugo Ferlito, chiamato dai fedeli Uhù, era addiventato segretario del viscovo di Montelusa. Patre Uhù, malgrado la gioventù, s'era fatto nome di pirsuna bona, onesta e che pirdiva la vista supra i libra. Tutto questo fino al giorno in cui il viscovo gli disse che l'incaricava di una missioni dilicata.

«Voi certamente saprete, caro figlio» esordì «quello che stabilì il Sinodo di Braga del 563».

«In questo preciso momento non ho presente» fece imparpagliato patre Ferlito.

Il Sinodo di Braga, gli arricordò il viscovo, aveva scagliato l'anatema contro chi pensava che il diavolo, per sua volontà, potesse scatenare tuoni, fulmini, tempeste e siccità. Ma nell'840 Agobardo di Lione, col suo *Liber contra insulsam opinionem de grandine et tonitruis*, aveva corretto l'opinione del Sinodo, asserendo che il diavolo può fare tutto quel danno per praeceptum dei, incaricato dal Signore.

Per un'altra orata parlò al parrino di Burcardo di Worms e del *Malleus maleficarum*, di San Tommaso e della *Summa*, particolarmente dove spiega come bisogna procedere contro gli animali indemoniati. E finalmente venne al dunque.

«Il feudo del barone Argirò di Alicudi e Filicudi è stato invaso da milioni e milioni di lumache, stanno distruggendo i raccolti. I contadini sostengono che in ogni lumaca è entrato il diavolo. Il barone stesso è venuto a trovarmi, ha lasciato una ricchissima offerta. Ho provveduto a mandarci padre Stanislao Cumella, che in queste cose ci sa fare».

«Ma possiamo noi?».

«Sissignore, possiamo. La sentenza di Macon del 1481, proprio in riferimento al danno causato dalle lumache, prescrive che i preti ammoniscano le lumache una, due, tre volte ad astenersi dal rodere e devastare i raccolti».

«E nel caso che le lumache non obbediscano?» spiò patre Ferlito.

«Se non obbediscono, dice sempre la sentenza, è chiaro che sono istigate da Satana e perciò vanno maledette e scomunicate».

Patre Ugo Ferlito non sciatò.

«Vi mando perché padre Stanislao Cumella si lascia andare ad eccessi quando esorcizza, dovete controllarlo».

Effettivamente le lumache erano miliardi, non si poteva dare un passo senza scrafazzarle e restavano attaccate alle scarpe, viscide, che uno era sempri in piricolo di sciddricare e sbattere 'n terra.

Una vintina di viddrani, màscoli e fìmmine, erano inginocchiati ai bordi del campo dove patre Stanislao stava opirando. Per il gran cavudo e per la forza che metteva nello scongiuro, il parrino s'era livato tutto ed era arrimasto in mutanni. Satava, girava su se stesso, certe volte lento e certe volte come una trottola, nella mano mancina aveva un ramo di palma biniditta, in quella di dritta una croce. A gran voce, patre Stanislao faceva l'esorcismo.

«Vattìnni fora, vattìnni fora / diavulazzo di la mal'ora / Vattìnni via, vattìnni via / pi lu nomu di Maria / Nun ci vèniri mai più / pi lu nomu di Gesù / Diavulazzu, diavulazzu / 'un mi rùmpiri lu cazzu…».

Aveva inteso bene?, si spiò allarmato patre Uhù.

«Diavuluna, diavuluna / 'un rumpìtimi i cugliuna /…».

Aveva inteso bene. Ecco cosa intendeva il vescovo quanno gli aveva detto che padre Cumella si lasciava andare ad eccessi. La pratica continuò ancora a lungo, fino a quanno patre Stanislao cadì 'n terra, sfinito. Don Ferlito in prima non seppe che fari, poi currì in soccorso del confratello. Il poco tempo che ci aveva messo per raggiungerlo fu bastevole perché il corpo di patre Stanislao venisse coperto da un centinaio di lumache. Non sapendo da dove accuminciari, patre Uhù gli mise una mano sulla fronte. E allora, di colpo, tutte le lumache che caminavano supra a don Cumella si firmarono, s'arrangrizirono come sotto a una fiamma, morirono. Che stava succedendo? Strammato, patre Uhù levò la mano e l'appuiò 'n terra. Di subito, per una decina di metri, le lumache morirono. Il parrino si trovò in un bagno di sudore. Taliò la via che aveva fatto per arrivare al posto dov'era caduto il confratello: c'era come un sentiero di lumache morte dove aveva messo i pedi. Mentri don Cumella si ripigliava, volle fari una prova e si tirò cinco passi arretro. Con orrore, vide che nell'arco di una decina di metri tutte le lumache s'erano abbrusciate, le altre più lontane continuavano a strisciare. Non disse niente, non si cataminò. Don Cumella, rapruti gli occhi, al vedere le lumache morte, si fece persuaso che il suo esorcismo funzionava, e ripigliò gli scongiuri. Patre Ferlito ne approfittò per montare a cavaddro e irisinni.

Mentre tornava a Montelusa, si sentiva la febbri. Possibile che possedesse il potere? Aviva la testa confusa, rischiava di cadere dal cavaddro e perciò decise di fermarsi tanticchia sotto un àrbolo.

Nel rumore che gli faceva il ciriveddro, i cui ingranaggi parevano aviri perso l'oglio, tutt'inzemmula sentì gemiti e lamenti provenire da dietro una massa di cespugli. Si susì nel pinsèro che ci fosse un ferito, e taliò. Al di là dei cespugli s'apriva una piccola radura, al cui centro c'era una fìmmina, non arriniscì a stabilirne l'età, la quale stava stinnuta a panza all'aria, la gonna sollevata sino al ventre, nuda, le gambe divaricate e rialzate, le braccia sospese e ricurve a mezz'aria come se stringesse qualcuno, chiaramente fornicava col nulla. Patre Ferlito non ebbe il tempo di stupirsi perché s'addunò che dalla parte opposta a quella dovi stava, un picciotto macari lui taliava la scena. Mentre quella continuava il suo congresso carnale con l'aria, il picciotto si spogliò nudo, deciso ad approfittare dell'occasioni e, arrivato all'altezza della fìmmina, senza fari la minima rumorata, di colpo si calò tra le sue cosce e la penetrò. Fu un attimo, una gran vampata di foco nascì tra i due corpi, il picciotto si susì che ardeva, la fìmmina parse arrisbigliarsi dal sonno, fece una voci terribili, sinni scappò. Don Ferlito vitti il picciotto àrdiri sotto i suoi occhi, e vommitò l'anima.

Quanno arrivò al vescovado, disse al suo superiori che tutto procidiva beni e che si stavano guadagnando la prebenna che aveva lasciata il baruni Argirò. A notti funnuta, andò nella biblioteca del vescovo e si portò nella càmmara tutti i libri che parlavano del diavolo. L'incontro con il *Perì energeias daimonion* di Michele Psello nella traduzione francese del 1615, vale a dire una cinquantina d'anni avanti, cangiò la sua vita. Apprese che i diavoli, essendo angeli decaduti, in linea di massima non hanno corpo, ma possono pigliarlo, o d'omo o d'armàlo. Quando sono solo d'aria, possono congiungersi carnalmente, ed era il fatto al quale aveva assistito, in quanto la penetrazione è come se il membro fosse di carne (e in tal caso il seme è bollente, vischioso, copioso); quando hanno invece figura umana visibile, vuol dire che si sono impadroniti del corpo di un morto (e in questo secondo caso il loro seme è gelido come il ghiaccio e non procrea). Dal seme bollente di un corpo d'aria, sosteneva Psello, erano nati, nell'ordine, Romolo e Remo, Platone, Alessandro Magno, Scipione l'Africano, e, secondo Cocleo, magari Martin Lutero.

La botta finale gliela diede la suddivisione dei demoni che Psello faceva in Ignei (allocati nell'aria sopra di noi), Aerei (nell'aria intorno a noi), Terrestri (nella terra), Acquei (nelle acque), Sotterranei (nelle caverne), Lucifugi (nelle sottocaverne).

Don Uhù Ferlito si tirò il paro e lo sparo. Il potere di combattere il demonio l'aveva, ma se aspettava che il diavolo venisse nella casa del Signore, avrebbe perso solo tempo. Bisognava andare a cercarlo fora, nelle campagne.

S'era vestito da frate, s'era fabbricata una croci longa tre metri e se n'era andato ad abitare dintra una caverna (vicina perciò ai Sotterranei e ai Lucifugi). Mangiava erba, faceva esorcismi e ogni tanto si serviva della croci non solo per scacciare i diavoli ma macari per darla in testa a chi lo sconciava. Usava la croci, dicevano i viddrani, meglio di Orlando con la durlindana.

Quanno don Aneto arrivò alla caverna, patre Uhù era ittato 'n terra, a panza sotto, e stava ordinando a due cavallette di non accoppiarsi e soprattutto di non riprodursi.

Don Aneto gli spiegò il bisogno.

«Andiamo» disse il parrino, «ma con la croci come facciamo?».

«Vossia acchiana sulla vestia davanti a mia e si metti la cruci di traverso sopra li gambi».

Mentri don Aneto Purpigno correva per parrini, il Capitano di giustizia don Stellario Spidicato, appresa macari lui, per via d'aria, la notizia della condanna a morti di Gisuè Zosimo, dicisi che in qualichi modo si doveva guardari li spalli, la cosa poteva addiventari pericolosa, qualcuno poteva addimandargli perché si fosse ammuccata la storia del diritto di alta e bassa giustizia che spettava al duca Vanasco de Pes y Pes, in base a un decreto reali, va a sapere poi a quale minchia di re, che se n'acchianava nel tempo a più di trecent'anni prima e di cui tutti, a cominciare dal principe Filippo Pensabene, s'erano scordati. Andò a trovari l'abbocato Tinco Lumèra e gli parlò a cori aperto.

«È questione elegante assai» commentò alla fine l'abbocato, illuminandosi tutto. E questo era il suo danno: più la questione era giuridicamente sottile, elegante, da spaccarci il capello in dodici, e più l'abbocato ci si arravogliava dintra sino a non sapere più come uscirne. Finiva o con l'impappinarsi o col girare a vacante, perdendo le cause alle quali teneva di più.

«Dunque» fece «come sappiamo tutti, il diritto di merum et mistum imperium, cioè la giurisdizione penale, fino al 1297 era appannaggio in Sicilia dei membri della famiglia reale, di Federico terzo. Ma dopo, per tenerseli amici, il re questo privilegio lo cedette ai baroni. Successivamente divenne diritto ereditario. Quando Martino il giovane nel 1372 si proclamò rex Siciliae, revocò il privilegio ai nobili che non gli erano stati favorevoli e lo lasciò ai suoi alleati. Da allora una cosa è certa: che i privilegi concessi da Federico terzo sono rimasti quasi tutti intatti».

Sorrise, si era piaciuto. Tirò il cordone d'un campanello, trasì un cammareri, gli ordinò di portare un bicchiere di malvasia e una picca di mustazzòli di vino cotto.

«Freschissimi» assicurò.

«Ma l'eleganza della questione non sta qua» ripigliò doppo un momento. «Il diritto d'esercizio della bassa e alta giustizia è legato alla proprietà o alla casata? Mi scusassi».

Trasì nella càmmara allato. Mentre viviva la marvasìa e si mangiava i mustazzòli, don Stellario sentì il rumore di libra che cadivano, di fascicoli che si sfasciavano e soprattutto sintì le grandissime biastemie dell'abbocato. Tinco Lumèra s'arricampò dopo quasi un'orata, ma sorrideva.

«Taliasse, Capitano, negli ultimi venti anni ci sono state quattro cause per diritti che si sostenevano legati solo al casato: Bardicchia contro Tulascio, Zeppitello contra Pensabene, Calappio contra Fragapane, Gisualdi contra Papè. Ebbene, in tutti e quattro i casi la corte ha sintinziato che i diritti erano legati alla proprietà. D'altra parti, mi pare logico: se non hai un posto dove farla, unni minchia ti l'eserciti la giustizia?».

«Vossia mi perdonassi, non capii bene».

«Voi, caro don Stellario, potete dormiri con tranquilla coscienza. Il duca lo stascionale se lo può fare fritto o a brodo e nisciuno gli può dire manco scu. È vero che sono freschissimi sti mustazzòli?».

Patre Uhù, appena dintra il baglio della villa, si carricò la croci sulle spalle e spiò a Honorio che stava sul portone:

«Unn'è lo sbinturato?».

Credette di parlari normali, ma in realtà, abituato com'era a esorcizzare nel corso delle Opere di Dio (pestilenzie, tirrimoti, timpesti, siccità, carestie) che sono quasi sempre rumorose, s'era fatta una voci da sdilluvio universali. Donna Isabella che dormiva nella sò càmmara s'arrisbigliò scantata, a Caterino cadirono dalle mano quattro coppe d'argento, Hortensio impugnò lo stiletto, il duca sobbalzò, Rosario cadì in ginocchio.

Honorio fece 'nzinga al parrino di seguirlo. Ma quello rimase tanticchia fermo in mezzo al baglio, sentiva feto di qualche cosa che conosceva per lunga praticanza: da qualchi parti c'era ammucciato un diavulu.

Gisuè era sempri incatinato dintra la grotta.

«Scioglietelo dalle catini e levatevi di mezzo».

Per prudenzia, dopo avere eseguito l'ordine del prete, Honorio si mise di guardia alla trasuta della cantina. Doppo aviri abbadato al cavaddro, don Aneto andò a tiniri cumpagnia a Honorio.

La confessioni durò una mezzorata bona, doppo patre Uhù sinni niscì con la croci sulle spaddri. Lo spagnolo rincatinò Gisuè.

«Vi state pigliando sulla cuscienza un omo 'nnuccenti» disse minaccioso il parrino a Honorio. Acchianarono le scali della cantina, con la croci che sbatteva ad ogni scaluni. Appena arrivato al baglio indovi don Aneto era pronto ad aiutarlo a montare a cavaddro, patre Uhù si firmò di botto e principiò a voltarsi lentissimamente verso il portoni dal quali era allura allura nisciuto. Sulla soglia c'era, fermo, il duca. Quanno il parrino lo vitti, fece una vociata accussì forte che la villa trimò.

«Chi sei tu?» spiò mettendo la croci tra lui e l'omo vistuto di nìvuro.

Apparsero tutti gli abitanti della villa, chi dalle finestre chi dai portoni: donna Isabella, Rosario, Hortensio, Honorio, Caterino, il capocammareri, i due cammareri, i quattro servi, il capostalla, il vicecapostalla, i sei stallieri e i tre garzuna.

Don Sebastiano arriniscì a dominar el miedo la paura che quel fraile gli stava incutendo. E difatti patre Uhù era in quel momento scantuso a vedersi: i capiddri ritti sulla testa, gli occhi che ittavano fiammi, la mano dritta ad artiglio tisa verso il duca, un trimori che lo scotiva tutto.

«Chi sei tu?» spiò con voci più forti e parse che una vintata facesse cimiare gli àrboli.

«Yo sono el duca don Sebastián…».

Non arriniscì a terminare.

«No!» l'interruppe don Ferlito. «Io lo so chi sei tu! Tu sei il demonio Belial che s'è incarnato in un morto! Il tuo seme è friddo come il ghiaccio!».

S'udì un grido altissimo provenire da una delle finestre

del secondo piano. Donna Isabella, che conosceva la temperatura della semilla del marito, era caduta sbinuta tra le vrazza di Rosario.

Il duca s'arrizelò per l'istesse paroli per cui donna Isabella era sbinuta.

«Buttatelo fuera!» ordinò.

Si cataminarono solo in tre: Hortensio e Honorio pirchì diversamenti non potevano fare e il vicecapostalla che, mettendosi in luce davanti al duca, spirava di futtiri il capostalla ed essere promosso.

Senza rapriri vucca, patre Uhù principiò a far roteari la croci supra di la sò testa. I tre si fermarono, una mazzata di quella forza capace che li ammazzava. Caminanno sempri narrè narrè, e facendo firriari la croci, il parrino niscì dal baglio. I tre si pricipitarono a chiudere il grande portone di ferro della villa.

Don Sebastiano non pirdì tempo.

«Accompagnatemi dal prisionero».

Dintra la grotta, il duca ordinò a Hortensio e a Honorio di lasciarlo solo, voleva hablar a tu per tu, in confianza, col condenado.

«Tu no hai posibilidad de salvación» principiò don Sebastiano. «Tra poche horas tu morirás».

«Questo voscenza già mi lo disse» fece tranquillo Gisuè.

«Pero yo puedo ofrecerte una via per no morir ahorcado».

«E comu, allura? Abbrusciato? Cu a testa tagliata?».

«No, para quedarte vivo».

«Voli che ammazzo a qualichi àutro?».

«Yo voglio en cambio che tu dia no la muerte ma la vida».

Gisuè non ci capì nenti.

«Hai hijos, figli?».

«Sì. Uno. Màscolo» arrispunnì Gisuè senza maraviglia, oramà era pirsuaso che lo spagnolo fosse pazzo.

«Faresti un hijo por mí?».

«Voscenza voli ca io e Filònia facemu un figliu e po' lu damu a voscenza?».

«No con tu mujer, con la mia, doña Isabella. Esta noche. Tu la pones embarazada e yo mañana por la mañana ti lascio in libertad. Palabra de honor. Qué dici?».

Il ciriveddro di Gisuè firriò all'impazzata. E ci mise picca a farsi pricisa piniòne.

«Prima d'arrispunniri voglio arrè u parrinu. Un piccatu mortali mi scordai».

«Prima rispondi».

«Vogliu u parrinu! Un piccatu mortali mi scordai!» gridò Gisuè con tutto il sciato possibile.

Il duca intronò, mentri quella che parse una cannonata esplosi fora.

«U parrinu! U parrinu!».

Altro cañonazo. Ma chi era che sparava sulla villa col cannone?

Corso nel baglio, il duca capì quello che stava succedendo. Era il parrino che usava la croci come un ariete contro il portone di ferro mentre faceva voci:

«Vogliu trasiri! Il condannato mi voli arrè!».

Don Sebastiano, come in battaglia, dette secchi ordini. Che tutti sgombrassero il campo. Che don Aneto aprisse e poi si mettesse in salvo.

Patre Uhù, apertosi il portone, vitti davanti il diserto. Si precipitò nella grotta.

Doppo manco cinco minuti niscì novamenti, chiamò don Aneto.

«Minni vogliu iri da sta casa mallitta!».

In quel mentri, si sentì arrè Gisuè.

«Vogliu a Filònia! Vogliu vidiri Filònia!».

«Signor duca, che faccio?» spiò don Aneto.

Il duca gli disse ch'era d'accordo, si portasse via quel maldito cura o quello che era e poi tornasse con la mujer del condenado.

Doppo, quanno tutto fu finalmente carmo, il duca tornò nella grotta.

«Entonces?».

«Prima vogliu vidiri Filònia e poi forsi ci dicu di sì».

«Tu no parlerai con tu mujer di quello che t'ho detto?».

«No, vogliu sulu abbrazzarla».

«Non dirai nada de nuestro pacto?».

«Ma quannumai!».

Avevano allura allura pigliato la trazzera che patre Uhù disse a don Aneto di firmarisi. Scinnì dalla vestia, si carricò la croci.

«Iu vaiu a pedi, tu non perdiri tempu ad accumpagnarmi. Talè, figliu, Gisuè non s'era scurdatu un piccatu, vuliva dirmi quello che ci addumannò il duca. Voli ca Gisuè stanotti ficca con la duchissa e la metti prena».

Don Aneto Purpigno non cadì dal cavaddro pirchì arriniscì ad afferrarsi alla criniera della vestia. Poi s'arripigliò e si mise a ridere, quasi con le lagrimi.

«Tutta sta importanza che si duna e po' è impotenti!».

«Non coeundi, ma generandi» precisò patre Ferlito, «vuol dire che non può aviri figli».

«Allora è salvo! Se il duca voli che Gisuè serva la sua signora, doppo lo devi mettiri in libertà».

«Gisuè ha capito la vera 'ntenzioni del duca» fece il parrino. «E io penso che avi ragioni. Il duca, dumani a matino, doppo che gli ha fatto imprenari la mogliere, l'ammazza l'istissu. La leggi non lo sapi il patto, ai suoi occhi oramà Gisuè è stato condannato a morti per micidio. E accussì Belial, il diavulu, avrà compiuto l'addannata opira sò. Io vaiu a prigari pi l'arma di questo sbinturato picciotto. Bonasira».

Non era sira, ancora c'era luci, ma il tempo era picca. Don Aneto spronò la vestia verso Montelusa.

Capitolo sesto

«Se Gisuè mi voli vidiri, partiamo subito» fece decisa Filònia.

«E comu?» spiò mastro Girlando.

«Col cavaddro di don Aneto, io mi metto davanti e lui narrè».

Don Aneto visibilmente impallidì. Non ce l'avrebbe fatta, era sicuro. Ma come? Un'ora e mezza di cavalcata, tenendosela davanti? Questo stava a significari: uno, che i capiddri di lei sarebbero stati a livello del suo naso (oh frumento appena nasciuto! Oh cìciri virdi! oh pratolina di marzo!); due, che la parti bassa posteriori di donna Filònia (oh pani appena impanato! oh guastella ora ora sfornata! oh tenera carnuzza d'agneddro!) sarebbe stata sempri a contatto con la parti bassa anteriori sò e mettici per buon peso l'annachitto della vestia nel trottare, avanti narrè, avanti narrè; tre, che per farla stare ferma sul cavaddro avrebbe dovuto tenerla col vrazzo mancino sopra la sua panza (oh cuscino di foglie! oh erba tenerella! oh piume di puddricino!). Non ce la putiva fare, il suo cuore (e macari qualche àutra parte del suo corpo) sarebbe scoppiato prima.

«Che state dicendo?» disse don Aneto con la voci sgarrata. «Se vi vidino con mia sopra il cavaddro, che pensa la genti?».

«Minni futtu di la genti» fece risoluta Filònia. Intervenne mastro Girlando.

«Facemo accussì. Io mi fazzo imprestari la carrozza da un amico mè, voi c'impaiate il vostro cavaddro e tutto è fatto».

Don Aneto tirò un respiro di sollievo.

Mentre aspettava nel suo studio Hortensio e Honorio che aveva mandato a chiamare con un servo, don Sebastiano esaminò la questione principale: se el condenado avesse detto di sì alla propuesta, cuando avrebbe dovuto anunciar a donna Isabella che doveva yacer con un hombre che no era su esposo? Sul fatto che la duchessa, por fuerza o por razón, si sarebbe chinata alla sua voluntad, non aveva duda alguna, ma donna Isabella avrebbe por cierto llorado, rogado, gritado, insomma fatto ruido, strepito, e questo era da evitar. Poi sorrise e si diede dell'estúpido: anche se Isabella avesse fatto derrumbar i muros della quinta con i suoi gritos, nadie l'avrebbe sentita.

Entrarono i due sgherri. Senza spiccicare parola, il duca raprì un cascione del tavolino con la chiave, tirò fora una boccetta d'argento con un tappo a vite, la tenne alta con la mano.

«L'agua del sueño!» mormorò Honorio che l'aveva arricanosciuta. L'aveva regalata lui al patrone sò, due anni avanti a Palermo, andando da una vieja maga che faceva mixturas de amor y de muerte, e gli era costata mucho. Mezza gota in una garrafa faceva caer cuatro personas in sueño profundo per cinco horas, después si faceva más ligero. Appena avuta l'acqua del sonno, don Sebastiano ne aveva data in gran segreto qualche guccia a donna Carmen Hortolano, la quali, ogni sira, ne metteva un quarto di lacrima nel vino del marito, don Isidro. Il povirazzo aveva appena il tempo di cadiri supra il letto e bonanotti. Donna Carmen gli si curcava allato e aspittava l'arrivo del duca. Che grande divertimento per la pareja d'amanti godersi mentre l'esposo di lei dormiva sulla misma cama! La seconna volta che l'aveva adoperata era stato quando donna Isabella, ad una sua pregunta, se n'era scappata dal letto, gridando:

«Es pecado! Es contra naturam!».

La sira appresso, don Sebastiano le aveva messo un quarto di lacrima nel brodino. Ma non ci aveva pigliato piaciri, sò mogliere pareva un cadáver.

«Voglio che todos, dico todos, después de comer, dormano. Non voglio nadie despierto cuando el condenado será da vosotros ahorcado».

Consegnò solennemente la bottiglietta a Honorio.

«Basteranno poche gotas, el frasquito dopo me lo ridai».

Sicuramente l'agua del sueño gli sarebbe ancora servita.

Tuppiarono alla porta. Era il capocammareri.

«Signor duca, arrivò una carrozza con la mogliere di Gisuè».

Tutti fora, cammareri, stalleri, garzuna, a taliari Filònia nel baglio, vicina alla carrozza.

«Sta casa è addivintata megliu di l'opira dei pupi» disse Caterino al capocammareri.

«Accompagnatela» fece don Sebastiano a Honorio e a Hortensio.

Don Aneto Purpigno si avvicinò al duca facendogli un inchino che a momenti con la frunti strisciava 'n terra.

«Se vostra cillenza non ha più bisogno di mia, io vorrei tornari al feudo pi sorvegliari i lavoranti».

Il duca lo congedò: un testimonio in meno.

Lassò passare tanticchia di tempo, poi trasì nella cantina, s'appresentò alla grotta. Filònia stava abbrazzata al marito, se lo stringeva, ma non chiangiva, non diceva niente.

«Basta! Llevate via questa mujer, affidatela a Caterino nella cocina, dopo tornate qua».

Ci si dovettero mettere in due per staccare Filònia dal marito. E duranti la lotta coi du' òmini, la fìmmina non disse mai parola, non fece mai lamento.

Ristarono soli, si taliarono occhi negli occhi.

«Sì» disse Gisuè.

Il duca aveva qualche cosa da raccumannargli, e lo fece.

«Tu devi yacer con doña Isabella finché non sentirai che nel tuo cuerpo non c'è más una gota de fluido viril. Claro? Devo tener la certidumbre che la mia mujer rimanga embarazada».

«Cillenza, chiddru ca possu, fazzu».

«Cuidado, non farle mal, yo tengo tu mujer nelle mie manos».

Gisuè fici 'nzinga di sì con la testa.

Tornarono Hortensio e Honorio, chiusero la porta della grotta. Quanno passarono nella cantina, don Sebastiano li fermò.

«Che sta preparando Caterino in cocina?».

«Minestrone per la servidumbre».

«Muy bien. L'agua del sueño la versate lì. Avvertite Caterino che yo esta tarde no tengo apetito. Vosotros mangerete con me più tardi».

«El condenado deve comer?» spiò Honorio.

«No. Ci vediamo dopo, quando avrete controlado que todos sono addormentati. Yo estoy nello studio».

Ma prima volle passare dalla càmmara da letto. Donna Isabella aveva fatto addrumare i cannilabbri e liggiva, assittata in poltrona. Isò appena la testa, vedendo trasire il marito.

«Non mangiate?».

Senza rapriri vucca, la duchessa indicò un tavolinetto sul quale Rosario aviva priparato frutta di stascione e una coppa piena di latte di capra, che a lei ci piaceva assà.

«Muy bien» fece il duca.

Accussì era sicuro che a dònna Isabella non ci sarebbe venuto desiderio di minestrone. Su mujer doveva absolutamente restare despierta.

Il duca finì di taliari le carte sulle quali c'era scritto quanto rendevano i quattro feudi. Sorridì sodisfatto: aveva realizzato un negocio proprio bueno, embrollando al juego al principe Pensabene. Tuppiarono.

«Venite a ver» disse Honorio orgulloso.

Nella granni cucina, Caterino e Filònia durmivano, Caterino con le vrazza darrè lo schinale della seggia, la testa appuiata su una spalla, Filònia inveci aveva intricciato le vrazza sulla tavola e supra ci teneva la fronti. Dalla cucina si partiva una cammareddra: qui c'erano, addrummisciuti, Rosario e il capocammareri. Appresso la cammareddra veniva un grandi cammaruni, attrezzato con panche e un tavolone che non finiva ma'. Qui c'era la servidumbre, tutta, come se fosse passato l'angilo, quello che dice «amè» e fa arristari ogni cosa così com'è.

C'era un silencio de muerte. Ninguno roncava. Doviva essere l'efecto de l'agua del sueño, era un dormir artificial.

Per maggiore sicurezza, il duca volle che Hortensio contasse i dormienti: c'erano tutti.

In signo de apreciamiento, il duca posò una mano sul hombro di Honorio, ma non gli richiese el frasquito, la bottiglietta: sarebbe stato una falta, los dos hombres non dovevano tener ninguna sospecha.

«Nosotros comeremos después de haber fatto un certo trabajo. Tu» proseguì rivolto a Honorio «prendi el condenado e portalo nel camarín de cómodo che está cerca dello studio. Si deve desnudar y lavar. Tu» seguitò rivolto a Hortensio «vai negli establos e prendi due brusche, dos cepillos para caballos. Lavatelo voi con le spazzole. Deve volverse todo limpio».

Ne avevano sentito tante da parte del duca, ma questa le superava tutte. Hortensio e Honorio prima si taliarono tra di loro e doppo taliarono al dueño.

«La muerte» fece solenne don Sebastiano «es noble y pura. Non ci si presenta davanti ad essa col cuerpo sucio».

L'esperienzia aveva fatto persuasi i due sgherri che la muerte fosse invece cosa innoble, anzi asquerosa, lurida: ma preferirono non contraddire il duca.

Nisciuti i due òmini, don Sebastiano acchianò nella càmmara da letto, donna Isabella durmiva, il respiro calmo e cadencioso. Adascio, il duca si stinnì, vestito com'era, sul letto. Si mise a pinsari. E se quell'hombre falliva? E se fosse nata una hija? Avrebbe dovuto ricominciare tutto da capo? Si travagliò in questi dubbi fino a quando stimò ch'era venuta la hora di scinniri nello studio. Quando lasciò la càmmara el sueño della mujer continuava, quieto y regular.

Nel camarín de cómodo, Gisuè stava dritto dintra la tinozza che serviva per il bagno. Hortensio e Honorio lo taliavano soddisfatti, avevano fatto un buon travaglio, la peddri era arrusciata, le brusche avevano lasciato il signo. Don Sebastiano diede una rapita occhiata all'aparato di Gisuè, grosso, di stazza considerevole, con due cojones che parevano naranjas, aranci, prometteva bene.

«Portatelo nello studio».

E quanno furono nello studio:

«Legatelo a quell'anillo» fece il duca indicando la chimenea.

Honorio trovò un pezzo di corda e legò Gisuè all'anello che, essendo situato in alto, obbligava l'omo

a starsene addritta con le vrazza darrè la schina, allato al camino.

«E ahora andiamo a comer».

La cena l'organizzarono nella cammareddra dovi stavano a dormiri Rosario e il capocammareri. Hortensio,
con dù cavuci alle seggie, li mandò a catafottersi 'n terra, senza che s'arrisbigliassero, e fece così largo. Honorio andò alla dispensa e tornò con pan, aceitunas,
queso, pez salado, jamón. Hortensio arrivò con una botella grande de vino e con tre vuccali che di subito
riempì.

Avevano appena principiato a mangiarisi le aulive che
don Sebastiano si fermò con la mano a mezz'aria.

«Qué pasó?» spiò allarmato.

I suoi compagni, che non avevano inteso nenti, lo taliarono interroganti.

«Un ruido, un rumore, veniva dal camerone dove dorme la servidumbre. Che alguien si sia despertado?».

Hortensio e Honorio si susirono e currirono fora. Don
Sebastiano pigliò dalla sacchetta una botella minúscu-
la, nella quale aveva travasato una piccola parte dell'agua
del sueño prima di consegnarla a Honorio e versò una
goccia in ognuno dei bicchieri degli sgherri.

Ma quale sueño quieto y regular? S'era appena messa in camisón e infilata tra le linzòla, che il calore che
sintiva dintra la carne si stracangiò in foco vivo, olio
bollente dintra le vene. Si susì, andò nel camarín de cómodo, s'assammarò d'acqua, si rimise sotto le linzòla
vagnata com'era. Nenti da fare, lo spaventoso calore

non era di fora, ma di dintra. E donna Isabella il perché lo sapiva benissimo. Santa Teresa d'Avila lo definiva «colpa gravissima» il desiderio della carne, peccato accussì spaventoso che, diceva sempri la Santa, non c'era più possibilità di tornare narrè, manco addomandando misericordia e pirdono. Ma il bruciore diventava di minuto in minuto più forte, superava lo scanto del piccato mortale. S'arramazzava nel letto, si metteva a panza supra, a panza sutta, di lato: era sempri la stissa, intifica cosa, la fiamma dello 'nferno l'aveva attaccata. Fu in quel momento che trasì il duca e si stinnì nel letto. Con uno sforzo del quale non si cridiva capace, s'impose di stare ferma e calma, di fare la sciatata di chi sta dormendo quietamente. A un certo punto ebbe scanto di non potercela fare più, voleva satare in piedi sul letto e fare una vociata d'arrisbigliare i morti. Fortunatamenti il marito si susì e sinni niscì. Allora donna Isabella gettò via il linzòlo che pesava sulla pelli, principiò a raprire e a chiudiri le gambe come una forbice nella mano d'un pazzo, e puro la testa pigliò a sbattere supra il cuscino ora da un lato, ora dall'altro, sempri più veloci, sempri più di cursa. Ah Dio! Ah Dio! Doppo, dintra il ciriveddro, le principiò rumore di vento forti e lo scruscio di onde in tempesta, mentri il foco arraggiava. Non aveva abento. La stessa cosa le era capitata a quinnici anni, mentri era ancora in convento: s'era susuta, era corsa nella cella della matre superiora, chiangendo le aveva detto quello che sintiva, le aveva indicato dove la fiamma più ardeva. E la matre superiora ci aveva messo una mano piatosa per astutarlo, quel foco, e l'aveva confortata, abbrazzata e vasata. Ma ora chi aveva per darle abento e friscura? Improvvisa una voce, che era la sua ma che non era la sua, disse nella sua testa queste paroli:

«A onde te ascondiste, / Amado, y me dexaste con gemido?».

Erano i primi due versi del *Cantico spirituale* di San Juan de la Cruz che lei sapeva a memoria. Dove ti sei ammucciato, amore mio, lassandomi sula e chiangente? Bisognava andarlo a circare. Si susì, ma le venne difficoltoso starsene dritta, aveva le gambe trimanti. E inoltre lo sguardo era come oscurato da una specie di neglia. Davanti alla porta della sò càmmara si fermò, taliò a dritta e a mancina. Il corridoio era deserto.

«Oh felice ventura / uscii né fui notata / essendo la mia casa addormentata».

Era sempri San Juan de la Cruz che cantava la canzoni dell'anima.

«Nello scuro e sicura / per la segreta scala, mascherata…».

Qui San Juan si sbagliava, la scala non era segreta e lei non era mascherata, ma era lo stesso. Dove stava andando? Non lo sapiva, ma continuava a caminari pi la casa.

«Sola mi dirigeva / la luce che nel cuore mio splendeva…».

Arrivata sul pianerottolo, la scala continuava, ma c'era puro la porta dello studio. Vi si diresse.

«E questa mi guidava / più certa che la luce a mezzogiorno / là dove m'aspettava / colui ch'io ben sapeva / in luogo ove nessuno era d'attorno».

Difatti nello studio non c'era nisciuno. Donna Isabella era trasuta senza fari rumorata, a pedi scàvusi, liggera. Poi taliò verso il camino e lo vide. Nudo era il suo Amado, e teneva gli occhi chiusi. Gisuè, pi la stanchizza, s'era appinnicato all'impiedi, come i cavaddri. Era l'estasi, quella che viniva concessa ai santi? Lei, donna Isabella, era perciò una santa? Cadì in ginocchio e stavolta la rumorata che fece arrisbigliò Gisuè. Ma quella era una casa di pazzi! Chi era questa fìmmina in cammisa di notti ca ci stava davanti ginucchiuna e con le mano a prighera? Beddra era. Ma pirchì cimiava avanti e narrè? Era 'mbriaca?

«No quieras despreciarme».

Voleva babbiare? Chi la disprezzava? Era una cosa priziosa.

«Que si color moreno en mí hallaste».

I fìmmini biunni non ci piacevano, avevano sciàuro di sciùri sfatto.

«Ya bien puedes mirarme».

Pirchì, non la stava ammirando? Quant'era beddra!

«Después que me miraste».

E no, qui si sbagliava, prima non l'aveva mai vista.

«Que gracia y hermosura en mí dexaste».

La fìmmina si susì, s'addiriggì verso il tavolino supra il quali c'era la spata del duca. La sguainò, s'avvicinò a Gisuè con l'arma in mano. Gisuè si scantò, sgriddrò gli occhi, pinsò che volesse assassinarlo. Invece la fìmmina si mise alle sò spaddri e con due colpi net-

ti tagliò le corde. Poi fece tri passi narrè e, sempri taliandolo, disse:

«Oh notte che sposasti / l'amato con l'amata!».

E si levò la cammisa, arristando nuda. C'era nello studio la luci delle cannile, ma a Gisuè gli parse che in quel
momento, dintra la càmmara, fosse spuntato il sole.

Finalmente crollarono, Hortensio con la faccia sul
jamón, Honorio invece cadì dalla seggia e s'assistimò sotto il tavolino. Il duca tirò un sospiro, ora veniva il momento más delicado, hablar con su mujer. Calcolò che
la servidumbre dormiva già da un'ora e passa, restavano perciò cuatro horas utili. Di queste cuatro horas, una
por cierto l'avrebbe gastada en convencer doña Isabella. Le avrebbe ricordato el testamento di suo padre che
lasciava tutti i suoi beni al nieto, al nipote, e cioè al pro-
mogénito della pareja: potevano permettersi di perder
quella fortuna? Le avrebbe ricordato che, después de
la concepción, avrebbero potuto yacer sin problemas.
Ma c'erano altri problemas, e come! Intanto il primo:
su mujer aveva in ogni ocasión declarado il suo horror
al pensar de yacer con otro hombre che non fosse il suo
legítimo esposo. Ahora, può una mujer engendrar con
un hombre verso il quale prova horror? Secondo: quella era la noche justa perché Isabella potesse concebir?
Tercero: el hijo, nacido dalla semilla di un campesino
ignorante y grosero, che inteligencia avrebbe avuto?

Intanto c'era da hablar con Isabella. Si decise. Arrivato alla fine della prima rampa dell'escalera, si fermò.
Dalla puerta abierta dello studio arrivava un gemido,

una queja continua. Che el condenado avesse tentato il suicidio? Avrebbe significato el fin de su proyecto. Fece per trasiri, ma s'arrestò. E se si trattava di un engaño? Forse el condenado era riuscito a liberarsi e stava dietro la puerta, con la sua stessa espada en mano, pronto a matarlo. Che fare? Dal posto in cui si trovava, poteva ver el reloj, un prezioso pendolo a spirale. Segnava le undici di notte. Ma come? Erano già passate dos horas da quando la servidumbre s'era addormentata! El tiempo stava volando en balde. Questo lo decise: trasì di scatto, scartando a mancina per evitar l'eventualidad di un colpo d'espada o una cuchillada. La coltellata in mezzo al petto la ricevette lo stesso, quando vide quello che vide.

Isabella, distesa a terra, nuda, stringeva a sé le spalle del condenado, le sue piernas allacciate sulle nalgas, le natiche dell'hombre che vigorosamente la cavalcava, con tanta fuerza che il cuerpo de su mujer, ad ogni golpe, veniva spinto sul suelo.

E quello che gli era parso un gemido continuo, erano parole ansanti, soffocate, che uscivano dalla bocca d'Isabella:

«Ay, quién podrá sanarme! / Acaba de entregarte ya de vero…».

Sinni scappò, letteralmente, con las manos a taparse las orejas, per non sentir più la voz di paloma in amor de su mujer. Nel baglio, cercò di calmarsi, la sirata era bella, c'erano tanti stiddri in cielo. Pirchì aviva avuto quella reacción? Si diresse al pozo, inchì un cato d'agua, ci misi dintra la cara e ve la tenne fino a quanno arrischiò di assufficari. Dunque, l'explicación del suceso poteva ser questa e cioè che Isabella era andata nello studio per cercarlo, ma era stata asaltada dal condenado che era arrinisciuto a liberarsi. Ma pirchì Isabella girava in camisón in una quinta piena di gente? E poi, cosa más terrible, pirchì diciva quelle palabras, come se ci stesse pigliando gusto?

Baste, baste de questi pensamientos, de queste preguntas. E, in primer lugar, calma. Non c'era necesidad di perder la calma solo pirchì la situación gli era escapada dalle manos. Del resto, non cambiava nada. Però a maggior razón quell'hombre doveva ser ahorcado de todos modos. Aveva stabilito da tempo che l'hombre dovesse morir después de la noche con Isabella, ahora doveva morir per una culpa verdadera: la violencia a sò mujer.

Quanno, a occhio e croci, pinsò che fosse passata un'hora, rientrò nella quinta, fece la prima rampa dell'escalera, appizzò l'orecchio. Ancora! Continuavano ancora! Si sporse a taliare, mittendo solo la cabeza nello studio. Donna Isabella era doblata su l'escritorio, los brazos allargati per tenersi con le manos ai bordi, la cara appoggiata sulla madera, il legno. L'hombre era in piedi detrás della mujer, e a ogni golpe che dava, l'escritorio si sollevava leggermente per poi ricadere a terra. La voce della duchessa era un affanno roco:

«Apaga mis enojos, / pues que ninguno basta a deshazellos...».

Prima di scapparsene, taliò il ralogio: la medianoche era ya pasada.

Appena nel baglio, lo pigliò un dubbio: se l'hombre stava in quella posición e Isabella in quell'altra, siamo sicuri che la semilla sarebbe stata echada, versata, nella buena vasija? Sapeva, quel patán, distinguir un agujero dall'altro? Si rimise la cara dintra l'agua e poi, non sapendo che fare, trasì nella staddra. I cavalli, quanno lo vittiro, s'agitarono. Allora raprì lo sportello d'una carrozza e ci s'infilò dintra: sentiva tanticchia di frío.

Ora l'hombre era steso sulla schina e sò mujer, sopra di lui, salvajamente galoppava e mugolava:

Mi Amado las montañas,
los valles solitarios nemorosos,
las ínsulas extrañas,
los ríos sonorosos,
el silbo de los aires amorosos...

Don Sebastiano pinsò che, anche con quell'andatura focosa, i luoghi da percorrere erano ancora tanti. Il ralogio diceva che magari la primera hora della noche era pasada.

Gli venne il pinsèro che, dato che le cinco horas de sueño profunno erano trascurrute, alguien potesse cominciari ad arrisbigliarsi. Nella cucina, Caterino e Filònia stavano sempre nella misma posición e così Hortensio, Honorio, Rosario e il capocammareri. Inveci, nel cammarone, due criados avevano fatto unos movimientos, stavano in una posición diversa. Don Sebastiano s'allarmò e stabilì di ristari nel cammarone. S'assittò supra una panca, si pigliò la cabeza tra le mani. Lo riscosse, dopo qualche tiempo, el ruido d'un criado che aveva cercato di alzarsi, ma era ricaduto a sedere. Non c'era più tiempo da perder. Sfilò lo stiletto che aveva pigliato, di passata, a Hortensio, e arrivò sul solito pianerottolo. Non fece in tempo a trasiri nello studio che vide passargli davanti sò mujer, desnuda, una sonrisa indefinible sulle labbra un poco tumide. Non taliò il suo esposo, anzi don Sebastiano ebbe la impresión d'essere diventato d'aire, invisible. Donna Isabella principiò ad acchianare l'escalera che portava alla càmmara da letto e cantava sin mover los labios:

«La blanca palomica / al arca con el ramo se ha tornado…».

Il duca trasì nello studio, stiletto alla mano. E vide che Gisuè, extenuado, dormiva. Ormai don Sebastiano era deciso a matarlo con le sue stesse manos, sin fare el teatro di ahorcarlo. Non poteva esperar más, doveva avere la venganza pronto. Sollevò lo stiletto per vibrare el golpe e scorse el camisón di sò mujer gettato in un rincón. Lo pigliò, lo mise dintra un cascione dello scrittoio. Ma quella minima perdita di tempo futtì il suo proposito. Mentri levava alto lo stiletto, un spaventoso cañonazo rimbombò nel baglio, fatto più forte dal silenzio della noche. Poi sentì la voz del fraile, quel loco che lo credeva un diablo:

«Rapri la porta, Belial!».

E giù un altro cañonazo. Che succedeva? La ventana era abierta, s'affacciò. Quello che vide, l'atterrì. La villa era completamente circondata da un mare di fiaccole accese. Niscì dallo studio, currì alla parti posteriori della quinta, raprì una ventana: macari lì era la stessa cosa. Rimbombò un tercer cañonazo e fu come un signale, pirchì dalle tricento e passa pirsone che circondavano la casa, principiò un coro:

«Ficcaccìlla, Gisuè / ficcaccìlla avanti e narrè / Gisuè, scana e 'mpana / falla prena, la buttana / Falla gràvita, Gisuè / megliu a tia nun ci nn'è / Dunaccìllu lu dovuto / a stu duca gran cornuto!».

Sapevano! Sapevano tutto! E ahora, se avesse matado a Gisuè, non avrebbe avuto più giustificazioni, tampoco davanti al Capitán de justicia.

Tre colonne, raccontarono doppo le cronache, quella notti si misero il pedi in cammino per circondare la villa. L'idea era vinuta a u zù Casio per fari scampari Gisuè dalla morti appisa, e l'istissu zù Casio guidava la colonna della truppa dei bracciatanti del feudo Tumminello. Mastro Girlando cumannava la colonna composta di paisani di Montelusa, picciotti sempri pronti a ogni occasioni di burdello. In testa alla terza colonna c'era don Aneto Purpigno, che si portava appresso i lavoranti del terzo feudu, datosi che il quarto di proprietà del poviro principi era troppo luntanu. Le parole del coro erano state composte da Pepè Attanasio, poeta strimporaneo che apparteneva alla stessa truppa indovi travagliava Gisuè.

Don Sebastiano si rapprisentò un quatro tirribili: se non metteva subito in libertad el prisoniero, quelli avrebbero dato fuego alla quinta, e lui sarebbe muerto asado, arrosto. Oramà tutto era perso. Con un cavucio potenti arrisbigliò Gisuè.

«Vattene, sei in libertad. I tuoi compañeros ti aspettano. Yo soy un hombre che mantiene siempre su palabra».

«Nonsi, 'un minni vaiu senza Filònia».

«Tu mujer è nella cocina. Pigliatela e vattene».

Nella cucina Filònia durmiva. Gisuè provò ad arrisbigliarla ma quella non fici 'nzinga di cataminarsi. Se la carricò sulle spalli, raprì il portone del baglio e, nudu com'era, niscì. Rimase sturduto dalle vociate, dai battimani, dagli abbracci, dagli ebbiva!, dalle risate. Don Aneto fece acchianare Filònia che aveva rapruto gli occhi e capiva una sola cosa, che Gisuè era sarvo, supra il suo cavaddro. Le tre colonne, finiti i festeggiamenti, si divisero, tornando chi alle case, chi al posto di travaglio, non potevano permittirisi di perdiri la jurnata.

Mentre la truppa procediva verso il feudo Tumminello, il cavaddro di don Aneto si venni a trovare darrè a tutti. Quanno gli àutri furono fora di vista, don Aneto fermò la vestia e fece scinniri Filònia. Si misero sutta un àrbolo.

«Grazii» fece Filònia taliandolo con gli occhi a pampineddra.

Poi si levò la cammisa, isò il vrazzo mancino. Con gli occhi sbarracati, don Aneto tuffò il naso nell'asciddra (Oh sàrvia! Oh mortella! Oh sciùri di pistacchiu!). Filònia lassò che quella vestia assitata si abbivirassi, e doppo isò l'àutro vrazzo. Don Aneto vi si ittò come un affamato (Oh passulina! Oh addrauru! Oh sparacio amaru!) e poi pigliò a passari u naso dalla sàrvia allo sparacio, dalla mortella alla passulina e viceversa, fino a quanno Filònia non lo fermò. Allura don Aneto ci mise una mano supra i lazza della fascia che tenevano le minne.

«Livativilla» implorò con voci assufficata.

Filònia gli scostò la mano.

«Ancora unn'è tempu».

«Unn'è tempu? Unn'è tempu?» fece voci don Aneto. «Doppo che m'avete arridotto accussì?».

Comu un pazzo, pigliò la rincurruta e desi una cornata al tronco di l'àrbolo. Sulla fronti ci spuntò il sangue.

Filònia provò pena.

«Mettetemelo ccà» disse, porgendo una mano piatosa.

Travagliarono tutta la jurnata con gana e allegria. La stanchizza piombigna la sintirono sulu alla sira, macari pirchì avivano perso la nuttata. Quanno fu sicura che tutti s'erano addrummisciuti, Filònia pigliò pi la mano sò marito. S'appartarono.

«Ci la fai doppo la nuttata cu la duchissa?».

Gisuè fici un risolino di superiorità e attaccò.

Fu così che venne concepito Michele, Michele Zosimo.

Il futuro duca Simón de Pes y Pes, ancora invisibile ad occhio nudo, si era già solidamente attaccato nell'ovo di sò matre, donna Isabella.

114

Intermezzo

La matina istissa di quanno capitò quello che capitò, la villa parse popolata non di genti in carni e ossa, ma di fantasimi. L'agua del sueño questo aveva di suo, che quanno uno se l'aveva bevuta, a lungo restava storduto, intronato. E accussì c'era chi girava casa casa sbattendo nelle altre pirsone o nei mobili come una falena pigliata dalla luce del lume, chi non ci sentiva più dalle grecchie, chi aveva le gambe di ricotta e a ogni due passi si doveva assittare. Honorio e Hortensio, appena arrisbigliati, non si capacitarono. Che era successo? Ancora mezzo alloppiati, si precipitarono alla ricerca del loro patrone e lo trovarono nello studio. Si taliarono attorno e non videro Gisuè. Don Sebastiano era nìvuro, più nero del nìvuro della seppia.

Davanti agli occhi che mandavano foco del duca, i due manco se la sentirono di sciatare.

Don Sebastiano puntò l'indice della mano dritta contro Honorio, che a questi gli parse peggio d'una pistola, e spiò:

«Dónde está la botella dell'agua?».

Honorio respirò di sollievo. Ce l'aveva in sacchetta. Ma appena la volle pigliare, s'addunò che non c'era. Se la cercò nel vestito, sempre più di prescia, e alla fine dovette allargare le vrazza, sconsolato, gli occhi vasci.

Don Sebastiano raprì un cascione del tavolino, tirò fora la bottiglietta (della quale s'era impossessato mentre Honorio stava addrummisciuto) e la fece vedere ai due.

«La mujer del condenado» disse. «Ti ha visto mientras mettevi l'agua nel minestrone. È riuscita a entender todo. Tu ti sei acercado a lei?».

Sì, Honorio si era avvicinato a lei, solo un momento, quel tanto che bastava per passarle una mano sul trasero, il culo.

«Sì» fece diventando giarno come un morto.

«Muy bien. La mujer si è aprovechada e ti ha hurtado, rubato, la frasquita dal bolsillo, dalla tasca. Después ha messo l'agua del sueño nel nuestro vino».

«No es posible!» gridò Honorio. «La mujer dormiva! Es cierto!».

«No» ribatté don Sebastiano. «Stava fingendo. Faceva una ficción. Ci ha mandati todos a dormir, después ha liberado il suo esposo e sono escapadi. Muchas gracias, Honorio».

Con passo lento, il duca gli s'avvicinò, gli mollò due violente timbulate, una col dritto e l'altra coll'arrovescio della mano.

«Hombre de mierda!».

Honorio pigliò a trimare tutto, pareva gli fosse venuta la terzana.

«Datemi el permiso. Li vado a buscar, li porto aquí e li scanno sotto i vostri ojos».

Don Sebastiano isò appunto los ojos e le vrazza al cielo, come un parrino che dice la missa.

«Dios l'ha voluto! La huida del condenado è un signo del cielo! Nadie ahora deve fargli mal! Es una orden!».

Hortensio e Honorio ammuccarono alle parole del patrone e ci credettero. Tutto il pirsonale della villa, inveci, la vera virità la seppi nel primo doppopranzo, quanno un picciotto della truppa che travagliava a Tumminello, portò un altro carrico d'aulive. L'aria istissa che stava torno torno al duca, di colpo, cangiò. Da un sorriso che di subito scompariva dalla faccia di un cammareri, dalle parole lasciate a mezzo da due serventi di stalla, da venti centimetri in più che c'erano nell'inchino del capocammareri, don Sebastiano capì che la servidumbre sapeva. S'addecise però di continuare l'esistenzia come se non fosse successo nenti di nenti.

Incontrata Rosario, gli spiò se su mujer s'era arrisbigliata.

«Ahora mismo» disse la criata. «Forse está enferma, forse tiene la fiebre».

Il duca acchianò la escalera un pedi leva e l'altro metti, a rilento, pensando bene las palabras da decir a doña Isabella.

Aprì la puerta sin hacer il mínimo ruido. La fìmmina era desnuda, addritta, gli voltava le spalle, taliava fissa il muro. Una fitta di deseo colpì il duca. E non tanto per la hermosura delle formas de su mujer, ma piuttosto per il recuerdo di come l'aveva vista godere la noche pasada tra los brazos di un altro hombre. Gli tornò davanti agli ojos la testa della donna appoggiata all'escritorio dello studio, il respiro corto, la boca abierta e storta dalla quale colava un hilo di saliva.

Excitado all'extremo, le si accostò e le diede un beso sul cuello. Donna Isabella si voltò, taliò con l'occhio perso il marito, poi, quando l'ebbe messo a foco, cacciò un grido acutissimo, lunghissimo. Pigliato alla sprovista da quella reacción, don Sebastiano saltò narrè di tri passi, scantato. Donna Isabella corse al camino, afferrò un hierro che serviva per assistimare la leña da arder, lo levò alto sul marito.

«No te atrevas a tocarme! Stai lejos de mí! Sento horror por tus manos, por tu boca, por tu sexo, por tu esperma frío! Esta noche mi Amado, mi verdadero esposo, me ha aparecido, me ha presa tra i suoi brazos! Ah cómo era fuerte! Ah cómo me ha penetrada toda! Yo ho provato l'éxtasis suprema! L'anulamento total en mi querido! Tu, hombre, non entrerai más nel mio lecho! Yo soy y seré por siempre enteramente sua, cuerpo y alma!».

E s'avventò contro don Sebastiano per scassargli la testa con una mazzata del ferro. Il duca fu pronto a scansarsi, a pigliarle il polso, a torcerle il vrazzo fino a quanno non la disarmò. La mujer allora si mise ginucchiuna, le vrazza allargate come crocefissa, la testa gettata narrè che pareva staccarsi dal collo, le punte delle minne isate al cielo e intonò il diletto San Juan:

«Allí me dió su pecho, / allí me enseñó ciencia muy sabrosa…».

«Certo che t'ha insegnato una scienza saporita, troia!» esplose il duca. E le sputò in faccia.

Sei jornate appresso alla notti nella quale capitò quello che capitò, Filònia si persuase a pagare la prima rata del debito che aveva con don Aneto Purpigno. Trasuta dintra un pagliaro dove l'aveva portata l'omo, s'era di prescia spogliata nuda e ora sinni stava stinnicchiata sulla paglia aspettando che don Aneto, nudo macari lui e che la stava a taliare addritta, dall'alto, si decidesse a principiare la facenna. Ma questo era il busillisi per don Aneto, perso davanti a tutta quella grazia del Signuri: da dove doveva accomenzare? Quanno stimò che gli occhi s'erano abbuffati, stabilì d'accanosciri Filònia nel loco suo più ammucciato, nascosto. Si ittò a panza 'n terra e strisciò come un serpe in mezzo alle gambe aperte della fìmmina. Appena la natura di lei gli venne a tiro, v'impiccicò il naso e respirò profunno (Oh muschio sarbaggio! Oh radica di liguorizia! Oh resina di pino!). Dato che aveva goduto di vista e d'odorato, pinsò di praticarsela con un terzo senso, il gusto. La sinsazioni che di subito provò fu accussì violenta (Oh marvasìa liguorosa! Oh mieli di Grecia! Oh zùccaro di zammù!) che non ce la fece a resistere e spannì sulla paglia la sua forza d'omo.

Nell'istissa sesta jornata appresso alla notte nella quale capitò quello che capitò, patre Uhù Ferlito finì l'osservanza del rituale digiuno priparatorio. Per cinco jorni e per cinco notti non aveva mangiato, vivuto, dormuto, era stato sempre ginucchiuni a pregare. S'era interrotto solo le due volte ch'era venuto a trovarlo Caterino per rapportarlo sulle abitudini che don Sebastiano aveva pigliato dal momento in cui donna Isabella non l'aveva più voluto nel suo letto, obbligandolo ad andarsene a dormiri nella càmmara degli ospiti.

Mancava un'ultima cosa da fare. Il monaco-parrino si susì traballiando, le ginocchia gli dolevano, le rotule gli si erano fatte di petra. S'avviò verso uno spacco che c'era nella roccia di fondo della caverna, lo passò mettendosi di traverso tanto era stritto e a malgrado che la carni sopra l'ossa sò fosse tanta quanta ce n'è in una sarda salata. Dopo lo spacco c'era un'altra grotta, nica nica, al centro della quale stava una pozza d'acqua pulita e frisca, formata da 'na poco di guttère che gocciolavano dalla volta. Don Uhù Ferlito l'aveva benedetta. Si levò la tonaca, ci trasì dintra e l'acqua santa gli arrivò al petto. Poi si calò sulle ginocchia e si fece cummigliare tutto, pregando e sempri pregando. Quanno niscì dalla pozza era lavato, puliziato non solo nel corpo, e pronto a principiare la sò battaglia contro il doppio cornuto perché, come omo non c'era dubbio che lo era avendo sua mogliere ficcato con un altro, e come diavolo incarnato le corna gli spettavano di diritto. Era notti quanno pigliò a caminare verso la villa, ma c'era una bella luna. La croci sulla spaddra gli parse leggia leggia.

Ci mise due ore di caminata. Caterino gli aveva contato che il duca, ogni matina, nisciva dal portone del baglio e pigliava un viottolo che traversava la campagna. Fatti un ducento passi, c'era un àrbolo di pistacchio ai pedi del quale la bonarma del principe aveva fatto mettiri una petra squadrata indovi ogni tanto usava assittarsi per godere il paisaggio. Il duca aveva pigliato l'abitudine, arrivava al sedile di petra, s'accommidava e stava un'orata a pinsare ai fatti sò.

Tenendo la base della croci inclinata a contatto col tirreno, patre Uhù girò torno al pistacchio e addisegnò un circolo in modo che l'àrbolo col suo sedile vi si trovassero nel centro priciso. Doppo, sempri con l'istesso sistema, tracciò cinquantasette piccole croci a seguire il giro del circolo, tutte dalla parti esterna. Dalla corda che aveva per cinta, sganciò un bùmmolo di creta che aveva riempito d'acqua benedetta della grotta e cosparse il tirreno torno torno fora dal circolo, mentre recitava la formula del rituale:

«Te rogamus ut hos campos benedicere, conservare et ab omni daemonium infestatione custodire digneris».

Da una visazza niscì una scanata di pane, la tagliò con un coltello, la fece a feddre e ogni feddra sgranocchiò con la forza delle mani ittando le molliche dintra al circolo. L'istesso fece con tre pugni di sale, dicendo lo scongiuro di Thierhaupten, il più segreto e terribile:

«Ely Eloy Ely Messias Yeye Sother Saday lux Sammanu…».

Aveva fatto il dovire suo, ora non c'era che d'ammucciarsi in mezzo all'erba e aspittari. Mentre aspettava, gli venne il dubbio su quali formula usare per fare scomparire il dimonio. Pirchì se uno sbagliava di formula e ne adoperava una che non era adatta al grado gerarchico del diavolo da esorcizzare, allora la cosa non solo non funzionava, ma poteva addiventari pricolosa assai. Non c'era quistione nel fatto che il duca fosse Belial, da lui arraccanosciuto subito. Ora Belial era un re con sessantasei legioni ai suoi comandi (i diavoli si dividevano in quattro categorie, re, marchesi, duchi e conti), ma era o non era superiore a Sydonai che era puro lui re e di legioni ne aveva però settanta? L'ora invece doveva essere quella giusta, essendo i diavoli re evocabili dall'ora terza del matino fino a mezzojorno. Dal loco dov'era appostato, alla prima luce del jorno, patre Uhù vitti il duca caminare a pedi lento sul viottolo, trasire dintra il circolo senza farci caso, assittarsi sul sedile di petra. Don Sebastiano ebbe il tempo d'appuiare il gomito su un ginocchio e sulla mano il mento, che di subito se ne calò, scomparendo alla vista del parrino.

Il duca strammò. Stava ancora assittato sulla petra, nella misma posición, solo che ahora si trovava a tres metros sotto la tierra, dentro un fosso che era, e la cosa lo strammò di più, perfectamente circular. Si susì, taliò verso l'alto, vide uno spicchio di cielo, le foglie dell'àrbolo. Le pareti di quella specie di pozzo non avevano appigli. Il duca però pinsò d'avere trovato una soluzione: la petra era lunga quattro palmi, se la metteva in verticale e ci acchianava sopra, capace che arrivava all'orlo del fosso, si curvò per pigliarla, ma si fermò. La tierra delle pareti luccicava, come se fosse composta di scaglie di metallo. Taliò meglio. E il cuore parse che gli si fermò. Erano occhi, centinaia e centinaia di ojos pequeños, ojos de serpiente. E mentre il duca principiava a fare voci d'orrore e spavento, le serpi, non più grandi ognuna di due palmi, niscirono a migliara, cadirono dall'alto, diventarono una massa compatta che arrivò fino a sopra le ginocchia di don Sebastiano. Il duca si dibatté, voleva isare almeno una gamba, ma non ce la fece, le serpi erano addiventate un cemento vivente che lo teneva incollato. Poi, tutta la parte superiore del pozzo, che gli era parsa fatta di terra, franò, cummigliandolo fino al collo, mentre lui levava in alto le vrazza per pararsi. Non era terra, ma miliardi e miliardi di formicole rosse, quelle che pungiono. Le formicole calarono macari in mezzo alle serpi, ne occuparono pure gli spazi minimi vacanti. E sotto a quelle morsicature, a don Sebastiano trasì foco vivo nelle vene, forse il foco vero era meglio perché quello una volta che t'ha abbrusciato, bonanotti, mentre ora l'ardore non finiva mai, continuava a ogni battere del core. Non si poteva più caminare, era addiventato una statua con le vrazza isate, gli occhi nisciuti di fora, i capelli dritti, s'era cacato e pisciato per lo scanto.

Il pezzo di cielo che vedeva scomparì e al suo posto comparì la faccia del fraile loco, patre Uhù. Il parrino aveva scegliuto lo scongiuro mediano e glielo recitò al duca mentre lo vagnava d'acqua biniditta:

«La virtù suprema di Gesù ti deve accostringere a scomparire! Iddru è quell'istesso che fece scappare i sette diavoli di Maria di Magdala. Iddru mandò a distruzioni i regni della morti e livò il tuo potere da sopra quelli che avevi incantato! Iddru è u re di la gloria che niscì dalla bocca istessa del Patre! E io, per quell'istessa bocca, t'ordino di tornari nell'inferno dal quale sei vinuto!».

Non capitò nenti. Il duca non scomparì, restava una statua con la vucca aperta e le vrazza isate. Patre Uhù s'imparpagliò. Vuoi vidiri che aveva sbagliato? Che quello non era Belial ma macari Decarabia o Forneus o Gomory? E che non era un re ma un duca? E che l'ora giusta era un'àutra? Bisognava arricominciare tutto daccapo, digiuno, lavacro, prighiere. Sconsolato, si carricò la croci sulle spaddre e s'avviò verso la sua grotta.

Arrivata l'ora d'almorzar, coi piatti in tavola, Hortensio e Honorio s'addunarono che il loro patrone e signore non era en ningún cuarto della quinta. Los caballos erano todos en los establos e quindi il duca doveva essersi alejado a piedi, non poteva essere andato lontano. Hortensio pigliò la trazzera, Honorio il viottolo in mezzo alla campagna. Fatti una centinara di passi, Honorio si tranquillizzò perché vide che don Sebastiano se ne stava assittato su una piedra a forma de asiento. Arrivato a tiro di voce, lo chiamò. Il duca però non si cataminò, pareva absorto in pensamientos profundos, la barbilla apoyada alla mano e il codo, il gomito, apoyado sulla pierna sinistra. Quanno fu a un passo da lui, Honorio aggelò. Don Sebastiano aveva gli occhi sbarracati a taliare la nada, i capelli (posible?) gli erano addiventati tutti bianchi.

Si tenne a malappena dallo scappare, fece voci a Hortensio che aveva trovato il duca, che venisse di corsa. Macari Hortensio, a quella vista, tremò di spavento. Poi si fecero reciprocamente coraggio e tentarono di farlo cangiare di posizione, di metterlo addritta. Nenti: se lo pigliavano da sotto le ascelle e lo sollevavano, il duca se ne arristava con le gambe piegate come se fosse ancora assittato. Allora intrecciarono i polsi e le mani a siggiteddra, a sediolina, come si fa per i picciliddri, e lo trasportarono fino alla càmmara dove ora dormiva. Ma di arrinesciri a stenderlo sul letto, manco a parlarne, il duca restava sempre nella stessa posizione. Pigliarono una seggia e ce lo posarono supra. Doppo, mentre Honorio si metteva di guardia alla porta della càmmara, Hortensio a cavaddro si precipitò a Montelusa alla ricerca del mejor medico. Tornò dopo tres horas, precedendo di poco il coche del dottore Spiridione Zagarrigo.

Alto, grosso, imponenti, con una varba tanto longa che a momenti se la pigliava coi pedi, Zagarrigo era veramente un bravo medico, ma quando gli spirciava, quando ne aveva voglia, perché invece c'erano jornate che il cireveddro gli funzionava a vento e gli pigliava una botta di filosofia. E quello, cosa che Honorio e Hortensio non sapevano, era un jorno di speculazione. Conosceva che cosa era successo perché glielo aveva contato lo spagnolo quando era andato in pàisi a pigliarlo. Senza spiccicare parola, s'assittò davanti al duca e lo taliò lungamenti.

«E sissignore» diceva ogni tanto confermandosi via via nella sua piniòne. «E sissignore».

Doppo una mezzorata, s'addicidì a parlare.

«Posso vedere la signora duchessa?».

Il fatto della famosa nottata l'aveva accanosciuto, come tutti in paìsi, nella matinata istissa e perciò gli era venuta curiosità di vederla, non perché gli servisse per la malatìa del duca. Gli avevano detto che era beddra assai e a lui piacevano le fìmmine beddre.

«No es posible» fece Honorio.

«La duchessa está enferma» specificò Hortensio.

«Allora posso curarla!» disse Spiridione Zagarrigo illuminandosi tutto, capace che arrinisciva a farla mettiri nuda.

«No es posible» confermò Honorio. E fece un passo avanti taliandolo storto.

Il medico capì che non era cosa, cangiò argomento.

«Il duca è omo coraggioso?».

«Mucho».

«Valiente y atrevido».

«Quando l'avete trovato assittato sotto l'àrbolo, avete capito cosa poteva averlo scantato tanto?».

«Non c'era nada».

«Todo era normal».

«E allora non c'è che una spiegazione. Il duca, pinsando pinsando, perché questa è la posizione tipica di quello che pensa, è caduto, precipitato».

«Precipitado? Dónde?».

«Lungo el camino fatto dal duca non c'è ningun foso».

«È precipitato nell'abisso della mente, del pensiero, della speculazione e non dintra un fosso materiale. Mi spiegai?».

Hortensio e Honorio non ci avevano capito niente, ma fecero di sì con la testa.

«Sarà molto difficile, e macari pericoloso, farlo tornare alla superficie, c'è rischio che si cade ancora più giù».

«Che dobbiamo hacer?» spiò preoccupato Hortensio.

«Bisogna procedere per gradi. I picciliddri, i bambini, cosa sono secondo voi?».

«Para nosotros? Niños» fece con scarsa fantasia Honorio.

«No, troppo poco. I picciliddri sono l'immagine pricisa dell'omo quando il mondo era nell'infanzia dell'umanità. È necessario che il duca torni ad essere picciliddro. Fatelo giocare. Con le palluzze colorate. Colla comerdia o stiddra aquilone. Cantategli filastrocche e ninne nanne. Deve, dico deve, tornare con la testa di un bambino di quattro anni. Tenetemi informato, appena dice papà o qualunque altra cosa, mandatemi a chiamare».

Si susì, niscì, scinnì, acchianò nella carrozza, partì. Hortensio e Honorio erano arrimasti di petra, come del resto il loro patrone.

Senza bisogno di palluzze colorate o di filastrocche, poco appresso l'avimmaria il duca prima si levò la mano appuiata al mento, poi chiudì e raprì gli occhi. Hortensio e Honorio s'addunarono che lo sguardo spiritato gli era sparito, semmai pariva arraggiato, e tanto. Si susì, fece qualche passo traballante, arrivò al letto, si stinnì, s'addrummiscì di colpo.

Stetti a dormiri dodici ore di fila. Arrisbigliatosi, si cangiò d'abito e andò nello studio. La prima persona che fece convocare fu Rosario, la cammarera della duchessa.

«Preparate los trajes e todas las cosas de mi mujer. Mañana por la mañana, a la madrugada, all'alba, dovete essere con la duchessa sulla carretera per Palermo. Honorio vi accompagnerà».

Doppo sinni stette ad aspittari, per due ore, che arrivassero il Capitano di giustizia e don Aneto Purpigno che aveva mandato a chiamare con Hortensio e con il capocammareri.

Per primo, ordinò che trasisse don Stellario Spidicato, il Capitano di giustizia, il quale, strata facenno, s'era fatto pirsuaso che quel cornuto del duca l'avrebbe coinvolto in quarchi àutra minchiata che poteva finire a schifìo.

Don Sebastiano – notò strammato don Stellario – s'era vistuto con l'abito di corte e in testa aveva la parrucca alta, tutta boccoli boccoli, che gli cummigliava completamente i capiddri bianchi. Il Capitano lo trovò più vecchio, d'un colore di malato nella faccia, le mano gli tremavano tanticchia.

«Signor Capitano» fece don Sebastiano, «ecco la mia comunicación. Yo, entro dos o tres días, lascerò, quizás por siempre, este lugar. Delego al señor Aneto Purpigno a representar mis intereses, presso le mie propriedades de aquí, comprensivo dei feudi Trasatta e Tumminello. Ne voglia oficialmente tomar atto».

«Ne prendo ufficialmente atto» disse il Capitano di

giustizia mandandolo mentalmente a fare cose vastase in quel posto, contento però che la chiamata si fosse arrisolvuta solo con una perdita di tempo.

La matina appresso che dei mallitti spagnoli scomparì ogni traccia nella casa, don Aneto Purpigno fece puliziare la villa dal tetto alla cantina, come a voler far disperdere il feto, l'odori, di quella gente. L'ordine che il duca gli aveva in prìmisi dato era stato quello di chiuderla e mandare a casa il pirsonale, la servidumbre, come diceva lui. Ma don Aneto era omo abile e volpigno, tant'è vero che don Sebastiano mai aveva sospettato la parte doppia che aveva fatto nella facenna di Gisuè, anzi l'aveva elogiato per la fedeltà e la lealtà. E accussì arriniscì a pirsuaderlo a lasciare le cose come stavano; capace, disse, che alla signora duchessa macari, un jorno o l'àutro, gli veniva spinno, gana, desiderio di tornare dalle parti di Montelusa, che c'era aria bona e d'estate ci faceva frisco. Don Sebastiano aderì alla proposta, nelle parole di don Aneto colse la possibilità di potersi sbarazzare, ogni tanto, di quella scassa cojones che era diventata la su mujer. E accussì don Aneto salvò il pane alla servidumbre.

Passato il piricolo apprisintato dal duca, Gisuè dissotterrò il sacchiteddro con le cent'onze e si rivolse al poteri che ora aveva don Aneto. E questi gli trovò un bel pezzo di tirreno d'occasione, supra a Monserrato, una collina che si chiamava Sanpietro e che separava Montelusa dalla spiaggia di Vigàta. Il tirreno era coltivato ad àrboli di mènnula; don Aneto, senza manco volere a cangio un tarì, fornì la bona simenza di frumento e fave. Aiutato da quattro picciotti della truppa dei giornatanti, ci mise tre misi a costruirsi una bella casuzza, un cammarone sutta, due càmmare supra, dalle cui finestre si vedeva il mare lontano, allato la stalla capiente due vestie e un forno per famiare il pane.

Verso il primo doppopranzo del 20 giugno del 1670, mentre stava a spaccare ligna con l'accetta, Filònia, da una fitta più forte delle altre, capì che il mumentu era arrivato. La gnà Gisuina Palillo, una della truppa, matre di quattordici figli, le aveva spiegato quello che c'era da fare nell'occasioni. Non volle trasire in casa, che la teneva pulita come uno specchio, avrebbe allordato tutto. Perciò radunò tanticchia di paglia vicino al pozzo, si spogliò nuda, vi si stese sopra. Era sula: Gisuè era andato a Vigàta con l'asino, lo scecco, e aveva voluto portarsi appresso Pippìno, che ora aveva tre anni passati e dava già una mano al patre.

Tutt'inzemmula, a una spinta più forte, si vagnò in mezzo alle gambe, erano le acque che ora aiutavano la criatura, la sua testa, a nesciri fora. Il dolori era forte e Filònia si mise a fare voci, tanto era sola. A questo punto a lei s'avvicinò tutto l'armalume che consisteva in un cane randagio che s'era allocato in casa e che tutti chiamavano, senza fantasia, «u cani», in una capra girgentana, alta e grossa, di lungo pelame marrò, con due corna di liocorno e grandi minne scure, in quattro galline bianche. Il gallo nero invece si mise a passiare nervosamente avanti e narrè. Quando finalmente la criatura niscì tutta, Filònia vide che aveva fatto un figlio màscolo, un altro doppo Pippìno, e se ne arricreò. Ah li figli màscoli, fortuna di la famiglia, ricchizza della casa! Ah petti forti, spalle larghe, vrazza nerborute, minchie per fare figli e figli!

Michele era nasciuto. Il nome l'aveva stabilito con Gisuè: se era màscolo, Michele, come il patre di Filònia (a Pippìno avevano già dato il nome del patre di Gisuè), se disgraziatamente era fìmmina, si sarebbe chiamata Concetta, come la matre di Gisuè.

Si portò il cordone all'altezza della vucca, lo tagliò di netto con una dentata, l'annodò. Quindi pigliò Michele per li pedi, come le aveva detto di fare la gnà Gisuina, lo mise a testa sutta e gli diede una manata sulla schina. Allora capitò una cosa. Alla botta, Michele raprì gli occhi, taliò sua matre e, invece di mittirisi a piangere, come sarebbe stato di natura, arridì. Filònia dapprima non ci credetti, poi dovette farsene pirsuasa: suo figlio stava ridendo, a gola piena, come un omo granni.

Stanca, la fìmmina mise il picciliddro allato, sulla paglia, e allargò le vrazza per respirare meglio. Sulla mano mancusa le cadì una cosa cavuda e tonda, era un ovo che una gaddrina le stava regalanno. A occhi chiusi, Filònia ci fece un pirtuso con una pietra nica e se lo sucò. Poi sentì che il sole le scompariva dalla faccia. Raprì gli occhi: la capra girgentana gli si era messa supra e teneva le minne all'altezza della sua vucca. Filònia isò le mani, la mungì, e il latte cavudo cavudo le trasì dritto nella gola. Quando la capri sinni andò, vide che u cani aveva leccato il picciliddro e l'aveva puliziato tutto. Ebbe un'altra contrazione e le venne fora «a mamma», la placenta. U cani se la mangiò.

Parte seconda

Cenni sull'infanzia e la giovinezza di Zosimo

Capitolo primo

Apparse chiaro che, a tri misi dalla nascita, Zosimo (va a sapiri pirchì tutti lo chiamavano accussì, Zò, e no Michele) si era stufficato del latte che si sucava dalle pur sostanziose minne della matre sua. Il picciliddro, appena a forza gli veniva messa nella vucca la capezzola, scansava di colpo la faccia e la rigettava di fora.

«Non teni pititto! Gli passò!» diceva sconsolata e prioccupata Filònia. E visto che la cosa non finiva, le pigliò l'allammicco. Sospirava e spiava allo scecco, alla capra, al gaddro, alle gaddrine, al cani, all'erba, all'àrboli:

«Che gli capitò al figliuzzo mio?».

Ne parlò macari con don Aneto, che quello veniva due volte al mese solo per sciaurarla. Perché don Aneto s'era fatto pirsuaso che Filònia fosse fìmmina da sciaurare, da odorare, e non da pigliare. E difatto quello che provava quanno le metteva il naso nelle asciddre o nella natura era cosa di tanto superiori alla sensazioni dell'usaggio normali che si fa d'una fìmmina. Tant'è vero che un jorno, doppo averla sciaurata per tre ore era sbottato a chiangiri.

«Stavolta» spiegò tra i singhiozzi «il vostro sciauro era quello che ha la luna in una notti d'austu. Voi mi

137

state facendo accanosciri tutti gli adori dell'universo criato».

Alla notizia che il picciliddro non mangiava, don Aneto si offrì di venire a pigliare Filònia e Zosimo con una carrozza per portarli a Montelusa dal medico don Spiridione Zagarrigo che quello, quanno voleva, sanava i morti.

Non ci fu, però, nessuna bisognanza di medico. Un jorno che Gisuè stava a mangiarsi una sarda salata con oglio, acito e origano, Zosimo stinnì il braccino e indicando la conca disse semplicemente, ma fermamente:

«Da».

Visto che la mogliere non era nei paraggi, Gisuè staccò con le dita un pizziteddro di sarda e l'infilò nella vucca del figlio. Zosimo si gustò la sarda, arridì di quella risata che non era di picciliddro ma di omo granni e disse ancora:

«Da».

Gisuè gliene diede un altro pizziteddro. E siccome si stava mettendo nella vucca un pezzo di pane vagnato nel condimento, Zosimo l'indicò e disse:

«Da».

Gisuè gli desi il pane e il picciliddro s'arricreò, si spaccò la faccia in un sorriso di contentezza.

A questo punto a Gisuè gli venne scrupolo. È cosa cognita che, se uno non ci beve subito il vino sopra la sarda, capace che doppo gli attacca grannissima sufferenzia di panza. Allora afferrò il vuccali di vino e l'appuiò alle labbra del figlio. Il picciliddro se ne calò quanto un dito.

Appresso a quella jornata, Zosimo non s'attaccò più

alle minne di Filònia. Tanticchia di sarda, macari mezza, due aulive, un passuluni e cioè un'oliva nera, una striscia di cacio, due dita di vino: questo gli bastava alla vita. A sette mesi ci fecero assaggiare il cacio all'argentera, consistente in caciocavallo stascionato, tagliato fino, fatto fritto col pumadoro e condito con l'acito: se n'entusiasmò e si calumò quattro dita di vino.

«Bono» fece alla fine.

Filònia, Gisuè, lo stesso Pippìno ammammalucchirono. Può un picciliddro parlare a sette mesi? Non s'era mai accanosciuta una cosa accussì, di certo avevano intiso male.

«Che dicisti?» spiò Filònia per scrupolo.

«Diventastivo sordi? Dissi che è bono» spiegò tranquillo Zosimo.

La voci che Zosimo, il figlio secondo di Gisuè, si fosse messo a parlari a sette mesi, si sparse. E fu accussì che, una bella matina di duminica, s'apprisentarono u zù Casio, che era omo d'esperienzia e di sapienzia, e Pepè Attanasio, il poeta strimporaneo. S'assittarono tutti davanti alla casa e misero il picciliddro nel mezzo.

«Vero è che sai parlari?» attaccò u zù Casio.

«Certo che parla. Parla quanto un judice poviro» disse orgoglioso Gisuè. E rivolto al figlio:

«Avanti, parla. Non ti fari appregare».

Zosimo, che fino al momento dell'arrivata dei due aveva parlato con Pippìno, ora s'era fatto mutànghero.

«Dicci quarche cosa» incalzò il poeta strimporaneo. «Una cosa qualisisiasi».

«Una parola».

«E raprila sta vucca!».

«E fatti nesciri il sciato!».

Pigliato d'assedio, finalmente Zosimo parlò:

«Non mi quaqquate la minchia!» disse, dato che ancora la littera «s» non gli veniva bona.

Saputa la novena del picciliddro che parlava a sette mesi, patre Uhù Ferlito appizzò le orecchie. Se il fatto era vero, non era di natura. E se non era di natura, non poteva essiri che di supra o di sutta natura. Se era di supra natura, il picciliddro era chiaramente un angilo incarnato; se era di sutta natura il picciliddro era stato pigliato dal diavolo. E lo prioccupò la storia capitata nel paìsi di Rimèra cent'anni avanti, quanno il diavolo si era incorporato in una decina di picciliddri che avevano scannato i genitori nel sonno. Fu accussì che un jorno s'arricampò nella casa di Gisuè con la croci sulle spalli. Per caso, il primo a venirgli incontro fu propio Zosimo, che aveva pigliato a caminare.

«Tu sei il picciliddro che parla?».

«Sissi, io sugnu».

«E perché parli?».

«Pirchì mi viene accussì».

«Parli a nomu di Dio o a nomu di lu diavulo?».

Zosimo ci pinsò sopra tanticchia.

«Iu parlu a nomu mio» disse.

Patre Uhù si squietò. Questo Zosimo era troppo sperto. Venne fora di casa Filònia, fece trasiri il parrino, gli offrì un quarto di vino.

«Che c'è, patre Uhù?».

«C'è che quanno ho saputo del picciliddro che parlava, ho sentito fetu d'abbrusciato».

«O Madonna biniditta!» si scantò Filònia facendosi il signo della croci.

«Non vi scantate. Non è detto. A vederlo, Zosimo, mi pari normali, un picciliddro come l'àutri».

«E allura?».

«Me lo dovete dare fino a domani matina. Poi ve lo riporto».

Gisuè era da un mese che aveva accattato una mula. Filònia l'imprestò al parrino che se ne partì a cavaddro con Zosimo e la croci. Durante il viaggio di tri ore, il parrino non raprì vucca. Lo teneva davanti a sé e una o due volte gli posò sulla testa la croci nica che portava attaccata al collo con una cordicella. Il picciliddro non se n'addunò, non se n'accorse, non reagì. Se fosse stato un diavolicchio incarnato, avrebbe fatto voci. La caminata sulla mula col parrino piacì assà a Zosimo, che si taliava torno torno affelicitato. Quanno arrivarono alla grotta, il parrino non perse tempo. Pigliò Zosimo per la mano, gli fece traversare lo spacco nella roccia che portava alla grotta più nica e poi, davanti alla pozza d'acqua biniditta, gli diede un ammuttone, una spinta, e lo catafotté dintra.

Questa era la prova decisiva: se Zosimo era stato pigliato dal diavolo, sarebbe scappato fora come se l'acqua fosse stata foco. Invece il picciliddro se la godé.

«Quant'è frisca!».

Patre Uhù si commovì, si sentì l'occhio vagnato.

Quello non era né angilo né dimonio, era semplicementi un picciliddro: caminava e parlava per grazia del Signuri che aveva voluto alluciarlo con la luce dell'intelligenza. Allora puro lui trasì nella pozza d'acqua santa e vattiò Zosimo nel nome del Patre e del Figlio, alla manera antica, come facivano i profeti.

Il nome dello Spirito Santo lo lasciò perdiri, perché era chiaro che quello aveva già pigliato sotto le sue ali il picciliddro.

«Asciucati al sole» gli disse alla fine.

Quanno niscì macari lui dalla grotta, il picciliddro correva in mezzo all'erba. Patre Uhù lo taliò e arrimase dubitoso. Picciliddro? E allora cos'era quel vero e proprio ramo d'àrbolo che gli ballava sutta la panza?

All'èbica di cui stiamo parlando, un caruseddro, un nicareddro, un picciliddro, un figlio dei viddrani, dei contadini, aveva un tempo stabilito per jocare, un piriodo che andava da quanno pigliava a stare addritta fino all'etate di anni sei. Doppo non era più un picciliddro ma un addrevo, un allievo, che appresso al patre, aiutandolo nel travaglio della campagna, imparava. I jochi erano jochi di povirazzi, arrangiati con quello che si poteva trovari in casa o circando nel tirreno. Due belle petre lisce servivano per jocare a sottomuro; una tavola in equilibrio supra un masso era bona per la papulanzìcula, la bilancia; una pampina di vite messa di traverso tra le labbra addiventava un friscaletto; un pezzo di canna uno zufolo.

E poi c'erano il firrialòro, la marreddra, lo scupittuni,

il mataccino, i caseddri, la trottula, i palìsi, le baddruzze, la fiunna e centinara e centinara d'altri jochi nasciuti dalla fantasia infinita dei picciliddri.

Ma a Zosimo ci faceva gusto soprattutto un joco che praticava con suo frati Pippìno quanno questo aveva tanticchia di tempo. Era l'ammuccia-ammuccia, il nascondino. Zosimo se la godeva di più in quella parte quanno era lui ad andare a circari e non quanno veniva circato. Tanto che a un certo punto il joco consistette solo nel fatto che Pippìno s'ammucciava e Zosimo lo circava.

«Pirchì mi piace lo scanto» spiegò a Pippìno che un jorno gliene spiò la scascione.

«Scanto? Spavento? Di che?».

«Lo scanto che provo al pinsèro che io ti vengo a circari e tu invece non ci sei più, io ti cerco, ti cerco e non ti trovo pi sempri».

Un jorno don Aneto, venuto a trovare Filònia, doppo la sua praticanza con la fimmina, chiamò Zosimo che sinni stava a taliare una fila di formicole.

«Ti voglio fari un regalo».

Tirò fora dalla sacchetta quattro granni fogli di carta ripiegati, due li desi al picciliddro dicendogli di tenerseli sparte, con gli altri due, due pezzi di canna, tanticchia di colla di farina e un gomitolo di spago fino, gli fece una comerdia, una cometa volante. Mentre don Aneto travagliava a costruire l'aquilone, Zosimo taliava la carta, affatato. Era fina fina, squasi trasparenti, se uno se la metteva sugli occhi ci vedeva la luce attraverso. E quant'era cilestre! All'èbica carta non sinni vedeva, la carta che lui fino a quel momento aveva viduta e toccata era quella, pisante e tutta scrivuta, dei libri che aveva patre Uhù nella sò grutta. Su quella carta ci perse il core e se l'andò ad ammucciare prima ancora che don Aneto avesse finito. Il quali don Aneto gl'insegnò come si fa a fare che la comerdia si levi in volo, come tenercela, come darle via via spaco, come evitare che, capozziando, cadendo a punta in giù, andasse a fracassarsi tra i rami degli àrboli. Gl'insegnò macari come si faceva a mandare un corrieri alla comerdia quann'era in volo: si pigliava un quatateddro di carta, ci si faceva un pirtuso in mezzo, lo s'infilava nello spaco e il corrieri pigliava ad acchianari lungo lo spaco fino a raggiungere la comerdia.

Di parte sua, Zosimo ci mise tre jorni a capire che la matina presto e la sira prima di scurare erano le meglio ore per fare volare la comerdia.

Una sira, che già Filònia l'aveva chiamato per mangiare, a Zosimo gli parse che la comerdia fosse addiventata viva, si fosse cangiata in una palumma bianca àuta àuta nel cielo. E che fosse viva lo capiva dal fatto che la palumma tirava il filo, sempre più forte, a strappi.

«Non ce la faccio più a stare incatinata!».

Ecco lo scanto che gli piaceva. Se rapriva le dita e lasciava lo spaco, avrebbe mai più arritrovato la palumma?

Raprì le dita. La seguì con gli occhi fino a quanno poté, la vide ammucciarsi darrè una nuvola.

«Domani ti vengo a circari» le disse.

144

Ma sapeva che non sarebbe stato possibile. Tant'è vero che quanno Filònia gli spiò dove fosse la comerdia, arrisponnì:

«La persi. Mi scappò lo spaco dalla mano».

Capitò che Angilina, la soro di Filònia e mogliere di mastro Girlando Pitrella, lo scarparo, venne pigliata da una malatìa scognita e s'allettò. Saputa la cosa, Filònia si partì per Montelusa per dare adenzia alla sorella, lasciando la casa in mano a Gisuè. Per la festa di santo Palescio, a Vorzìcca, un pàisi vicino a Rimèra, si teneva una fèra granni e Gisuè s'era messo in testa d'accattarisi dù maiala. Decise, data l'assenzia di Filònia, di non andarci. Ma Pippìno lo pirsuase del contrario. Nei tre jorni che Gisuè sarebbe stato lontano, avrebbe abbadato lui alla campagna, alla casa e a Zosimo. Gisuè pinsò che era di giusto dare questa confirma di fiducia al figlio granni e se ne partì.

Parse fatto apposta. La mula di Gisuè s'era appena allontanata, che la sentirono arritornare. Niscirono fora di casa e videro che si trattava di un'altra pirsona che stava arrivando proprio in quel momento. La taliarono ammaravigliati.

L'omo stava sopra un cavaddro maestoso, aveva una varba bianca fatta tutta a boccoli, in testa teneva un cappello colore cielo àuto àuto che finiva a punta, il corpo era coperto da un mantello, puro lui colore cielo ma addisegnato con stiddri e mezze lune intrassute in argento. Ai lati della sella c'erano appise due casse di legno. Ma quello che più strammò Pippìno e Zosimo fu la cosa che l'omo tiniva nella mano mancusa. Era un vastone corto sopra il quale c'era un trespolo e, sopra il trespolo, stava posato un aceddrone, un uccellone di lunga coda, di pinne gialle e verdi e con un becco enormi, di colori giallo.

Furono tre le domande squasi contemporanee:

«C'è nisciuno in casa?» spiò l'omo.

«Tu chi sei?» addimandò Pippìno.

«Che è st'aceddrone?» fece Zosimo.

«Quest'aceddro è un pappagallo» spiegò l'omo «e di nome suo fa Durandarte. Io sono il mago Apparenzio. E torno a spiare: c'è nisciuno in casa?».

«Ci siamo io e mè frati» disse arrisentito Zosimo. «Non ci abbasta? O ci paremo che siamo nisciuno?».

No, pensò il mago, un picciliddro che a quell'etate parlava in quel modo non poteva essiri nisciuno. Venne pigliato di curiosità, cosa che gli capitava di rado, datosi che la genti era quella che era e non faceva dimande e non dava risposte che lui non conoscesse di già.

«Che viene a essere un mago?» gli spiò Zosimo.

Apparenzio scinnì dal cavaddro, tenendo sempri il trespolo in mano con l'aceddro supra che sinni stava fermo.

«Un mago è uno che parla con le stiddre e con la luna del cielo, che sapi quanno sono le jornate belle e quanno sono le jornate tinte, che vende pianete e dice la ventura».

«E quanto costa farsi leggere una pianeta e dire la ventura?» spiò Pippìno intrissato.

«A seconda delle pirsone che l'addimannano».

«A mia quanto mi viene a costari?» fece ancora Pippìno.

Il mago Apparenzio lo squatrò.

«A tia ti viene a costare la paglia per il mio cavaddro e un sacco di fave per mia».

«E al pappagallo non ci viene nenti?» addimandò Zosimo.

«Durandarte mangia solo mandragora e nepenta, erbe che da queste parti non ci sono».

«Va beni» fece Pippìno «ditemi la ventura».

Il mago s'avvicinò al cavaddro, raprì una delle due casse di ligno. Dintra c'erano tanti fogli di carta prigamena stipati, che tra l'uno e l'altro non ci passava un filo d'aria.

«Durandarte!» ordinò il mago all'aceddro pappagallo. «Datemi la ventura di questo picciotto!».

L'aceddro volò dal trespolo e si posò sul bordo della cascia.

Taliò con la testa di lato a Pippìno, poi calò il becco e pigliò deciso un foglio.

«Eccovi servito, patrone mio» disse pruiendolo al mago.

Parlava?! Un aceddro che parlava?! Pippìno atterrì, diede un grido e sinni scappò dintra la casa. Zosimo invece fece un sorrisino di superiorità: l'aviva sempri pinsato, lui, che gli armàli parlavano, solo che non volevano farlo sapiri agli òmini, si rivelavano di tanto in tanto a genti fidata. Pippìno spuntò con la faccia giarna, pallida, da darrè una finestra.

Intanto Apparenzio aveva stiso 'n terra la pianeta e la considerava. Zosimo vide che c'erano addisegnate sopra stiddre, mezze lune, lune intere, vermi a due o tre gambe, cose tonde come l'aulive, cose quatrate, zighizaghi come fa la saitta in celu. Il picciliddro s'addunò che a un certo momento il mago si faceva nìvuro in faccia. Doppo taliò Pippìno, pigliò il foglio della pianeta e l'infilò in mezzo all'àutri dentro la cascia.

«Allora? Com'è la vintura?» spiò Pippìno da lontano.

A Zosimo parse che il mago fosse in prima indeciso, ma poi s'arrisolvette:

«La ventura tua è quella di un viddrano che jetta sangue supra lu tirreno fino a quanno mori».

Non era una bella vintura, e Pippìno s'arritirò deluso.

Ma Zosimo ebbe chiaro di subito che Apparenzio stava dicendo una farfanterìa, una minzogna.

«E a mia? Non me la dicite la mè vintura?».

Apparenzio gli passò una mano sopra i capiddri.

«Aiutami a scarricare il cavaddro» disse. «E dopo duna tanticchia di pastone alla vestia. Io sono stanco e mi getto sulla paglia a dormiri. Arrisbigliami quanno fa notti».

Il vastone corto che aveva in mano era fatto a punta. Il mago lo piantò in terra. Il pappagallo non si cataminò.

«Non t'avvicinare all'aceddro» disse ancora il mago «pirchì è capace di darti un pizzuluni che ti taglia un dito».

«E se l'assuglia il cani?».

«Non ti preoccupari, il pappagallo si sapi difendere».

«Prima di dormiri, lo vulite un quartu di vino?».

«Quello non s'arrefuta mai» disse il mago.

Faceva oramà scuro fitto, Pippìno se n'era andato a curcarisi, la matina dopo doveva susirisi presto. La notti era serena, luminosa, la luna piena pareva posata supra all'orto. Al tocco della mano di Zosimo, Apparenzio s'arrisbigliò.

«È ora» fece Zosimo. «Ma prima mangiate».

Nella conca c'erano aulive, cacio e un pezzo di pane. Il picciliddro trasì in casa e tornò con un quartu di vino.

«Quanti anni hai?» spiò il mago mentre mangiava.

«Quattro e mezzo».

«Stai babbiando?» dimandò miravigliato Apparenzio.

«Nonsi. Si facisse vossia il cunto: io nascii u jorno vinti di lu misi di jugno del millisicentosittanta».

«Lo sai verso che ora nascisti?».

«Mè matre mi disse ch'era il primo doppopranzo».

«Ma tu sai di leggiùto e di scrivùto?».

«Nonsi».

«Acconosci i nùmmari?».

«Nonsi».

Apparenzio finì di mangiare, si vippi il vino, si susì, raprì l'àutra cascia, dintra c'era, in mezzo a 'na poco di libri, un tubo longo, che addivintò ancora più longo quanno il mago lo tirò da una parte.

«E che è?».

«Si chiama cannocchiali e serve per taliare da vicino le stiddre. Io sono macari stròloco».

«Veni a dire?».

«Veni a dire uno che osserva il cielo, studia la luna e le stiddre e cerca di capiri la ventura di l'òmini. Vuoi vidiri la luna? Il cannocchiali te lo tengo io, pi tia è troppo pisante».

Zosimo s'incantò. Quant'era bella la luna vista da vicino! A occhio nudo pariva piatta e fridda, inveci c'erano macchie, sbalanchi, pirtusa. Nelle grecchie, mentre la taliava, Zosimo sentì come una musica, una volta aveva ascutato suonare un violino e una mandola, ora ce n'erano a centinara.

«State sonando?» spiò al mago senza levare gli occhi dal cannocchiali.

«Perché? Stai sentendo sonare?».

«Sissi».

«Non sono io. Tu stai ascutando la musica della luna».

Poi il mago s'arripigliò il cannocchiale, dalla cascia tirò fora un libro, un foglio di carta, una pinna d'oca e una bottiglieddra d'inchiostro.

Taliava le stiddre, scriviva sul foglio nùmmari e littre. Alla fine consegnò il foglio scrivùto a Zosimo.

«Mettilo da parte. Te lo farai spiegare da un altro mago, quando passerà da questi lochi».

«E intanto non mi potite dire nenti?».

«Una sola cosa, ma non dirlo a nisciuno, manco a tò patre, a tò matre, a tò frati. Sulla tua testa c'è una corona».

«E che viene a significare?».

150

«Tu che ventura vorresti?».

«Vorrei una vita accussì, come u Signuri me la manda».

«E quella avrai».

Doppo Apparenzio fece una cosa che Zosimo mai si sarebbe sognato che potesse capitare: a lento a lento s'inginocchiò e gli vasò la mano.

Capitolo secondo

Non aveva manco accominciato a pigliare sonno, almeno accussì gli parse, da quanno il mago stròloco se n'era partito a notti fonda, che una voci alta e lamentiosa l'arrisbigliò. Aperti gli occhi, vide che invece era jorno fatto e capì che Pippìno da tempo era a travagliare nella campagna. Non capiva le parole che quella voci diciva, e perciò si susì e andò ad affacciarsi alla finestra.

Davanti alla casa ci stava un omo, sicco, allampanato, che era nell'istisso tempo vistuto e svistuto, nel senso che aveva sì un vestito, ma accussì pieno di pirtusa, di tagli, di strappi che la carni sua si vedeva quasi tutta e macari si vedeva tanticchia di pelo dalla parte delle vrigogne.

«Fate la limosina a Grigoriu, / sparagnate mill'anni di priatoriu!».

Questo diceva la voci: chi gli faceva la santa limòsina, si sarebbe venuto a trovare con mill'anni di meno da scontare nel purgatorio.

Sò matre Filònia gliel'aveva spiegata bene come stava combinata la facenna. Doppo che uno è morto, il Signuri Diu ci fa un tirribili esami. Se uno ha fatto piccati grossi assai se ne va dritto all'infernu; se ha fatto piccati accussì accussì, viene spedito al priatoriu per tutto il tempo che ci vuole per scuttare le colpe e poi finalimente se n'acchiana in paradiso; chi per tutta la vita è stato bono e ubbidienti, il Signuri Diu se lo tira supra le nuvole e lo fa assittare allato a lui.

Considerato che fino a quel momento non aveva fatto altro che piccati leggeri, Zosimo pinsò che la proposta gli conveniva. Tagliò un quarto di scanata di pane, niscì di casa e lo dette al forastere che si chiamava Grigoriu.

L'omo pigliò il pezzo di pane e parlò.

«Il Signuruzzu, sempri sia lodato, / la bona jornata m'ha regalato».

A Zosimo piacì assai il modo come l'omo parlava. Diceva paroli, ma pareva che cantasse musica.

«Ancora» fece.

Grigoriu lo taliò compiaciuto.

«La tua dimanna sta a significari / che in poesia ti devo parlari?».

«Sì» disse Zosimo.

L'omo lo taliò ancora, sulla faccia gli passò un sorrisino furbo, vulpigno.

«Se tu mi dai due sarde salate, / diventano quattro le bone jornate».

Di corsa Zosimo trasì nella casa, niscì nuovamenti con le due sarde salate che l'omo si mise nella sacchetta, accussì com'erano, dopo averle sciaurate. Doppo fece un sorriso più largo.

«E se mi doni un ovo di gaddrina, / starò beni la sira e la matina».

Il picciliddro si fece una corsa fino al gallinaro, cercò nella paglia, trovò due ova, li portò all'omo che se li mise nella sacchetta dove già ci stavano le sarde. Doppo raprì nuovamenti la vucca:

«Mi doni puro tanticchia di ricotta? / Due aulive virdi? Un pezzu di caciotta?».

Zosimo rise della sua risata di grande, e l'omo s'imparpagliò a sentirla, solo allora parse rendersi conto che stava parlanno con un picciliddro.

«E ora basta, non ti dono più nenti, / hanno di che mangiari li to' denti».

A quella risposta, Grigoriu arridì a longo. Poi riattaccò.

«Tu la lizioni t'imparasti presto. / Vienimi appresso puro per il resto».

La risposta del picciliddro fu immediata.

«Tu camina e vai per la campagna, / dietro ti vegnu, puro a la montagna».

«In questa casa ricca e imponenti, / ci campi solo o c'è àutra genti?».

«C'è genti che però ora non c'è / ma tra dù jorna tornano arrè».

«E non ti scanti, solo e nicareddro?».

«Con mia ci sta Peppi, mè frateddro».

«E sto fratreddo, di quanno è più granni?».

«A momenti di squasi quattr'anni».

Grigoriu taliò la casa, la porta, le finestri. Aveva saputo quello che gl'importava sapiri. Fece:

«Ti saluto, ti faccio il ringrazio, / di pani e di paroli sono sazio».

Girò le spalli e ripigliò a caminare da dove era vinuto. Zosimo rimase a fissarlo fino a quanno non lo vitti scomparire darrè una curva dello stradone. Assai gli era piaciuta la parlata in poesia, come la chiamava Grigoriu. Gli era parso che le paroli, dette in quella manera, diventassero propio quelle giuste, quelle che ci volevano. Doviva essere, la poesia fatta sul serio e non per sgherzo, come un venticeddro leggio leggio che pettinava l'erba, metteva in ordine le foglie dell'àrbolo, cangiava la forma delle nuvoli, faceva addiventare musica le pampine della vite.

Col sole a picco che spaccava a momenti le petre per il gran cavudo, Zosimo ascutava suo frati Pippìno che travagliava lontano collo zappone, sentiva gli «han!» che faciva, accompagnando col respiro la botta della zappa sul tirreno. L'omo che a quell'ora s'appresentò teneva attaccati alla cinta cinco sacchi fatti di pelle caprina, e sul momento pareva che quello non avesse cazùna, ma gonna. In mano teneva un flautu bianco, fatto d'osso.

«Io sono Fura u serparo» disse. «Ce ne sono scursuna, sirpenti, da queste parti?».

«Certo» arrisponnì Zosimo.

L'omo era tanto corto che non pareva omo, era di un palmo più alto di Zosimo, ma aveva varba e baffi. Parlava con una voci fina fina, come se gli dovisse mancari il sciato da un momento all'altro.

«Tu mi sai dire dove stanno di casa?».

«Venitemi appresso».

Pigliarono a caminare verso l'àrbolo di noce, dove suo

patre aveva ammassato petre e petruna che aveva levato dal tirreno.

«E ci sono macari vipare?».

«Sissignura».

Le conosceva, le vipare. Gisuè un jorno ne aveva ammazzata una e l'aveva fatta vidiri ai figli, pirchì se la studiassero com'era di colori e forma e potessero, in caso, scansarla. Se la vipara ti mozzica, non c'è Diu ca teni, il tossico che t'infila nelle veni arriva di subito alla cima del cori, ti fa veniri la cancrena nìvura, e mori.

«E che ci volete fare con le vipare?».

«Le piglio, me le metto nel sacchiteddro, doppo ci levo il tossico e me lo vado a vendere a Montelusa, al medico don Spiridione Zagarrigo, che a lui ci serve e me lo paga bono».

«E come le pigliate?».

«Con le mano».

«State babbiando?».

«Nicarè, io non babbio mai» fece Fura arrisentito.

«E se quella vi mozzica? Morite?».

«Si mori e non si mori. Ma a mia la genia serpigna m'acconosce, è difficile che mi mozzicano. E poi bisogna sapiri l'arte».

Erano arrivati ai pedi del noce e subito Zosimo sentì in mezzo all'erba lo striscichio delle serpi che s'avvicinavano.

«Non ti cataminare» gli raccomandò Fura. «Sento che in mezzo ai verdoni, ai marassi, alle coronelle ci sta macari una vipara maligna. Ora la chiamo e la faccio viniri fora dall'erba».

Mostrò il flautu al picciliddro.

«Chisto flautu è vecchio almeno di tricent'anni. È l'osso di un vrazzo di un mio catanonno, che di nome faciva Artemisio ed era il meglio serparo del mondo. Quanno morì, i figli sò si spartirono l'ossa e ne fecero strumenti. Lui ci parlava, alle serpi».

Pigliò a sonari un rumori che pareva l'istisso strisciamento della serpi che ora s'allonga ora s'arrotunna, ora s'allonga ora s'arrotunna e Zosimo, attaccato dal sonno, principiò ad avere gli occhi a pampineddra.

«Eccola» disse Fura.

La vipara era nisciuta allo scoperto, s'era messa sopra un masso e stava all'erta. Era granni quanto il vrazzo di Zosimo.

«Tenimi u flautu» disse il serparo.

S'avvicinò lento lento al masso, senza fare la minima rumorata, e parse che lui e la vipara si taliassero occhi negli occhi. La serpi teneva la linguetta fora dal muso a punta e la faceva trimare come fanno i cani quanno sentono cavudo.

Di scatto, il serparo si calò tutto a mancina, piegandosi sulla gamba e facendo schioccare forte le dita della mano mancusa. Come un fulmine, la vipara girò la testa a mancina. Ancora uno schiocco delle dita e la vipara si priparò a saltare. Ma l'omo non gliene desi tempo, calò la mano dritta sulla serpi e la tenne ferma sul masso. La serpi si smosse, ma non poteva scappari. Il serparo ci fece scivolare la mano sul corpo, poi, fattala arrivare appena sotto la testina, la strinse col pollice e l'indice, la isò in aria. La vipara s'arravogliava nell'aria, impazzita. L'omo sciolse la cordicella di un sacco, c'infilò dintra la serpi, stringì nuovamente la cordicella. Si fece ridare il flautu da Zosimo.

Era contento.

«Hai capito l'arti?» spiò.

«Nonsi».

«L'arte consiste che la vestia mala, sia omo o armàlo, va sempre pigliata pi darrè, dalle spalle, dalla schina, dal culo, o come vuoi tu, ma sempre di darrè».

Gli fece rapriri gli occhi una rumorata, un parlottare d'òmini nella càmmara di sotto. Era vero o si lo stava insognando? Appizzò meglio le grecchie. Non c'era dubbio, in casa erano trasute pirsone strane. Posò una mano sulla spalla di Pippìno che gli dormiva allato e lo scosse.

«Pippìno! Pippìno!».

Sò frati non si cataminò, parse morto. Stanco del travaglio della jornata, cadeva dintra al sonno come una petra nell'acqua. Allora si susì adascio, s'affacciò in cima alla scala.

Nella càmmara di sotto, assittati al tavolino che mangiavano, ci stavano dù òmini. Uno era Grigoriu, quello che parlava in poesia, l'àutro, che gli stava di faccia e che perciò voltava le spalle a Zosimo, era uno di stazza gigantisca, di pelo rosso. I due si stavano mangiando due conche di cìciri, frumento e fave, che avevano cotto allura allura, tant'è vero che nel cufularu di petra fumava ancora la braci.

Da quanto tempo erano trasuti? La porta era aperta, e macari la finestra che stava allato alla porta.

Senza che avesse fatto la minima rumorata, l'omo di pelo rosso lo sentì l'istisso e gli parlò sempri voltandogli le spalli.

«Scinni, nicarè, scinni».

Zosimo obbedì. Grigoriu con una mano indicò il pelo rosso e disse:

«Chisto è il briganti Salamone, / il tirrore di tutte le pirsone».

Madonna biniditta! Animuzze sante di lu priatòriu! Zosimo sentì che le ginocchia gli si piegavano per lo scanto. Una quinnicina di jorna avanti, in casa era venuta la gnura Filippa con sò figlio Jacomino, che era un picciliddro che non stava fermo un momento e che appena si moviva faceva danno. A un certo punto la gnura Filippa l'aveva amminazzato:

«Si non te ne stai bono, chiamo il briganti Salamoni, che lui i picciliddri tinti, squieti, se li mangia arrostu».

E il briganti, da come s'apprisentava, pareva uno che capaci che se li mangiava daveru, i picciliddri. Avevano addrumato cinco cannìli e nella càmmara ci faceva jorno. A quella luce, la varba e i capiddri del briganti parevano pigliati dal foco.

«Veru è che tu ti mangi i nicareddri?» spiò Zosimo trimando.

Salamone lo taliò. E nella càmmara si sentì prima un brontolio come di tuono lontano che si fece via via sempre più vicino e poi scoppiò, fortissimo, facendo trimare le conche e i bicchieri che c'erano sulla tavola.

A quella spavintosa rumorata, Zosimo saltò narrè, portandosi le mano a coprirsi le grecchie.

«Che fu?» spiò quasi chiangendo.

«Che fu?» spiò a sua volta Salamone sorpriso dallo scanto del picciliddro. «Nenti fu. Piritai».

E seguitò, mostrando i denti gialli da cavaddro in una specie di sorriso:

«Tutta corpa di questo mangiari».

«Cìciri e favi so' boni a mangiari / ma ti fanno puro l'alma piritari» intervenne Grigoriu.

Sopra il tavolino, il briganti aveva posato una specie di cannocchiali granni squasi quanto quello del mago stròloco.

«Tu con questo ci talii la luna?» spiò Zosimo.

«No. Io con questo, che non è un cannocchiali ma un tromboni, ci mando direttamente le pirsone sulla luna».

E si fece una gran risata, sicutato da Grigoriu.

Il briganti si mangiò un'altra manata di cìciri e fave.

Poi, direttamente dal sciasco di vino se ne sucò mezzo.

«Come ti chiami?».

«Micheli, ma mi chiamanu Zosimo».

Salamone ci pinsò tanticchia poi disse, come una lizione imparata a mimoria:

«Zosimo, papa e Santo. Successe a papa Innocenzo primo, il suo successore fu Bonifacio primo. Prima favorì la dottrina di Pelagio e Celestio, dopo la condannò. La sua festa cade il ventisei di dicembre, il giorno appresso ch'è nato nostro signore Gesù santo».

E si fece divotamente il signo della croci.

«Ma tu sei briganti o parrino?».

«Tutte e due le cose» spiegò Salamone. «Prima ero parrino e doppo addiventai briganti».

«E come fu?».

La dimanna di Zosimo era certo dittata dalla curiosità, però il picciliddro s'era arricordato dell'insegnamento del serparo, che le male vestie vanno pigliate di spalli. Salamone era una mala vestia e, facendolo parlare, capace che arrinesciva a pigliarlo di spalli.

«Questo vino è un vino che fa caminare la lingua» disse il briganti «ed è piccato mortali non stare a secutare quello che il vino ti dice di fare».

Tracannò un quarto di sciasco, attaccò.

«Mè patre aveva tanticchia di terra e mi mandò a scola dai parrini a Montelusa. Mi ci affezionai, addiventai macari io un parrino. Stavo in pace con l'òmini e con Diu. Quella era la vita giusta. Ma avevo una soro, Sidònia, una picciotta di diciott'anni ch'era una billizza, la luci del sole. Biunna. Longa. Gentili. Un fiore. Quanno andavo a trovare la famiglia mia, Sidònia mi s'assittava allato, mi taliava negli occhi e m'accarezzava le mano. Una jornata laida andai a la mè casa e mi parse che fosse morto quarcuno. Mè matre chiangiva, mè patre trimava, mè soro stava inserrata nella càmmara sò e non vuliva vidiri nisciuno. Darrè alla porta chiusa la priai di aprirmi, non volle. Allora con una spallata abbattei la porta, trasii. Sidònia stava supra il letto, pariva addiventata vecchia. M'assittai allato a lei sul letto, l'accarezzai, le dissi: "Quali che sia la cosa che ti capitò, me la devi dire". Si fece apprigare, ma me la disse. Due jornate avanti, mentre stava all'orto, s'era appresentato Bigozio d'Arrigo, figlio del Capitano di giustizia Arrigo d'Arrigo. Questo picciotto Bigozio, mi disse Sidònia, era da tempo che le stava appresso e la inquietava con parole, occhiate e gesti. Insomma, le dava fastidio, le addimostrava la 'ntinzione sua, ma mè soro manco ci arrisponneva, ci faceva capire in tutti i modi che lei era una picciotta seria. Ma quello da una grecchia ci trasiva e dall'altra ci nisciva. Quella jornata s'appresentò all'orto, pigliò Sidònia, la sbattì 'n terra e sinni aprofittò. Allura io andai a trovari a questo Bigozio e ci parlai. "Voscenza" dissi "ha consumato una picciotta, ci ha livato l'onori e doppo è andato a contarlo a tutto il pàisi. Che pensa di fari?". "Io questo penso di fari" m'arrisponnì "che quanno mi veni disiderio di futtirimi a Sidònia, la sbatto 'n terra e me la fotto. Io sono patrone e domini". "E sia fatta la volontà di Diu" dissi, e me n'andai. Però da quel momento in poi addiventai l'ùmmira sua. Dove lui andava, appresso c'ero io. Fino al jorno che passò in mezzo al vosco di Vitigno, senza anima criata torno torno. Lo feci cadiri dal cavaddro e mentre stava 'n terra ci tenevo un pedi sopra al petto. "Ve l'arricordate che io vi dissi: sia fatta la volontà di Diu?" gli spiai. "Me l'arricordo" disse. "E facciamola, questa volontà" ripigliai io e gl'infilai nel core tutt'intero il coltello che avevo sotto la tonaca. Morì, ma io continuai a travagliare sopra di lui. Lo feci addiventare purpetta. Non l'attrovarono più, il catafero».

A questo punto priciso del conto del briganti, Grigoriu si mise a cantari.

«Piglia l'infami e spaccaci l'ossa, / pistalo bene, riducilo a unguentu, / catafottilo doppo in una fossa, / coprila bona, ca non ci trasi ventu».

Salamone approvò calando e isando la testa e si tracannò un'altra vuccata di vino.

«Un traditore che sapeva il proposito mio» continuò Salamone «l'arriferì ad Arrigo. Siccomo io me n'era scappato alla montagna, il grandissimo fituso e cornuto arristò a mè patre, a mè matre, a mè soro Sidònia e li tenne in càrzaro fino a quanno m'appresentai alla giustizia. La giustizia!».

Si isò tanticchia sulla natica mancina e sparò un pirito accussì spavintoso che il cani, da fora, si mise ad abbaiari e il gaddro a fari chicchirichì.

Grigoriu si fece n'àutra cantatina:

«Al mondo c'è una sula cosa certa: / unni vai vai, la giustizia è torta».

«A fartela corta, il giudice desi ragione al morto e al patre del morto. E mi condannò a essere appiso. Però era un galantomo. Venne di notti in càrzaro per dirmi che non aveva potuto fare diversamenti, Arrigo d'Arrigo l'aveva amminazzato. Come dice la canzuna, Grigò?».

«Guardati dalli nobili e putenti, / sono latri, sasini e pripotenti» cantò Grigoriu.

«Scappai. E appena l'occasioni mi capitò a tiro, ammazzai quello che aveva contato a d'Arrigo l'intinzione mia, Arrigo istesso, e, per bon peso, il giudice galantomo, tanto sempre giudice era. E questa è la storia mia. Tu, nicareddro, storie accussì belle non me ne sai contare».

«Io sì» fece a sfida Zosimo.

E gli contò per filo e per signo la storia di sò patre col duca Pes y Pes. L'aveva sentita cento volte dalla vucca di Gisuè. Quanno finì, il briganti lo taliò pinsiroso.

«Te la dico una cosa o non te la dico?».

«Dimmela».

«Grigoriu stamatina mi disse che in questa casa ci stavate solo due picciliddri, senza pirsone granni. Allora pinsai di viniri ccà, arrubbare nella casa e doppo ammazzare a tia e a tò frati».

Sfilò dalla cinta un coltellazzo ch'era granni quanto Zosimo e lo posò sul tavolino.

Il picciliddro si pirsuase ch'era venuta l'ora della morti sò, ma non volle dare sodisfazioni al briganti. Se ne ristò fermo a taliarlo.

«Allura è vero che ammazzi i picciliddri» disse. «Bella gloria per un omo come a tia!».

«Io non ammazzo picciliddri» fece Salamone addiventando più rosso di quello ch'era. «Tant'è vero che non t'ammazzo. E lo sai pirchì? Pirchì la famiglia tò ha patito la pripotenza di un nobili, e perciò siamo come si fossimo frati. E dobbiamo sempri ristari uniti, aiutaricci l'uno con l'àutro».

Si susì, si rimise il coltellazzo alla cinta, s'infilò nella spalla il trombone.

«Iamuninni» fece rivolto a Grigoriu.

Ma prima di nesciri dalla porta, disse a Zosimo:

«Non diri a nisciuno che sono venuto qua. Lo sai come si dice? Chi nega, non s'annega».

Grigoriu si fece l'ultima cantata.

«L'omo ch'è omo non rivela nenti, / manco con cento colpi di fendenti».

Gisuè tornò con due maiala il jorno appresso.
«Chi successi in queste tre jornate che fui fora?».
«Nenti» disse Pippìno.
«Tutto» disse Zosimo.

Quanno finalimente Filònia s'arricampò da Montelusa, che sò soro s'era arripigliata dalla malatìa, trovò che Zosimo s'era cresciuto: non arrinisciva a capire comu e pirchì, ma sò figlio gli parse un omo fatto. Doppo manco quattro jorni ch'era tornata, arrivò patre Uhù più spirdato del solito, la gran croci sulle spalle.
«Una decisione pigliai!» annunziò con voce ferma.
Taliò la famiglia di Gisuè al completo che a sua volta lo stava a taliare.
«La mia decisione è voluta direttamenti dal Signuri Diu» precisò con occhio amminazzante.
Poi di colpo parse che l'avesse mozzicato una tarantola piligna. Pigliò a sbattere i pedi nudi per terra, a trimare, a firriare torno torno a se stesso.
«Anatema! Anatema! Anatema supra a chista casa!».
Filònia, Pippìno, Zosimo cadirono in ginocchio, si ficiro il signo della croci.
«Ma si può sapiri pirchì?» spiò Gisuè tanticchia incazzato.
Intanto patre Uhù s'era calmato, ma Filònia, Pippìno e Zosimo, tanto per stare sul sicuro, arrimasero ginucchiuna.

«Questo picciliddro» disse patre Uhù indicando Zosimo «è stato toccato dallo Spirito Santo!».

Istintivamente tutti si scostarono da Zosimo, come se il parrino avesse appena detto che il picciliddro era stato attaccato da una malatìa contagiusa.

«C'è rimediu?» spiò preoccupato Gisuè.

«Certo che c'è, omo gnorante! Zosimo me lo porto con mia. Ci devo insegnari il leggiùto, lo scrivùto e la liggi dei nùmmari».

Qui insorse Filònia.

«Con tutto il rispetto per lo Spiritu Santu» disse «io saccio una sola cosa che m'insegnò mè patre che a lui gliela aveva insegnata sò nanno: i libra so' cosa dannata, portano guerra, morti e malannata».

«I libra tinti sì» ribatté patre Uhù. «Ma i libra boni, quelli di Chiesa e dei Santi, no».

Naturalimente l'ebbe vinta il parrino. Zosimo se ne partì e andò ad abitari nella grotta di patre Uhù. Ci stesi fino a sei anni fatti e quanno tornò s'era inzignato macari il latino.

Capitolo terzo

Il viddrano, da quanno mondo è mondo, jetta sangue e sudore sul tirreno tutti i tricentosissantacinco jorni dell'anno.

A ghinnaro, frivaro e marzo si chiantano viti, sommacco, patati, grano d'India, granone, miloni, zucche, cocommari, milanzane; si siminano lattuca e pumadoro; s'impalano e s'innestano le viti chiantate, si travasa il vinu; si fa la sarchiatura del frumento e delle favi che s'azzappano; si concimano l'àrboli di frutti; s'arrizzappa la vigna; s'innestano gli àrboli che fanno gemma, i pira, le poma, le pèrsiche, le mènnule, i castagni e gli aulivi che sono stati già arrimondati.

E nei tri mesi di ghinnaro, frivaro e marzo non cadì manco una stizza d'acqua, il cielo s'annuvolava, addivintava nìvuro come la peci, saettava, troniava, si spremeva, si spremeva, ma non ce la faceva a far nesciri acqua. Zosimo, che aveva fatto sette anni, si ruppe la schina, si fece venire i caddri alle mano campagna campagna con Gisuè, Pippìno e Filònia che appena poteva dava aiuto.

Ad aprili, majo e jugno s'azzappa il sommacco, si sarchia e si netta il frumento che doppo si fancia, si fan-

167

cia macari il fenu, s'innestano melograni, ficu, aranci, limuna, mandarini; si travasa la seconda volta il vinu; si fanno i simenzari per pumadoro, rafanelli e lattuca; si siminano i fasoli e i sedani; si trebbiano le favi.

Secutò a non fari acqua. Manco una goccia, una lagrima. Le spiche di frumento erano tutte vacanti a metà, le fave furono più quelle seminate che quelle raccolte. Sugli àrboli spuntò qualche rara gemma, la maggior parte siccò. Travagliare il tirreno era addiventato difficoltoso assà, la terra era dura, non sfarinava.

Passò uno a cavaddro che viniva dalle Madonie, andava a trovare una figlia maritata dalle parti di Fiacca. Era stanco, ci desiro un vuccali di vinu.

«Tutta la terra è accussì» fece «sta morendo. Passai da un paìsi che c'erano fumo e fiammi, la genti, morta di fami, arrubbava le case dei ricchi e doppo ci dava foco».

A lugliu, austu e sittembiro si siminano cavolifiori, brocculi, sedani, lattuca, cicoria, spinaci, carote, rapi; si fa la vindemmia.

Le jornate nelle quali si vignìa sono jornate di canti, risate e sgherzi: quell'anno inveci Gisuè, Filònia, Pippìno e Zosimo di filare in filare parevano andassero appresso a un funerale. Era un mortorio. Ogni grappo portava sì e no quattro chicchi mezzi sicchi, che a spremerli sarebbe venuta fora qualche goccia stenta.

A ottobri, novembiro e dicembiro si piantano agli, cipuddre, lattuche, cavoli, cicoria, spinaci, caroti e rape; si riazzappa la vigna, si potano l'àrboli di mènnuli, s'addiradano i carcioffi e soprattutto si coglino le aulive.

Gisuè aveva cinco àrboli d'aulivo che ci portavano sempre carrico: stavolta ci desero la metà del solito.

«Se continua a non chioviri» fece Gisuè, «alla prossima semina si mette solo metà della simenza».

«Pirchì?» spiò Zosimo.

«Pirchì la terra si sta siccando» arrisponnì sò patre «e la simenza non può pigliare. Meglio serbarla: alla peggio ci serve per mangiari».

Si calò, pigliò un pizzico di terra, se lo portò sulla lingua, l'assaggiò a longo. Scosse sconsolato la testa.

«È come se avessero ittato sale».

Allo venti di dicembiro di quell'anno asciutto, don Aneto Purpigno s'arricampò a cavaddro e appresso si portava due mule carricate di casce di ligno e sacchi.

«Haiu qualche regaluzzo per il santo Natali» spiegò.

Ma non era allegro, anzi pariva nirbuso. A tavola non ebbe gana di mangiari, disse che non aveva pititto, che era prioccupato per la mancanza di pioggia.

«A ghinnaro vinturo si metterà a chioviri a retini stese» cercò di tranquillarlo Filònia. «E ci ripagherà di tutta l'acqua che non ha fatto».

«No» disse don Aneto. «Sopra li mè spalli pisano cinquantatrì anni di vita e di spirenzia. Aviva vint'anni quanno vitti un'annata come a questa, pricisa 'ntifica. La siccitate durò ancora àutri dù anni e scoppiò la carestia. La genti moriva come moschi o s'ammazzava per un pugno di favi».

Calò silenzio. Don Aneto si susì, raprì la prima cascia. Era piena di libra.

«Sono pi tia» disse rivolto a Zosimo. «Li pigliai dalla villa del duca. Tanto, prima o doppo, le pirsone affamate assalteranno la casa, l'abbrusceranno».

L'altra cascia era piena di cera, sego, stoppini per fare cannìle e lumère.

«Accussì» disse sempri a Zosimo «la notti, se non hai sonno, ti puoi mettiri a leggiri».

«Ma quanno mai!» fece Gisuè. «La notti dormirà, stanco per il travaglio».

«Cridimi: da questo ghinnaro che veni, tu, donna Filònia, Pippìno e Zosimo v'arriposerete» controbattì don Aneto deciso.

Nella terza cascia, stritta e longa, c'erano un tromboni, due pistole, porvere da sparo, acciarini.

«Le sapite usare queste armi?».

«No» fecero Gisuè e Pippìno.

«Doppo ve l'insigno».

«Ma a che ci servino, l'armi?».

«Vi potranno tornari bone se qualche malintenzionato s'avvicina a la casa. Non vi fidate di nisciuno. La genti, quanno avi fame, addiventa tinta, cattiva».

Nei quattro sacchi grossi c'erano farina, frumento, favi, cìciri. Gisuè lo ringraziò, Zosimo gli vasò la mano, Pippìno l'abbrazzò e doppo tutti e tre sinni niscero, lasciando soli Filònia e don Aneto. Poviro galantomo, se la meritava un'orata di pace.

Don Aneto ebbe ragione su tutte le cose che disse. A ghinnaro non chiovì e non cadì una goccia manco negli undici mesi che vennero appresso. Il tirreno, che una volta era sempri virdi e marrò, ora era addiventato giallo e grigio, gli armàli insecchirono, gli si vedevano l'ossa.

A taliarla, la terra faceva venire sete, arsa com'era. L'acqua dintra il pozzo calò. Gisuè, che aviva seminato un quarto del solito, non coglì niente. La luna non era più bianca, ma rossastra, pareva un sole a mezza forza. Per passare il tempo e farsi svariare la menti, Gisuè, aiutato da Pippìno e Zosimo, scavò un fosso darrè la casa e v'ammucciò tutto quello che poteva essere mangiato. Il fosso lo fecero a regola d'arte, in modo che i sorci o altri armàli non potessero trasiricci. In quanto all'armàlo omo non gli sarebbe stato facili scoprire dove era assistimato il fosso. Doppo Gisuè, murando a secco, flabbicò una càmmara a piano terra per Zosimo, che ci andò a dormiri con tutti i suoi libra.

A Montelusa non si trovavano più cosi da mangiari manco a pagarle a piso d'oro, epperciò Filònia stabilì che sò soro Angilina se ne vinisse in campagna con loro. Il marito, don Girlando u scarparu, non volle lasciare il pàisi, troppa genti aveva appresso che si fidavano di lui, sarebbe stato tradimento. Decisero che a ogni quinnici jorni Gisuè sarebbe andato a Montelusa, di notti per non farsi vedere da nisciuno, e gli avrebbe portato qualche aiuto per la panza. Ora, tra casa e fora casa, le vucche da sfamari erano addiventate sei. Filònia s'arricordò d'un proverbio che sonava:

«A poco pane lu corpo s'insigna / chi fa accussì la spesa sparagna».

Quanno lo disse a Gisuè, il marito le arrisponnì:

«Chi mangia picca, mangia assai e mangia sempri».

Quindi erano d'accordo. Filònia stabilì quanto frumento, quante fave, quanta farina, quant'olio si dovevano consumare in una simana.

Pippìno e Zosimo, che avevano sempri fame lupigna, si consolarono pinsando che, dato che picca travagliavano, quello che mangiavano bastava e superchiava.

Ad austu la scattìa del cavudo addiventò accussì forte che non si poteva nesciri dalla casa senza una pezza vagnata supra la testa. Le ore in cui si arriniscìva a fare qualche cosa senza stramazzare furminati erano prima dello spuntare del sole e doppo il suo tracoddro.

Una matina alle sett'albe, che aveva passato tutta la notti a leggere un libro di giografia, Zosimo sentì bisogno di passiare per la campagna. Caminò, pigliato dai pinsèri di quello che aveva liggiùto, ma tutt'inzemmula si fermò. Che c'era che lo squietava? Poi capì: era il silenzio. Non c'erano aceddri che cantavano, gaddri che facevano chicchirichì, scecchi che ragliavano. Nenti, silenzio di morte. Zosimo capì che stava chiangendo dalla parte di davanti della cammisa che gli s'impiccicò alla pelle, vagnata e cavuda. Tirò su col naso e sentì macari feto di morti.

«Zosimo».

Era sò patre. Si voltò e non fece a tempo ad asciucarsi le lagrime.

«Pirchì chiangi? Ti scanti? Non devi avere scanto, la siccità non potrà durari per sempri, babbasuni e stupiteddro che non sei altro. E nuantri non moriremo di fami; sapendoci arrigolare, la robba che abbiamo nella casa ci basterà».

«Non ho scanto» fece Zosimo. «Io chiangio perché sento la terra patire e lamentiarsi».

«Io non sento manco un aceddro» disse Gisuè.

«Appunto» disse Zosimo «questo silenzio granni è la sua voci di lamento».

Allo venti di dicembiro don Aneto, che oramà veniva a trovare Filònia un mese sì e uno no, arrivò con le solite due mule carriche. E meno mali che arriportò un'altra cascia di cera perché Zosimo ne aveva spardata metà della precedenti. Portò macari ancora libra. Disse che le cose ancora sarebbero andate come aveva previsto l'anno avanti: i mesi che ora trasivano sarebbero stati i più piricolosi, la genti, che già assartava quarche casa isolata, non avrebbe avuto più ritegno, spinta dalla mancanza del bisognivole.

«E poi» concluse «arricordatevi tutti come dicevano le pirsone antiche: chi arrobba pi' mangiari nun fa piccato».

La notti istessa che nasciva il Bammineddro e tutta la famiglia aspettava di sentiri le campani luntane di Montelusa sonare per dire le priere, di colpo principiò una rumorata stramma, come fa l'ovo quanno viene fritto, che s'avvicinava e sempre più si faciva forte.

«Chiovi!» gridò Filònia ingannata.

Nisciruno tutti fora. Nel cielo, da ponenti a livanti, traversava una palla di foco che firriava supra a iddra stissa e la terra s'addrumava, pigliava una luce rossastra. E non correva, come pri sempio una stiddra cadente, caminava lenta, sulenne, amminazzosa. Cadero tutti in ginocchio. Se stiddra cometa era, certo non era quella di Gesù. Atterriti e trimanti, la vittiro scomparire darrè la montagna del Crasto. E di subito sentirono le campane, non solo quelle di Montelusa, ma macari quelle di Fela, di Summatino, di Vigàta che sonavano alla disperata e pareva addimannassero aiuto.

Prima che l'anno finisse, Gisuè pigliò la decisioni sua. Visto che la capra non aveva più latte e che pativa la mancanza d'erba, l'ammazzò. Tirò il coddro al gallo e alle gaddrine che non davano più ova, scannò i due maiala ch'erano addiventati più sicchi di una paglia. Risparmiò lo scecco e la mula che di quelle vestie ce ne poteva sempri essere d'abbisogno. Il jorno avanti era andato a Vigàta e s'era pigliato quattro grosse petre di sale da un deposito, approfittando che il guardiano non c'era, se n'era scappato la notti della cometa e non s'era più visto. Aiutato da Filònia, Angilina, Pippìno e Zosimo, tagliò e puliziò le carni e doppo le mise sotto sale, in modo che potessero durare. Una gaddrina se la conservarono per l'urtimo dell'anno. «Morire con la panza a ciaramella» diciva il proverbio «puro la morti fa vidiri bella».

La matina della prima jornata dell'anno novo, ma che pareva voliri essere in tutto e per tutto uguali all'anno vecchio, comparì davanti alla casa patre Uhù che faceva voci. Era ancora più sicco, ancora più spirdato, il peso della croci lo teneva calato a mezzo. I capiddri gli arrivavano sutta le scapole, la varba supra la panza. Non ce la faciva a stare addritta, quello che lo teneva dal non cadiri era la furia che si portava dintra.

Diceva una specie di litania e quanno si fermò un momento per pigliare sciato, Filònia gli parlò.

«Trasite, patre Uhù! Mangiate qualche cosa».

«No! No! È da deci jorna che non tocco né mangiari né viviri!». E riattaccò la litania di cui finalmente distinsero le parole: «… ma nei giorni in cui si farà sentire la voci del settimo Angilu e quanno si metterà a sonare la tromba, u Misteru di Diu sarà compiuto. Doppo la voci che avevo intiso dal cielo mi parlò arrè e disse: Camina, piglia il libro che l'Angilo tiene nella mano e mangiatillo, la tò panza addiventerà amara ma la tò vucca addiventerà duci come il miele…».

Voltò le spalle, s'avviò verso lo stratone, continuando a dire.

«Parlava di mangiarisi i libra?» spiò prioccupato Gisuè a Zosimo.

«Nonsi, patre» arrisponnì Zosimo. «Diceva l'Apocalisse».

«E chi è sta pocca lisse?».

«Spiega come finisce il mondo».

A questo punto del discorso vittiro patre Uhù cadiri sutta il peso della croci. Zosimo corse ad aiutarlo.

Patre Uhù aveva la taliata persa, non lo arricconobbe, lo scangiò.

«Tu si' per caso Simone di Cirene?».

«Sì» fece Zosimo piatoso, mentre sentiva che gli occhi gli si vagnavano. «Simone sono. E ti aiuterò a portari la croci».

Il jorno sei di ghinnaro, che è il jorno nel quale i tri re magi portano i regali al Bammineddro, la citate di Montelusa ricivì il rigalo di un nuovo viscovo, Ballassàro Raina. Il pìspico aveva il nome di uno dei magi, ma di natura sua non si sarebbe mai manco sognato d'arrigalare quarchi cosa a quarchiduno. Era tanto tirato, dicevano i parrini che gli stavano allato, che era capace di passare mesi e mesi senza lavarsi, accussì risparmiava l'acqua e il sapone e accresceva la lordìa che gli faceva macchie marrò sulla pelle. La prima cosa che ordinò ai parrini che da lui dipendevano fu di spaccare a metà le ostie consacrate. Per la Comunione ne abbastava mezza, spiegò, dato che il Signuri si trova macari in un grano di sabbia. E allora che significava quello spardo di farina che serviva a fari l'ostia? Non lo sapevano i parrini che era tempo di carestia?

Fosse stato poviro e scarso, abbonè: ma era invece ricchissimo di casata sua e quello che aveva non gli abbastava mai.

Macari la riduzione del settancinque per cento delle cannìle in dotazione di ogni chiesa, da lui subito ordinata appresso, portò a qualche inconveniente. La gnùra Dellabartola Giuseppa, ottantenne e quasi orba, sbatté contro una seggia, detti di testa supra una scalone dell'altaro e lì restò. Il consultore dei giurati Agàpito Lo Bue, trasuto nella Catidrali avendo a mancina sò mogliere che gli parlava e parlava nella grecchia, e avendo a dritta la figlia Gersomina, trentenne, che gli parlava e parlava nella grecchia di spettanza, dalla medesima Catidrali non uscì mai più: l'ultima volta che le sue fimmine lo videro fu mentre si susiva per andare a comunicarsi, almeno così disse, mentre trasiva nelle tenebre. E doppo scomparì, nisciuno ne seppe più nenti. Ma forse la cosa più seria fu quella che capitò alla signora Sebezia Vullo, mogliere del catapano, o uffiziale del dazio, don Antenore. La signora Sebezia andava sempri alla missa nella chiesa di San Cono con il marito sò e con il cugino Gelasio. Si mettevano sempri allo stesso modo, il marito a dritta e il cugino Gelasio a mancina. Quella dominica, non si sa pirchì, dintra la chiesa il cugino si mise a dritta e don Antenore a mancina, cosicché, con sua granni sorprisa, don Antenore sentì che sua mogliere gli metteva nella mano un biglietto. Non disse nenti, ma arrivato a casa, lo raprì e lo liggì. Il biglietto faceva:

«Gelasio amato! Il becco questa sira torna a casa tardo. Passa da mia dopo l'avimmaria. Potremo amarci a longo. Tua per la vita. Sebezia».

E fu così che il becco, vale a dire don Antenore, disse che doveva starsene fora fino a tardo, ma poi al momento giusto tornò alla casa e scannò debitamente vuoi la mogliere vuoi il cugino Gelasio. Colpa tutta dello scuro fitto nel quale, per volontà del pìspico Raina, le chiese sprofonnavano.

La popolazioni di Montelusa, levati dal conto sei famiglie di nobili e quinnici famiglie di pirsone ricche, era oramà allo stremo. La genti non aveva manco gana di recitare proverbi, con i quali di solito s'acconsolava. Il sinnaco Tìndaro Dedomini una matina s'affacciò dal finestrone e si rivolse alla genti che addimannava pani, parlò a longo, chiamò a tutti «fratelli», si fece viniri le lagrime agli occhi per le sofferenze che i suoi concittadini pativano. Doppo, siccome sò mogliere da un quarto d'ora lo tirava per la giacchetta, salutò i montelusani e si andò a sbafare un capretto al forno che era in tavola, appunto, da un quarto d'ora.

Il giudizio sulla discorruta del sinnaco lo desi mastru Girlando u scarparu e il suo parere conobbe immediata fortuna:

«I paroli non ìnchino panza».

Una delegazioni, che a capo c'era sempre mastro Girlando, venne paternamente ricivuta dal pìspico. Quanno lo vitti da vicino, mastro Girlando valutò che, levandogli il grascio che quello aveva sulla pelle, a occhio e croci si sarebbero potute sfamare una decina di pirsone.

Il mastro scarparo gli spiegò la situazioni, addimannanno aiuto almeno per i più bisognevoli.

«Già cinco picciliddri» concluse «sono morti di fame nelle vrazza delle loro mammi».

«Che età avevano?» spiò il vescovo.

«Da tre mesi a un anno» fece don Girlando.

«Abbonè» commentò Ballassàro Raina. «Sono tutti addiventati angioletti».

Doppo si susì dalla putruna dorata, agitò nell'aria il vastone pastorale.

«Chi sono io? Eh? Chi sono io?».

«Il pìspico» azzardò mastro Girlando.

«Eh no! Questo è l'errore! Io sono un miserabile servo di Diu! Io sono nenti! Nenti di nenti! E voi lo sapiti che la carestia è un'opera di Dio! Che la manda Diu per castigare i piccatazzi vostri! Per mondare, per lavare le monnezze vostre!».

«A tia manco con cento caristie u Signuri arrinesci a lavariti» pinsò mastro Girlando.

«Questa è la Sua intinzioni!» continuò il pìspico. «E ora ditemi voi: come posso io, verme miserabile, contrastare la Sua volontà? M'incenerirebbe con un furmine!».

«Certo che messa accussì la cosa» fece gnà Pinzia Ligotti ch'era fìmmina chiesastra «stu galantomo avi ragiuni».

E se ne andarono, doppo aviri addimannato scusa al pìspico per il disturbo, portandosi appresso a forza mastro Girlando che, per la raggia contro Ballassàro Raina, fumava dalle nasche come un cavaddro finita la corsa.

Gisuè era appena tornato da Montelusa e stava contando alla famiglia sò le vicenne che gli aveva riportate mastro Girlando, quanno sentirono un vociare che si andava avvicinando. Di corsa, senza manco taliare quello che capitava, serrarono porte e finestre. E fecero bene. Una ventina tra òmini e fìmmini, armati di pali, picuna, zappuna e tridenti, arrivarono davanti alla casa e si fermarono sullo spiazzo. In testa a tutti c'era il capurione, un omo sicco, col vistito strazzato. Zosimo l'arriconobbe subito, era Grigoriu, il poeta che faciva macari l'aiutante del briganti Salamone.

Per il sì e per il no, Gisuè armò il tromboni e caricò puro le pistole che dette ai figli. S'appostarono darrè le finestre che raprirono a filo.

«Daticci pani! Daticci mangiari! / O vi facemu tutti abbrusciari!».

Il sècuto che gli stava appresso arripeté la poesia.

«Se fate un passo avanti» amminazzò a voci alta Gisuè «v'ammazzo a tutti comu cani!».

«E cani semu, cani arraggiati! / E tra poco sarete sbranati!» fu la pronta risposta.

«Ma como parla st'omo?» spiò Gisuè al figlio.

«Parla in poesia, patre. E se permettiti, ci arrisponno io».

Tirò quanto sciato poteva e gridò:

«O Grigoriu, è morta la poesia! / Volta le spalli e piglia la via!».

Grigoriu arridì forte.

«È giustu, è veru: la poesia è morta. / E perciò ora sfondo la tò porta!».

E fece 'nzinga alla genti. Le pirsone si misero a dù file lasciando strata a un omo che non era omo intero, ma mezzo. Ci mancavano li gambi ed era come piantato supra a un carritteddro di ligno con le rote piccole, intifico a quello che si costruiscono i picciliddri per jocarci. Per avanzari, l'omo adoperava le mano all'istesso modo dei pedi. Al centro dello spiazzo si fermò, srotolò dalla cinta una striscia di cuoio longa, pigliò da terra una petra grossa come un pugno, la collocò in mezzo alla striscia poi, tenendo nella mano mancina le due estremità del cuoio, pigliò a fare firriari la fionda sopra la testa, acquistando sempri più vilocità. Ai tre òmini assirragliati nella casa ci venni d'arridiri. Che ci poteva una petra contro lo spisso ligno della persiana? Avevano calcolato male la forza del mezzomo. La grossa petra sfunnò la persiana come si fosse stata una baddra di cannone, trasì nella càmmara e fece a mille pezzi la campana di vitro con la Madonnuzza che don Aneto aveva arrigalata a Filònia pigliandola dalla villa. A questo punto Pippìno si sentì la fronti vagnata. Ci mise una mano supra e la ritirò tutta lorda di sangue. Pippìno, da sempri, non poteva vidiri sangue umano, ci veniva una specie di scanto che non lo faciva più capaci di capire quello che combinava. Facendo voci come un maiali scannato, raprì la persiana e sparò la pistola all'urbigna verso la genti. La vociata di trionfo con la quale le pirsone accompagnarono la gran botta di petra, di colpo si cangiò in voci di spavento. Tanto per metterci il carrico da undici, Gisuè macari lui raprì la finestra e sparò con il trombone, ma in aria. In un attimo a vista d'occhio non ci fu più nisciuno, solo il mezzomo che arrancava alla dispirata e chiamava i compagni perché l'aiutassero a scappari.

Stettiro ancora a longo assirragliati, ma Grigoriu e la sò banda non si fecero più arrivedere.

Da questa storia, Zosimo ne arricavò due pinsèri. Il primo era che la poesia non sempri serve a fare ordine e che comunque si arriva troppo presto a dire che è morta. Il secondo fu che chi havi fame havi sempri ragioni e chi li spara, macari per necessità, havi sempre torto.

Capitolo quarto

Il diciannovi di majo del terzo anno di siccità, e secondo di carestia, a Montelusa, nella casa di mastro Girlando, s'arradunarono quattro pirsone. Uno era mastro Girlando istesso, gli altri tre erano Calàzio Bonocore, flabbicante di coffe di saggina e cannistra di canna; Marcantonio Zùbbia, che metteva i ferri ai cavaddri, e Lucrezio Spitalèri, flabbicante di bùmmola, lanceddri e quartare. Calàzio arriferì che nella jornata appena passata erano morti di fame sette pirsone: tre picciliddri, due vecchi e due fìmmine.

«La popolazioni» concludì «o con noi o senza di noi, fate conto che manco passa domani e mette a ferro e foco il paìsi».

Allora addecisero che era vinuto il momento d'arriminarisi e studiarono come la cosa andava fatta. Doppo niscirono dalla casa e si misero a passari parola.

Alla terza ora del matino, il portone della casa del Capitano di giustizia, don Stellario Spidicato, si raprì senza fare rumorata e i cinco servi del palazzo sinni niscero fora, come d'accordo con mastro Girlando, e scomparsero nella notti. Dal portone lassato aperto, trasirono mastro Girlando, Calàzio, Marcantonio e Lucrezio. Non erano armati se non di coltello. Nello scuro fitto si mossero con precisione perché il capocammareri aveva spiegato, il jorno avanti, com'era fatta la casa. Don Stellario e sò mogliere Afrània, dormivano ognuno in una càmmara e questo pirchì il Capitano, tornando tardo o susendosi presto, addisturbava la dormuta di donna Afrània che aviva il sonno leggio.

Mentri Marcantonio sinni scinniva in cantina, mastro Girlando e Calàzio trasirono nella càmmara del Capitano, invece Lucrezio raprì la porta di donna Afrània.

In un vìdiri e svìdiri, don Stellario, senza manco accapire quello che gli stava capitanno, si trovò con le mano attaccate darrè la schina con un pezzo di corda.

Donna Afrània, che aviva paura dello scuro, usava dormiri con un candilabro di sei cannìle addrumate. Epperciò, arrisbigliatasi di colpo, si rese subito conto che l'omo trasuto nella sua càmmara era uno straneo. Fece per fare voci, ma quello che vitti la paralizzò. Lucrezio era un armàlo di squasi due metri: ora quell'armàlo s'era sbottonato la pattina e, tirata fora l'arma della sò natura, che pareva una vera e propia pistola, saldamente l'impugnava e la puntava verso di lei.

«Se ti catamini» fece l'omo «ti spertuso».

Con sorpresa di Lucrezio, la fimmìna sbarracò l'occhi e poi arridì vascia, di gola.

«Madunnuzza santa!» fece.

E, contrariamente all'ordine di Lucrezio, si caticamìnò.

Intanto Marcantonio era tornato dalla cantina con una damigiana di vino bono e un imbuto. Legarono il

Capitano, mano e pedi, a una seggia, Calàzio gl'infilò l'imbuto in bocca e mastro Girlando accomincò a versargli il vino dalla damigiana. In paìsi era cosa cognita che don Stellario Spidicato non teneva il vino, abbastavano due dita per farlo partire di testa.

Ci mise un'orata mastro Girlando a fare imbriacare il Capitano.

«Chiamate Lucrezio» disse alla fine.

Donna Afrània, abbrazzata a Lucrezio, volle accompagnarli al portone.

«U Signuri vi benedica» disse salutandoli.

Ora erano armati, perché in casa del Capitano avevano trovato due fucili e quattro pistole. I soldati dello steri, pigliati nel sonno, non fecero resistenza. Mastro Girlando e i suoi tri aiutanti li chiusero nel càrzaro dello stesso steri, dal quali misero in libertà i deci carzarati che la giustizia aveva cunnannato. Di questi deci, sei si fecero a disposizioni di mastro Girlando. Lo steri, in fatto d'armi, s'arrivelò una vera minera, tanto che Lucrezio dovitte curriri alla sò casa per pigliari il carretto e carricarlo di fucili, spingarde, trombini, tromboncini, pistole, porvere da sparo, acciarini.

L'appuntamento con i capi di quartere era per le cinco della matina, vennero tutti armati. Mastro Girlando disse che l'ora di principiari la burdillata sarebbe stata alle sei, al tocco della campana che chiamava la seconna missa.

Il pìspico che c'era stato prima di Ballassàro Raina,

negli ultimi cinque anni della sò esistenzia era stato agguantato dalla smania edilizia, e accussì, nel giro di quattr'anni, aveva fatto aggiustare tri chiesi vecchie e chiuse e ne aveva flabbicate altre tri di nuove. Quindi, a conti fatti, le chiesi di Montelusa erano otto.

«Ora com'è possibili» si spiò mastro Girlando ch'era appostato con un vintino, Zizì, figlio di un suo frati «che manco una delle minimo minimo diciotto campani che ci sono in questo porco pàisi non sona la chiamata per la seconna missa?».

Dal loco dov'era, si vedeva il portone della chiesa della Vergine Addolorata che aveva come parroco don Calcedonio Schirò, quello che pisava al netto centonovantasei chila. Parrini aiutanti patre Calcedonio ne aveva quattro, dato che almeno due dovivano reggerlo quanno diciva missa. Dal portone niscì una vicchiareddra e mastro Girlando la fermò appena gli venne a tiro.

«Vossia mi scusassi, ma non sonò la seconna missa?».

«Se è per quisto» fece la vicchiareddra «non sonò manco la prima. Havi due ore che staiu dintra e non vitti manco un parrino. Cosa stramma è».

Arrivò di corsa Marcantonio Zùbbia ch'era appostato allato alla chiesa di San Calò.

«La chiesa è aperta» disse «ma dintra non c'è nisciuno, né patre Intelisano né gli altri due parrini».

Mastro Girlando si squietò. C'era qualicosa che non quatrava. Capì che la situazioni s'era fatta difficili: la genti stava pronta nelle case in aspettanza del signali e se il signali non viniva le pirsone si sarebbero ammosciate, avrebbero perso gana. Pigliò una decisioni pronta.

«Tu tornatene al posto tuo» fece rivolto a Marcantonio. Poi chiamò il nipote Zizì e gli ordinò di trasire nella chiesa e sonare le campane, a morto, a gloria, a festa, a come voleva voleva, purché il sono arrivasse a tutti.

L'eco della campaniata non s'era ancora perso che una massa di almeno quattrocento montelusani s'arriversò, venendo da diversi quarteri, davanti al palazzo dell'Archivio pubblico. La jornata del venti era stata scigliuta apposta perché cadeva di festa sullenne epperciò negli offici non doviva esserci nisciuno. Per abbattiri la porta dell'Archivio, bastarono le spaddrate congiunte di Calàzio, Marcantonio e Lucrezio. Doppo, una parte dei rivoltosi trasì nel palazzo, pigliò tutte le carte scritte, ed erano tante, che vi trovò, atti civili, atti criminali, sintenze e giudizi di tribunali, attestati di debito per tasse, balzelli, gabelle, dazi, concessioni, privative, benefici, successioni, comerci, l'ammassò in mezzo al cortiglio e ci desi foco. E naturalmente doppo tanticchia, tra le grida di filicità della genti, le fiammi aggarrarono macari il palazzo istisso.

La casa allato all'Archivio era quella indovi ci abitava don Stellario Spidicato. E fu dal tirrazzo di quella casa che si partì una voci che cantava, accussì potenti che arriniscì a farsi sintiri supra il gran vociare. Era una fìmmina, perigliosamente addritta supra la balaustra del tirrazzo, che cantava un'aria d'opira:

O mio ben, mi trema il core!
Passan leste le mie ore,
tu non vieni, io mi doloro,
vieni presto ché mi moro!

Arriconobbero, sotto la parrucca e la vesti fimminina, il Capitano di giustizia don Stellario Spidicato, completamente imbriaco, che faceva gestuzzi e mossette come una fimmina vera ma un poco troia. Don Stellario s'isò la gonna fin supra il ginocchio piloso e fece la mossa. Riattaccò.

Io son qua, però tu no!
La mia gemma a chi la do?

Scoppiò un applauso di core, quarcuno addimannò la ripetizioni, il bis. E don Stellario, doppo avere fatto l'inchino di ringrazio più volte e ogni volta arrischiando di cadiri e catafottersi 'n terra, stava per riattaccare la canzuna, quanno dal palazzo di fronte, che ci abitava il barone Bonifazio di Roccalumèra, partì un colpo d'arma di foco.

Don Stellario, pigliato priciso al core, allargò le brazza come se avesse voluto mettersi a volare e invece calò a picco sulle petre della strata.

A sparare era stato don Filippello, figlio di don Bonifazio, un metro e cinquanta di boria, strunzità, superbia e pritenzione.

«Vi levai lo spasso» gridò alla genti sporgendosi dallo stisso finestroni dal quale aveva sparato.

Prevedendo quello che sarebbe di necessità successo, ma circando in tutti i modi d'impedirlo, mastro Girlando corse al portone di casa Roccalumèra e ordinò alla genti:

«Alla larga! Nenti sangue!».

«Lassateci divertire!» fece uno dalla folla.

Don Filippello gli aveva levato lo spasso, ora ne volevano un altro. Messo dilicatamente, e con tutto il rispetto, mastro Girlando di lato, una trentina di pirsone, ridendo come se andassero alla festa, scassarono il portone e trasirono nella casa. Mastro Girlando non li seguì. Doppo qualche minuto si spalancò il balcone principale, ch'era granni quanto una tirrazza.

«Ora accomincia il divertimentu» fece uno affacciandosi.

E difatti comparvero il barone Bonifazio e la baronessa Uzènia. Solo che li avevano scangiati d'abito e accussì il barone era vistuto di fìmmina e la baronessa di màscolo. Erano morti, ma erano tenuti addritta a forza e quelli che li tenevano principiarono a farli abballare come pupi. La genti si sganasciò dalle risate, c'era chi arrideva con le lagrime e chi si teneva la panza per il dolore. Una correnti di pazzia parse pigliare tutti, meglio assà di carnivale. Mastro Girlando abbrividì, l'allegria qualiche volta può essiri firoce, ma quanno la firocia addiventa allegra, allora le cose si mettono male. Si mise a taliare in mezzo alla folla se arriniscìva a vedere Calàzio, Marcantonio e Lucrezio. Intanto, ittati sulla strata i due cataferi, al balconi era apparso don Filippello, nudo e vivo. A tenerlo con le vrazza darrè la schina era un omo solo, Calòrio Ficarra, che era un giganti di squasi due metri.

«Che ne faccio di questo?» spiò Calòrio.

Le risate, le vociate, le parolazze, cessarono di colpo. Si fece un gran silenzio.

Era arrisaputo che tre anni avanti, prima che venissero siccità e carestia, don Filippello aveva abusato in tutti i modi della figlia tridicina di Calòrio e per quanto l'omo si fosse rivolto alla liggi, non gli avevano mai dato satisfazioni.

«Fagli provare quello che fece provare a tò figlia!» gridò una fìmmina.

All'altizza del balcone c'era la punta dell'asta della bannera che si partiva dal finestrone di sotto: Calòrio isò in aria don Filippino e l'impalò.

Assà s'addivertì la genti ai gesti che fece con le vrazza e le gambe, che pareva una giurana, prima di morirsene.

I giurati che governavano Montelusa, a parte il sinnaco e consultore don Tìndaro Dedomini, erano don Alterio La Seta, don Filiberto Giardina, don Occàso Barbèra, don Silivestro Cozzo e din Tinino Titò. Propio accussì la genti lo chiamava, «din», per farlo sonare a parte da tutto quello scampanìo di «don», pirchì quanno parlava, caminava, taliava, pariva priciso una fìmmina e non un omo. Non s'era mai voluto maritare e campava nel suo palazzo con la matre, donna Giusberta. Obbidendo all'ordine che mastro Girlando aveva dato, i giurati vennero tutti portati a palazzo consultorio, facendo in modo che la genti non li vedesse, e difatto trasirono tutti da una porta posteriori. Mastro Girlando voleva fare il possibile per scansare danni, ammazzatine, alzate d'ingegno da parte di pirsone che oramà non ci vedevano più dagli occhi ed erano capaci della qualunque.

Stanare i giurati però non era stata imprisa facile.

Don Alterio La Seta s'era andato ad ammucciare nella staddra in mezzo alla paglia e alle cacate dei cavaddri e perciò era in cammisa di notti e feteva di stallatico; don Filiberto Giardina s'era fingiuto malato gravi a un passo dalla morti; don Occàso Barbèra l'avevano scoperto dintra al pozzo, attaccato alla corda che teneva il cato per pigliari l'acqua; don Silivestro Cozzo, che aveva un prisepio con le statue a grannizza naturale, si mise in mezzo ai pupi davanti alla grotta del Bammineddro, volendo parire un pastore.

Quanno i giurati vennero messi assittati torno torno al tavolo delle riunioni, mastro Girlando attaccò dicendo che voleva fare ogni cosa secondo la liggi. E venne subito interrotto da don Silivestro Cozzo che, in ogni occasioni, non c'era verso che non attaccasse turilla. Macari ora, vincendo lo scanto che gli facevano gli òmini armati che l'avevano pigliato, fece quistione.

«State partendo col pedi sbagliato» disse. «Questa riunioni non è fatta giusta: manca uno dei nostri».

Era vero, mastro Girlando s'era scordato di din Tinino Titò. Taliò a Turiddru Contrera, che aveva incaricato lui d'andarlo a prendere, e quello allargò le vrazza.

«In casa non c'era» fece. «Ci stavano solo donna Giusberta e una nipote monaca».

«Vacci a dare n'àutra taliata» disse mastro Girlando a Lucrezio Spitalèri.

Mentre correva verso casa Titò, Lucrezio si formò preciso concetto. Trasì nel portone lasciato aperto dato che i servi erano tutti scappati, acchianò a due a due i gradoni della scalinata che portava al primo piano, traversò due saloni e arrivò sparato nella càmmara da letto di donna Giusberta. Questa, che stava stinnuta con una pezza vagnata sulla fronte, si levò di scatto e si mise a fare voci che pareva una gaddrina alla quale stavano tirando il collo.

«Come vi permettete! Come osate! Mio figlio non c'è! È a Palermo! Quante volte ve lo devo arripetere?».

«Non venni per vostro figlio» fece calmo calmo Lucrezio.

Donna Giusberta strammò. Non s'aspettava quella risposta.

«E allora che volete?».

«Voglio vidiri la nipote vostra».

Donna Giusberta inorridì.

«Non è possibili! È monaca di sigrigazione!».

«Che viene a dire?».

«Viene a diri che non può essere taliata in faccia da nisciuno! È il voto! Il giuramento col Signuri!».

Lucrezio s'addunò che la fìmmina, senza volerlo, aveva taliato verso la porta della càmmara allato. E verso quella porta si mosse. Allora donna Giusberta si precipitò, si mise ginucchiuna pigliandolo per le gambe.

«Non potete! Fate sacrilegio! È piccato mortali!».

Lucrezio la pigliò in potere, la isò, raprì con una mano un casciabanco, vitti ch'era pieno a metà di linzòla pulite, vi catafottè dintra donna Giusberta e lo serrò con la chiave. Doppo, raprì la porta della càmmara allato.

La monaca era appuiata coi gomiti alla balaustra della finestra e teneva le mano giunte a priera. Trimava per lo scanto. Sopra la faccia s'era arravugliato uno scialletto nìvuro, per non essiri viduta.

«Come vi chiamate?» spiò Lucrezio.

«Suor Maria della Passione» disse con voci trimante la monaca.

A questo punto, Lucrezio si pose una sottile questione riligiosa. Se la monaca non poteva essiri taliata in faccia, poteva essiri taliata in qualche àutra parte del corpo? Le andò darrè, con la mancina le sollevò le vesti e con la destra cercò nel posto dove la natura fa diverso l'omo dalla fìmmina. Quello che toccò, gli fece fare un salto narrè, schifato.

Aveva trovato din Tinino Titò.

Quanno il consiglio, finalmente al completo, si riunì, la genti, avendo saputa la cosa, si era ammassata nella piazza davanti al palazzo consultorio e, come scrisse il canonico don Orazio Principato, che di tutta la facenna si fece storico, «oscenamente vociava e smaniava». E forse, cosa che il canonico non considera, smaniava per i crampi di fame alla panza.

Mastro Girlando non perse tempo in chiacchiere.

«Questa è la minestra» esordì.

Proseguì dicendo il suo pinsèro: per scansare che tutto il paìsi venisse messo a foco dalla popolazioni affamata e inferociuta, non c'era che una strata. Accattare il frumento dal pìspico Raina che, era cosa cognita, nelle sue fosse ne possedeva ben duemila salme, bastevoli a sfamare la genti di Montelusa e vicinanze per almeno tre mesi.

«Ho detto accattare» specificò mastro Girlando, «pirchì sono pirsuaso che il pìspico manco con l'ordine di tutti i santi del paradiso s'arrisolve a farne donazioni».

«Ma chi li trova i soldi per pagare il frumento?» spiò don Occàso Barbèra che certe volte non capiva un'amata minchia.

«Noi» arrispunnì don Tìndaro Dedomini che aviva tirato la consequenzia delle parole di mastro Girlando.

Convennero che il prezzo giusto, considerata la siccità e la carestia, era quello di sei onze la salma: epperciò i nobili e i borgisi si sarebbero dovuti tassare fino a raggiungere la somma necessaria.

Mastro Girlando ordinò che a trattare col pìspico andassero don Tìndaro Dedomini, don Silivestro Cozzo e don Occàso Barbèra. Invece don Alterio La Seta, don Filiberto Giardina e din Tinino Titò sarebbero rimasti nel palazzo, taliati a vista.

La trattativa col vescovo non doveva durari più di un'ora, passata la quali, a scadenza di mezz'ora, i giurati rimasti nel palazzo sarebbero stati ammazzati in vario modo, uno con la testa tagliata, un altro appiso, un terzo abbrusciato vivo tanto per variare e far passare tempo alla genti.

Il palazzo del vescovo sorgeva nella parte più alta di Montelusa e allato aviva la Catidrali chiusa da anni. Nei rimanenti due lati della piazza ci stavano il monasterio dei monaci osservanti di San Francesco e il convento delle monache terziarie di San Biniditto. Mastro Girlando era arrinisciuto a pirsuadire la folla a starsene nella piazza del palazzo consultorio, squasiché quanno arrivarono nello spiazzo sul quale c'erano tutte le case parrinische, i diligati scelti a trattare e i loro accompagnatori, che erano mastro Girlando, Calàzio e Marcantonio, assà si meravigliarono di non vidiri in giro né un parrino né un monaco né una monaca che di solito facivano trasi e nesci col palazzo del pìspico.

Sul portone del palazzo vennero arricevuti dal canonico Antonino Tomasino, sigritario e nipote del vescovo, che li portò al piano di supra, nel salone, dove già ci stava Ballassàro Raina, vestito in abito solenne.

Prima che il sinnaco Dedomini arriniscisse a raprire vucca, il pìspico isò una mano e disse:

«Rifate l'entrata».

E poiché i postulanti stavano a taliarsi l'un l'altro strammati, non capendo il senso della richiesta, il canonino Tomasino si degnò di spiegare.

«Vi siete scordati le genuflessioni».

«Questo ci vuole murritiare, ci vuole stuzzicare» pinsò con sorda raggia mastro Girlando.

Obbedirono. E finalmente il pìscopo addimannò cosa volessero da lui. Ma prima ancora che il sinnaco Dedomini potesse raprire vucca, isò di bel nuovo nuovamente la mano.

«Se venite a domandarmi soccorso per la carestia» disse «io ho già spiegato tempo addietro le ragioni che mi vietano ogni intervento. Ho il cuore esulcerato dalle vostre sofferenze, jorno e notti prego u Signuri che raffreni la sua divina ira. Di più non posso fare».

Dedomini stava per raprire vucca, ma il pìspico isò la mano.

«Ora gliela taglio» pinsò fulmineo mastro Girlando che aveva nella sacchetta un coltello liccasapone di due palmi.

«Ad ogni modo» fece il vescovo susendosi «per ogni altra cosa che possa abbisognarvi, parlatene col canonico».

Tutti si misero agginucchiuna, Ballassàro Raina paternamente li binidisse e sinni niscì. Finalmente Dedomini poté parlari.

«Non c'è modo d'impetrare presso sua cillenza...».

Il canonico isò una mano.

«Allura ce l'hanno per vizio!» pinsò rassegnato mastro Girlando.

«Ci sarebbe» disse. E non fece più parola.

A questo punto don Silivestro scoppiò.

«Noi stiamo qui a minarcela» fece «e intanto il tempo passa».

Il canonico Tomasino disse che, a sua piniòne, un'ora in più o in meno, non avrebbe comportato danno.

Con la scumazza alla vucca, don Silivestro gli fece sapiri che se non tornavano a palazzo intra un'ora, il primo dei tre giurati in ostaggio sarebbe stato ammazzato.

«Questo non è un buon argomento per il vescovo» osservò il canonico. «Sua cillenza li considererebbe martiri e buonanotte ai sonatori».

Trattarono febbrilmente per mezz'ora e alla fine arrimasero d'accordo che il prezzo del frumento sarebbe stato di otto onze a salma. Convennero, i giurati, ma a collo torto, perché in verità quel prezzo era cosa di strozzini. Ma era sempri meglio della morti sicura.

Fecero macari i calcoli: il frumento veniva a costare sedicimila onze che i giurati s'impegnavano di consegnare al canonico l'indomani matina alla chiamata per la seconda missa. Ricevuta la somma, lo stesso don Antonino Tomasino li avrebbe accompagnati alle fosse del frumento, autorizzando i guardiani armati ad aprirle.

Dal balcone di palazzo consultorio, mastro Girlando desi la bona novella alla genti, esortandola a tornarsene a casa, c'era bisogno di avere le strate libere per organizzare le decine e decine di carretti che dovevano caricare il frumento. Da parte loro, i giurati accominzarono a fare la nota di chi doveva contribuire per raggiungere la cifra di bisogno.

E fu in quella nuttata di priparativi e d'attisa, che Gisuè e Zosimo arrivarono a Montelusa, carichi di cose da mangiari per mastro Girlando. Di quello ch'era successo non sapevano nenti.

Capitolo quinto

Nella casa di mastro Girlando, Calàzio Bonocore, Marcantonio Zùbbia e Lucrezio Spitalèri, assittati torno torno al tavolino con Gisuè e Zosimo, stavano arricreandosi di pani e aulive, il mangiare che Gisuè aveva portato al cognato e che questi aveva messo a disposizione degli amici. La genti, a malgrado il consiglio di mastro Girlando, alla casa non c'era voluta tornari: stava nella piazza davanti a palazzo consultorio e ogni tanto vidiva passare di cursa ora don Silivestro Cozzo ora don Filiberto Giardina ora din Tinino Titò alla disperata ricerca dei soldi nicissari per accattare il frumento del pìspico.

Qualche difficortà l'avevano incontrata macari mastro Girlando e i suoi nell'organizzare la pigliata del frumento. S'appalisò subito che i carretti attruvati per il trasporto erano cinquantasette, assai di meno di quelli di nicissità, ma questo non rapprisintava un problema pirchì ogni carretto avrebbe potuto fare due o più viaggi da Vigàta, dove si sapeva che il pìspico teneva le fosse del frumento, a Montelusa. Il fatto serio invece era che se i carretti facevano cinquantasette di nùmmaro, tutti i cavaddra, scecchi e muli prisenti in pàisi erano appena appena quarantotto. Fu Zosimo a risolviri la quistioni. Sarebbero stati gli òmini a impaiarsi al posto delle vestie, due per stanga. In cangio della faticata, gli sarebbe toccata una coffa di frumento in più.

Il frumento, così come aveva stabilito mastro Girlando, sarebbe stato ammassato in comune e ognuno ne avrebbe avuto secondo il bisogno, tanto si conoscevano tutti e non c'era piricolo di sbaglio.

Quanno ebbero finito di trovare gli òmini da impaiare, andarono a palazzo consultorio che già sonava la prima missa.

La genti era ammassata tutta in un lato della piazza da dove si vidiva beni palazzo Roccalumèra; contenta per la vicina distribuzione di frumento, ora era pigliata di vera allegria per quello che stava taliando: sulla testa di don Filippello impalato che pareva una bannera, ci stava un carcarazzo con le penne nìvure e il becco giallo, e valorosamente addifendeva il suo pasto dall'assalto degli altri aceddri.

I giurati c'erano tutti e sul tavolo granni ci stavano le sedicimila onze in quattro sacchi.

«Come viditi, siamo stati di parola» fece il sinnaco don Tìndaro Dedomini.

«Avete avuto difficortà?» gli spiò maliziusu mastro Girlando che accanosceva quanto fosse più facile tirare acqua da una petra che un tarì dalla sacchetta d'un ricco.

«Nisciuna» arrisponnì orgoglioso don Tìndaro.

Era una farfanterìa, aveva dovuto sudare con gli altri giurati. Don Giacinto Sparapà duca di Fontanella s'era fatto pigliare dal sintòmo alla richiesta, era sbinuto, e non c'era verso di farlo arripigliare; don Ireneo Fecarotta marchisi di Acquapersa giurò e spergiurò che i latri la notte avanti gli avevano scassinato la casciaforte e arrubbato tutti i dinari e le cosi d'oro; Angelo Tuttolomondo barone della Ricottella, ascutata la dimanna del sinnaco, senza dire né ai né bai inghiottì la chiave del forziere, che era grossa assà, e nisciuno si capacitò come avesse fatto ad agliuttirisilla. L'agguantarono di forza e gl'infilarono nelle cannarozza un litro di purga da cavallo. Ma pur con tutta la volontà, il barone Tuttolomondo non arrinisciva a cacare la chiave che gli s'era messa di traverso propio nel pirtuso del culo e gli faceva un dolori spavintoso. Il sinnaco lo fece mettere a panza sotto, infilò due dita nel pirtuso e fece nesciri la chiave.

Mastro Girlando ordinò a quattro picciotti di carricarisi un sacco a testa, altri due picciotti armati avrebbero fatto da scorta ai giurati e al sinnaco fino al palazzo del pìspico per consegnare i soldi. Nisciuno delle pirsone ch'erano in piazza li doveva sicutare, era meglio se ci andavano soli, all'incontro.

In quanto a lui e ai suoi òmini, sarebbe rimasto a palazzo consultorio ad aspettarli. Da lì, una volta tornati i giurati col canonico Tomasino, sarebbero andati alle fosse a pigliare il frumento. Zosimo venne chiuso in un cammarino con carta e penna: era l'unico in grado di fare i conti giusti per la spartizione.

Appena vitti la faccia del canonico che l'aspittava al portone, il sinnaco Dedomini capì che le cose non avrebbero caminato supra la strata signata.

«C'è cosa?» gli spiò col sciato grosso, vuoi per la salita vuoi per l'ansiosità che l'aveva di colpo pigliato.

«Un piccolo contrattempo, un'inezia» arrisponnì il canonico taliando 'n terra. E invitò: «Acchianate, acchianate».

Salirono fino alla càmmara dove erano stati ricevuti il giorno avanti. S'aspettavano di trovare sua cillenza Ballassàro Raina assittato in trono, inveci era vacante.

Il sinnaco Dedomini era scantato. Che significava l'imbarazzo evidente di don Antonino Tomasino?

«Aspettiamo sua cillenza?» spiò.

Il canonico fece 'nzinga di no con la testa.

«Ha incaricato a mia» disse e si andò a mettiri proprio davanti alla seggia pispicale come a sottolineare che lui parlava a nome e per conto del santomo suo superiori.

«Voi quattro» fece rivolto agli òmini che portavano i sacchi sulle spaddri «lasciate qua la roba e aspittate nell'altra càmmara. Non andate via».

I quattro fecero come voleva il canonico.

«Sua Eccellenza» attaccò don Tomasino «questa notti non ha potuto chiudere occhio. È lacerato dal dubbio, è combattuto tra la disobbedienza alla volontà del Signore, cosa che fa vendendovi il frumento, e la sua generosità d'animo che lo spinge a lenire, con questa vendita, la disperata situazione della popolazione di Montelusa».

Fece una pausa, s'asciugò le labbra con un fazzolettino.

«Verso l'alba, come si è degnato di contarmi, una colomba s'è posata sulla finestra della sua cella. Era, mi disse, lo Spirito Santo venuto a suggerirgli l'idea giusta per sanare il suo atroce dilemma».

«E che gli disse la palumma?» spiò don Silivestro Cozzo che spesso sapeva cangiare le sue raggie in sarcasmo.

Il canonico finse di non avere sentito.

«In espiazione del gravissimo peccato che commette venendovi incontro» proseguì don Antonino «Sua Eccellenza ha deciso di destinare una parte della somma che voi gli darete ai lavori di ricostruzione della Cattedrale».

Tutti tirarono un sospiro di sollievo.

«Saggio proponimento» commentò il sinnaco.

«Di conseguenza» ripigliò il canonico mettendosi a curriri con le parole come se quarcuno lo stesse assicutando. «Sua Eccellenza, non intendendo rinunziare alla giusta somma che gli è dovuta per la vendita del frumento, propone un ritocco».

«Di quanto?» spiò il sinnaco Dedomini che già si vedeva di nuovo a murritiare con le dita nel tafanario del barone Tuttolomondo e la cosa non gli faceva piaciri.

«Di sedici onze la salma» sparò don Antonino.

Al botto, successe un attimo di silenzio.

«Ma è il doppio!» gridò don Silivestro.

Il canonico allargò le vrazza.

Il sinnaco Dedomini pinsò che manco se infilava tutto il vrazzo nel pirtuso del barone sarebbe mai arrinisciuto a trovare la quota che a quello spettava di pagare.

Din Tinino Titò si vide impalato come a don Filippello e gli venne da vomitare, don Filippo Giardina addiventò statua, don Alterio La Seta s'assittò 'n terra dato che le gambe non lo tennero, don Occàso Barbèra piritò rumorosamente, perché faceva accussì nei momenti di granni nirbuso.

«Possiamo parlare con sua cillenza?» spiò don Tìndaro.

«Nossignore no. Sua Eccellenza è ancora in meditazione. Non può essere disturbato».

«Ma qua ci perdiamo la vita!» gridò don Silivestro.

Il canonico lo taliò freddamente.

«Sua Eccellenza medita sull'Eternità. Che volete che gliene importi della vostra vita?».

Don Silivestro scattò; le mani isate per aggantare il canonico e spaccargli le corna. Lo tennero.

«Ma quali Catidrali e Catidrali!» schiumava don Silivestro dibattendosi. «Quel grandissimo cornuto e latro vuole arricchirsi col sangue nostro!».

Finalmente venne calmato e il canonico ripigliò a parlare.

«Non c'è altro da dire, mi pare. Trovate al più presto il rimanente della somma e avrete il frumento. Intanto, i sedicimila tarì potete lasciarli qui come acconto».

«Sta minchia» fece lapidario don Tìndaro Dedomini.

Il silenzio che di colpo s'accasò nella piazza squietò mastro Girlando che si precipitò al balcone. Vitti la folla che si apriva, come il mare con Mosè, davanti al corteo del sinnaco, dei giurati, della scorta e dei portatori dei sacchi. Tutti caminavano a testa vascia. Quindi, se il pìspico aveva rimannato narrè i dinari, quale alzata d'ingegno aveva avuta? Appena trasuto nella càmmara di consiglio, il sinnaco gli spiegò la situazione.

«Potete trovari altri pìccioli?» spiò mastro Girlando andando sul pratico.

«Non credo» disse don Silivestro.

«E se arriniscissimo ad attruvarli» fece il sinnaco «ci vorrebbe troppo tempo».

Se il sinnaco e i giurati erano scantati, mastro Girlando lo era macari lui. Era doviri suo dare la notizia alla genti, ma questa come avrebbe reagito? Sicuramente si sarebbe scatenata una scannatina, a chi toccava, toccava.

«Se voi lo dite alla genti, succede l'opira» fece don Alterio La Seta che aveva avuto il suo stesso pinsèro.

«Se opira devi essere, opira sia» disse una voci.

Tutti si voltarono a taliare chi aveva parlato. Era stato Zosimo, un picciliddro che tale non apparse a quelli che non lo conoscevano, ma omo di decisa piniòne, solo ch'era tanticchia vascio d'altizza.

Appena ascutate le parole di mastro Girlando, la folla, come si fossi stata fatta di una pirsona sola, decise di farsi consegnare il frumento dal pìspico, con le bone o con le tinte. Una migliarata di màscoli e fìmmine, armata di pala, pichi, zappuna o semplici vastuna, trasì da tre strate diverse nella piazza del palazzo pispicale. Armi di foco ne avevano sì e no una decina. Il portonazzo dell'antico castello addiventato palazzo del vescovo era fatto di ligno coperto di ferro ed era sbarrato. Puro serrati erano i portoni del monastero dei monaci osservanti e del convento delle monache di San Biniditto. Macari le persiane delle finestre con le grate a panza erano chiuse.

Una decina di picciotti forzuti tentò di raprire il portonazzo a spallate, ma ottinniro solo di farsi male alle vrazza.

Mastro Girlando desi l'ordine di abbattiri a colpi d'accetta due querce giganti ch'erano allato alla Catidrali e di puliziarle dai rami: forse, usando i tronchi come arieti, il portonazzo avrebbe ceduto.

Mentre stavano a travagliare sui due àrboli, la campana nica della cappella privata del pìspico sonò. Tutti isarono gli occhi verso il palazzo e vittiro, allo scoperto, sulla torretta più alta del castello, il vescovo Ballassàro Raina in abito solenne. Pigliato in pieno dal sole, pareva sparluccicasse d'oro. Nisciuno gli stava allato. Sollevò il vastone pastorale e nella piazza calò il silenzio.

«Gens iniqua! Plebs rea!» attaccò con una voci che l'intisero macari fora della piazza. «Come osate, voi, immondi piccatori, mancari di rispetto al patre vostro? Pentitevi immediatamente! Mettitevi ginucchiuna e battetevi il petto addimandando pirdono, prima che u Signuri, sdignato, oltre che con la siccità, vi colpisca con le sue folgori! Agginucchiatevi!».

Il pìspico si fermò, aspittando che le sue parole facìssero effetto e difatto due o tri fimminuzze d'età principiarono a calare le ginocchia. Ma Ninetto Stracuzio, ch'era armato di fucile, aveva avuto commodo, durante la parlatina del vescovo, di pigliari una bona mira.

Sparò. E la mitria volò dalla testa del pìscopo che s'arriparò stinnicchiandosi 'n terra.

Parse, lo sparo, un signale concordato. Di subito, da tutti i palazzi ch'erano sulla piazza principiarono a sparare sulla folla, che pareva una maschiata, una fila di botti come a quelle che si fanno per le feste. I parrina sparavano di darrè i merli del castello, le monache di darrè le finestre ora aperte a metà, i monaci di darrè le finestruzze delle celle. In un biz la genti, vociando, lamintiandosi, biastimiando, lasciò di corsa la piazza. Sulla terra battuta restarono due morti e due feriti. Uno dei feriti, Nenè Zirafa, tentò di susirisi ma venne abbattuto da un colpo sparato dalle matre superiora suor Maria della Misericordia, al secolo Gudrun Schultz, una tidisca arrivata a Montelusa non si sapeva come. Doppo, quanno con l'occhio d'aquila che si ritrovava, s'addunò che c'era un'àutra pirsona che si cataminava ancora, sparò macari a lui e l'astutò. L'applauso e le vociate di gioia delle monache per la mira della matre badissa si sentì puro fora delle mura.

A questo punto nisciuno tra la folla sapeva che fari, mastro Girlando calmava i più accesi, spiegava come un nuovo assalto alla casa del pìspico sarebbe stato un suicidio. Mentri accussì discutevano, la porticina ch'era ritagliata nel portonazzo si raprì. Niscì il canonico Antonino Tomasino guardato da quattro parrini armati.

«Vengo a portare l'estrema Unzione ai vostri morti!» gridò.

Doppo, fatta l'operazioni, prima d'arritirarsi fece di nuovo voci:

«Venite a pigliarvi i morti, nisciuno vi sparerà».
E s'arritirò nel palazzo pispicale.

A mastro Girlando parse che l'artiglio di un'aquila l'avesse afferrato per la spalla. Era Gisuè, giarno per lo scanto:
«Lo vidisti a Zosimo? Unn'è il picciliddro?».
Taliarono attorno, spiarono alla genti, ma non ci fu uno che l'aveva viduto.

Appena pigliarono a sparari, Zosimo si rese conto che quelli tiravano verso il centro della piazza, dove ci stava più genti. Contrariamente a tutti gli altri, corse perciò in senso inverso, verso il portonazzo, ch'era una specie d'angolo morto per i colpi. Da lì, dopo un attimo, si mise a curriri muro muro fino a quanno arrivò sulla strata stritta che c'era tra la fine del palazzo pispicale e l'accomincio del convento delle monache. Strata vera non lo era, perché non portava in nisciun loco o meglio si fermava al limite di uno sbalanco. A picco propio di questo sbalanco s'affacciava tutta la murata posteriori del palazzo che, quanno era castello, era stato flabbicato apposito in quel loco, per avere almeno una latata di difficile, se non impossibile, pigliatura. Ci faceva silenzio e quiete, le vociate e le sparatorie manco si sentivano. Zosimo taliò la campagna che da lì si vedeva fino all'orizzonte e gli venne da chiangiri: terra arsa, combusta, morta, senza aceddri in volo, senza vestie a pascolare. Fu allora che s'addunò che proprio alla fine della strata, a mancina, si partiva non un viottolo, ma una specie di sentiero stritto stritto, ci poteva caminare appena un omo, formatosi a causa del passare e ripassare di quarcuno sempre dallo stesso posto.

Come un lampo gli tornarono a mente le parole del serparo:

«La vestia mala» aveva detto Fura «sia omo o armàlo, va sempri pigliata pi darrè, dalle spalle».

Principiò a scinniri quel passaggio periglioso, ora aggrappandosi alle pietre del muro ora alle troffe d'erba sarvatica che lì era abbondante. E finalmente si trovò a livello di una finestra con le sbarre ma con le persiane aperte. Taliò cautamente, dintra la càmmara non vitti nisciuno, anzi gli parse un posto disabitato, pieno di mobilia vecchia, di qualche statua di santo, di un crocifisso enormi. Scosse l'inferriata per scoprire se ce l'avrebbe fatta a scardinarla con qualche pezzo di legno e, con sua sorprisa, l'inferriata gli restò nelle mano. Era solo appoggiata, ma chissà da quanto tempo stava accussì, perché l'acqua, il vento, il pruvulazzo, la ruggia, la facevano parere saldamente murata. La posò 'n terra e, con un sàuto, scavalcò la balaustra e trasì. Appena i pedi sò toccarono terra, si levò una specie di nuvola di polvere, il pruvulazzo cummigliava ogni cosa. Da quanto tempo non trasivano in quel loco? Zosimo si fece un corridoio sul quale si aprivano quattro porte. Le prime due davano in càmmare piene di libra sino al soffitto, e lui ci lasciò il core; la terza faciva vidiri una càmmara piena di cannìle, cera e stoppini, e macari qua lui ci lasciò il core. La quarta porta era chiusa, ma con la chiave di fora. Zosimo raprì e vitti cinco parrina stesi 'n terra, le mano e i pedi legati con la corda. Zosimo arriconobbe il parrino tanto grasso che non si poteva cataminare senza l'aiuto di dù òmini.

«Perché v'hanno attaccato mano e pedi?» gli spiò.

«Pirchì ci semo arrifutati di sparare alla genti» fece il parrino. «Il viscovo disse che doppo ci denunzierà al Santo Offizio».

Zosimo proseguì, acchianò una rampa di scale. Sul pianerottolo, un gatto bello pasciuto gli fece «miao». A Zosimo la cosa gli parse di bon'agurio: era almeno dù anni che non vidiva un gatto, la genti se l'era mangiati tutti. Gli carizzò la testa e acchianò la seconna rampa. Capì ch'era arrivato a livello del portonazzo e di subito sentì che, al piano di supra, ci stava genti che parlava.

Aveva scoperto la strata per pigliare di spalli la mala vestia. A pedi leggio, senza fare rumorata, tornò narrè.

Quinnici òmini, tutti con armi da foco e coltelli, passarono ranto ranto il muro posteriori del convento delle monache, arrivarono darrè il palazzo del pìspico e, seguendo la strata scoperta da Zosimo, scinnero per il sentiero uno appresso all'àutro, trasirono dalla finestra.

Il canonico Antonino Tomasino, per sfortuna sò, si venne a trovare nella sala granni mentre ci facevano la comparsa Marcantonio e Lucrezio. Il canonico, che aveva rapruto la vucca prima per la meraviglia e poi per fare voci avvertendo gli altri, non fece a tempo a capire che stava morendo, la coltella di Lucrezio gli sgarrò la gola, quella di Marcantonio gli spaccò il core.

Quattro parrina stavano mangiando nel refettorio

quanno vittiro trasire Onelio Picciafoco e Bartolino Menè, due con le facce che a incontrarli di notti uno assintomava per lo scanto. E difatto fu tali lo spavento che provò uno dei parrina che il mangiari gli andò per traverso e dovittero dargli tanticchia d'acqua per farlo arripigliare. Attaccati con le corde, furono inserrati in un cammarone.

Il pìspico Ballassàro Raina era nella sò càmmara da letto che si stava cangiando d'abito. Il fetore che si levava dal corpo del pìspico e quello che s'era accumulato nella càmmara per un attimo stordì mastro Girlando e Calàzio. Il pìspico si stava facendo aiutare da un seminarista.

«Ah! Vermi schifosi!» fece appena si ebbe ripigliato dalla sorprisa. E attaccò la litania del «come osate?!».

A Calàzio ci desi fastiddio non la parola, ma la voci. Senza starci a pinsari ci mollò un pugno che gli spaccò le labbra e ci fece liniare due denti. Il pìspico non era più in condizione di parlari, poteva sì e no lamentiarsi.

Ducent'anni prima, quanno il castello era stato trasformato in palazzo, la corte interna venne coperta tutta e se ne ricavò un terrazzo al quale s'acchianava con una scala a virrìna, a coda di porco, che si poteva chiudiri con una botola. Arrivati in cima a questa scala, mastro Girlando e i sò misero quatelosi le teste fora dalla botola ch'era aperta. Una decina di parrina, armati, addritta lungo il cammino di ronda, montavano la guardia proteggendosi darrè i merli. Pigliati di spalle, lassarono le armi e isarono le vrazza. Vennero tutti chiusi nel cammarone dove già ci stavano quattro di loro.

Tutt'inzemmula le monache e i monaci, che scanoscevano quello che stava succedendo nel palazzo, vittiro il portonazzo che si rapriva lento lento. Aspettarono, armi in pugno, ma nisciuno trasì e nisciuno niscì. Mentre si spiavano che vinisse a significare quella rapritina di portone, la campana della cappella privata del pìspico si mise a sonare e tutti isarono gli occhi, pronti a rispondere alla chiamata di sua cillenza.

Ma il vescovo non li chiamava. Parato sulenne, con la mitria spirtusata nuovamente in testa, Ballassàro Raina pinnuliava da supra la torretta più alta, sospeso nel vuoto. Una corda, che gli passava sotto le ascelle e il cui capo era legato a un merlo, lo reggeva. Calàzio pigliò la corda, la tirò e la lasciò nuovamente: il pìspico principiò a oscillare da dritta a mancina e da mancina a dritta che pareva il batacchio d'una campana.

«Din, don» si mise a fare la folla che assisteva alla scena ammassata nei vicoli che portavano alla piazza.

«Che faccio, taglio?» spiò a gran voci mastro Girlando ch'era allato a Calàzio e aveva un coltellazzo nella mano.

Doppo qualche minuto si raprì una finestra del convento e spuntò la testa della tidisca sasina.

«Kosa tofere noi fare?» addimannò.

Mastro Girlando spiegò che le monache e i monaci dovevano nesciri disarmati e trasire nel palazzo pispicale.

Non aveva manco finito di parlari che il portone del monastero si spalancò e ne niscì una ventina di monaci che si fecero la piazza di corsa e si precipitarono dintra il palazzo.

«Pietà! Pietà!» facevano agginucchiuna ai quattro òmini che mastro Girlando aveva incarricato di pigliare in consegna i prigionieri via via che s'appresentavano.

Le monache niscero doppo i monaci. Non correvano, erano messe due a due e in testa a tutte ci stava la tidisca sasina.

Con la coda dell'occhio, mastro Girlando vitti Lollò Zirafa, che a quello ch'era stato ammazzato a sangue friddo dalla tidisca ci veniva frati, pigliare la mira. Non ci disse nenti, parendogli che accussì fosse di giusto. Un attimo doppo, colpita in faccia, la badissa cadeva 'n terra morta mentre le altre monache, terrorizzate, si rifugiavano nel palazzo facendo un gran burdello di chianti, lacrime, vociate, prighiere, lamenti.

Alla fine, parrina, monache, monaci e seminaristi furono tutti portati sul terrazzo del palazzo e la botola venne inserrata squasiché se ne stavano all'aria e al sole che batteva sempre. Nella casciaforte del pìspico, mastro Girlando trovò cinquantasettemila onze, un tisoro. Li mise in tanti sacchi e li fece ammucciare da Calàzio. Doppo desi ordine di far vinire a palazzo il sinnaco e i giurati con le sedicimila onze che erano state raccolte per accattare il frumento.

Il pìspico venne portato nella sala granni dove l'aspittavano mastro Girlando, Zosimo, Calàzio, Marcantonio, Lucrezio, il sinnaco, i giurati.

Il vescovo sudava e feteva, sudava e feteva, ma non aveva perso l'arroganza. Aviva le labbra gonfiate e poteva parlare a malappena. Ma parlò.

«Latri!» fece «mi volete macari arrubbare il frumento?».

«Non è arrubbatina» ci arrisponnì Zosimo «ma racquisizione».

«Se è racquisizione» ribatté il pìspico «me lo doviti pagari».

«E noi ve lo paghiamo» intervenne mastro Girlando.

Ballassàro Raina, a sentire parlare di moneta, la finì di sudari e quindi feté tanticchia di meno.

«Voi avete il difetto d'avere gli occhi e la vucca più granni di la panza» proseguì mastro Girlando. «Se non tiravate sul prezzo, le sedicimila onze che stanno in quei quattro sacchi potevano essere tutte vostre. Inveci accussì sacco ve ne tocca solo uno. Il prezzo della racquisizione è che il frumento vostro sia pagato a due onze la salma. Scriviti supra un pezzo di carta che siete stato pagato e date l'ordine di consegna».

«E mittiticci macari il sigillo» concluse Zosimo.

«Allo jorno ventiquattresimo del mese di majo, circa li due della notti, innanti all'Intercessore di S.E. Rev.ma il Vescovo di Catellonisetta, monsignor Bartolino Pigliotta, s'appresentò un monaco osservante di Santo Francesco, lacero, scalzo, di fatica stremato, miracolosamente scampato alle stragi che orrendamente compievansi in Montelusa, e con voce rotta e alto lamento…».

Accussì il canonico Orazio Principato, storico di quelle jornate, conta come il vescovo di Catellonisetta venne a canoscenzia dei fatti di Montelusa e della disgraziata situazione del suo amico Ballassàro Raina.

Avvampato di raggia, convocò il Capitano di giustizia, don Galantino Ballistreri, e don Sisinno Maccaluso, consultore in prima.

«Capitano» fece arrisoluto il vescovo. «Bisogna muovere contro questa gentaglia di Montelusa, liberare il vescovo e impiccare metà della popolazione, tanto per dare un esempio».

Don Galatino e don Sisinno, che andando a palazzo s'erano parlati, storcerono la vucca.

«Non siete d'accordo?» spiò ancora più arraggiato monsignor Pigliotta.

«Bisogna andarci piano piano» esordì don Sisinno. «Come voscenza sa, la fami è contagiosa pejo del culera».

«E che viene a dire?».

«Viene a dire» spiegò don Galantino «che macari qua a Catellonisetta qualcuno, spinto dalla fami, può aviri l'idea di fare quello che hanno fatto a Montelusa. Ora se io, con i miei trenta soldati, vado a Montelusa a liberari il viscovo, qua chi ci rimane a difendervi?».

«Vero è» disse pinsoso monsignor Pigliotta. «E allora che proponete?».

«Che voi, cillenza, paghiate un riscatto».

«Bisogna andarci piano piano» fece a sua volta monsignor Bartolino Pigliotta che in quanto ad avarizia era capace di dare punti al collega di Montelusa.

Ci misero quattro jornate intere a distribuire il frumento e i soldi, dando a ciascuno secondo il suo bisogno, come voleva mastro Girlando. La divisione del dinaro arrisultò la più difficoltosa: in cassa c'erano dodicimila onze restate dalla racquisizione del frumento, le cinquantasettemila trovate nella casciaforte del palazzo, le cinquemila pagate dal pìspico di Catellonisetta per liberare Ballassàro Raina, le monache, i monaci, i parrina e i seminaristi. In pàìsi restavano solo i cinque parrina che si erano arrifutati di sparare. Alla fine di tutti i conteggi, Zosimo aviva il vrazzo e la mano dritta che gli facevano male.

Quanno arrivarono alla casa, Zosimo venne subissato di timbulate, cavuci in culo e botte a tinchitè da sò matre, sò frati e sò zia che accussì si sfogarono della prioccupazione che avevano provato nel non vederlo tornare da Montelusa. Macari Gisuè ebbe la parte sua, due timbulate che Filònia gli desi con tutta forza e che lo fecero traballiare granni e grosso com'era.

Ma Zosimo era felici: a parte le cose che aveva imparato in quelle jornate, aveva carricato le due vestie di libra e cera, «racquisiti» nel palazzo pispicale.

Capitolo sesto

«Cunta fino a tri e lu misi finì», accussì diceva la sapienzia antica e, affermando che bastava contare fino a tre perché un mese trascorresse, veniva a significare che al tempo non ci vuole tempo per passare in un fiat, basta che hai rapruto gli occhi alla nascita che già è pronto il tabbuto della tua morti. E difatto i tre misi nei quali la genti di Montelusa poté sfamarsi col frumento sequestrato al pìspico Raina non erano ancora manco venuti che già se n'erano andati. E dato che la siccitate continuava ad arraggiare, senza che all'orizzonte se ne vedesse il principio della fine, le cose tornaro ad essere come prima, anzi pejo, perché lo stomico aveva arripigliato la sua abitudine di mangiare. Certo, la genti in casa ora teneva qualche onza di quelle ch'erano state spartute: ma che te ne fai dei pìccioli se non hai nenti d'accattare perché nisciuno havi nenti da vendere?

Al vescovo Raina, intanto, non ci poteva sonno. Essere stato garrusiato da quattro pidocchiosi di Montelusa che gli avevano fatto perdiri la faccia arrubbandogli dinaro e frumento era cosa che gli faceva acchianare la febbre. A Catellonisetta monsignor Bartolino Pigliotta gli aveva affittato un palazzo nel quale poteva starsene comodo, rispettato e riverito come alla casa sò. Ma per starci, abbisognava pagare, e quindi meno ci stava, meno soldi gli sarebbero nisciuti dalla sacchetta. Si trattava, perciò, di tornare il più presto possibile a Montelusa. Come primo provvedimento il pìspico, per «grave e irrimediabile offesa ricevuta», scagliò l'interdetto contro tutti gli abitanti di Montelusa e dintorni e sospese «a divinis» i parrina ch'erano rimasti in pàisi doppo che s'erano arrefutati di sparare sulla folla. Ai parrina la sospensione da una grecchia ci trasì e da una grecchia ci niscì, continuarono a vattiare, comunicare, portare l'olio santo. Ma su una grossa parte della popolazione quella specie di mezza scomunica pisava, fìmmine e òmini chiesastri si sentivano in piccato mortali. Mastro Girlando, parlandone con don Silivestro Cozzo, addiventato capo giurato in sostituzione del sinnaco Dedomini che gli era venuto il sintòmo e s'era paralizzato a metà, arrivò alla conclusioni che qualche passo pacificatorio verso il pìspico abbisognava farlo: la fame, che da lì a qualche mese sarebbe riapparsa nuovamente e più grifagna di prima, la si sarebbe potuta affrontare meglio avendo l'anima in paci con santa matre chiesa. Scrissero perciò una littra al viceré, il cardinale Trivulzio, nella quale spiegavano com'erano andate le cose, protestavano la loro obbedienza e gli spiavano lumi per levare di mezzo la questioni. Il cardinale viceré, ch'era omo assoggettato di malinconia, a leggere quelle parole si sentì pigliare da uno stuffalizio, una noia profonda: decise perciò di non intromettersi nella facenna. Spedì para para la littra al pìspico Ballassàro Raina con due parole a margine: «risolva Vstra Eccnza Revma per il bene di tutti». Naturalmente il bene di tutti, per il pìspico Raina, coincideva con quello suo e quindi scrisse a sua volta una littra a don Silivestro Cozzo nella quale chiedeva la restituzione delle cinquantasettemila onze trovate nella casciaforte e il pagamento delle duemila salme di frumento in ragione di trentaduemila onze, vale a dire il prezzo che aveva addimandato e che aveva fatto scatinari la rivoluzioni. La consegna delle cinquantasettemila onze era indispensabile per cominciare la discussione; del resto, concludeva la littra, dato che Dio era certamente dalla sua parte, più giorni passavano nelle trattative e più era probabile che l'ira divina s'accanisse sui peccatori chiossà di quanto stava accanendosi.

Il canonico Orazio Principato, nelle sue memorie, riferendo la lettera del vescovo Raina ai montelusani, aggiunge che «Sua Eccellenza Reverendissima, fattosi giustamente persuaso che la trattativa con gli scalmanati ribelli sarebbe lungo tempo durata, affranto nel suo core paterno per il perdurare de' suoi traviati figli nella colpa e nel peccato, secretamente accordavasi con don Cesare Del Bosco, Capitano della cavalleria leggera di Catellonisetta, perché penetrasse in Montelusa arrestando i capipopolo e traducendoli alle carceri della Vicarìa in Palermo. Sua Eccellenza Reverendissima istesso confidava al Capitano i nomi dei figli ribelli, Girlando Pitrella, Calàzio Bonocore, Marcantonio Zùbbia, Lucrezio Spitalèri, ai quali, sia pur con l'animo rotto dal dolore, aggiunse i nomi di don Tìndaro Dedomini, don Alterio La Seta, don Filiberto Giardina, don Occàso Barbèra, don Silivestro Cozzo e don Tinino Titò, tutti giurati di Montelusa che, vuoi per viltà, vuoi per irresolutezza, alla sollevazione non s'erano opposti, anzi avevano fatto combutta con gente di tristo animo e di sconsiderato pensiero».

Della littra del pìspico don Silivestro Cozzo desi lettura pubblica alla genti dal finestrone del palazzo dei giurati e ne ebbe in risposta un coro di pirita e risate. Macari ammettendo che ogni montelusano che avesse ricevuto pìccioli si persuadesse a ridarli narrè, dalla cifra addimandata da Ballassàro Raina venivano sempre a mancare sedicimila tarì. Dove trovarli? La petra non si può spremere, fu la conclusione generale.

La notti del due luglio, il Capitano Cesare Del Bosco, con deci òmini sò, s'appresentò davanti alla porta di tramontana di Montelusa. La porta non solo era aperta, ma non si vedeva manco un omo di guardia. Il Capitano aspettò una mezzorata che quarcuno si cataminasse, si facesse vidiri, ma non successe niente, evidentemente a quell'ora di notti tutti stavano a dormiri. Don Cesare fece fasciare gli zoccoli dei cavalli e principiò cautamente a trasiri in pàisi. Lungo la strata per arrivare a palazzo dei giurati non s'abbatterono in anima criata. Macari il portone del palazzo era spalancato e solitario. Trasuti nel cortiglio, gli òmini di don Cesare attaccarono i cavaddri agli anelli e acchianarono al primo piano. Gli parse di mettere pedi in una casa abbannonata da tempo: fogli di carta 'n terra, mobili arrovesciati, seggie rotte. Mentre si taliavano torno torno, sentirono il rimbombo cupo di un portone che si chiudeva. Scinnero di corsa per trovare il portone che prima era spalancato, ora accuratamente chiuso. Provarono ad aprirlo: nenti, era stato inserrato dall'esterno. Pazzo di raggia, don Cesare riacchianò al primo piano, s'affacciò al finestrone e sparò un colpo. Manco si degnarono d'arrispondergli. Sei jorna appresso, il Capitano della cavalleria leggera di Catellonisetta, don Cesare Del Bosco e i sò deci òmini s'arrinnero per fami a don Silivestro Cozzo che fece tenere prigioniero il Capitano allo steri e mandò liberi i soldati. Ad uno di questi desi un biglietto per il pìspico Raina nel quale c'era scritto solo: «Da che parte sta Dio?».

La notti del sidici di luglio, la strata esterna di Montelusa sinni calò a valle per una frana improvvisa. Tra le dodici case che sorgivano sulla strata ce n'era una che mastro Girlando s'era fatta dare dai giurati per offrire rizzetto a dieci orfanelli il più granni dei quali aveva sei anni. I picciliddri morirono tutti pigliati nel sonno e ci vollero due jornate intere di travaglio per tirarli cataferi da sutta le macerii. Il jorno appresso don Silivestro Cozzo arricivette un biglietto del pìspico Raina: «Da che parte sta Dio?».

Ora si vede che qualichiduno, a Dio, la cosa dovette riferirgliela. E Dio, senza perderci tempo dato che aveva altro a cui pensare, volle levare di mezzo ogni equivoco e fare palese la sua piniòne in proposito.

Nella serata del ventisei dell'istisso misi, un legno francese, il «Marie-Jeanne», che navigava da Tunisi alla volta di Messina, andò inspiegabilmente ad incagliarsi nella secca che c'era propio davanti Vigàta e ch'era segnata su tutti i portolani. Il legno pericolosamente s'appoggiò sopra una fiancata e i deci òmini d'equipaggio più il comandante furono messi in salvo. Messi in salvo per modo di dire perché, dati per sospetti di peste, vennero chiusi in quarantena. Frugata la nave, si scoprì che portava carico di cinquecento salme di frumento, spezie pregiate e sete preziose. Nella casciaforte del comandante si trovarono duemila onze d'oro. Il che veniva a significare che, pagato tutto quello che voleva il pìspico Raina, restavano ancora cinquecento onze d'oro, più cinquecento salme da spartire alla popolazione che avrebbe ancora tirato avanti per una mesata. Mastro Girlando formò due ambascerie: una, guidata da don Silivestro Cozzo, si sarebbe recata a Catellonisetta a consegnare i pìccioli pretesi dal pìspico (al suo ritorno sano e salvo a Montelusa si sarebbe provveduto a liberare il Capitano Del Bosco che intanto restava in ostaggio); la seconda, che aveva a capo don Occàso Barbèra sarebbe andata a Palermo, dal Viceré, consegnandogli la seta, le spezie e cinquecento onze d'oro come signale di bona volontà. Entro tre jornate dall'avere ricevuta la regalìa, il cardinale Trivulzio bandiva l'amnistia per la sedizione di Montelusa. Ma qui è meglio lasciare la parola al canonico monsignor Orazio Principato.

«Rettamente ragionando esservi ancora in città ingiustificato malanimo verso la sua figura augusta di padre benevolo, Sua Eccellenza Reverendissima non stimò di tornare a pronto possesso del bene spirituale delle anime dei montelusani, sicché ebbe licenza dall'illuminato pensiero del viceré cardinal Trivulzio di far precedere il suo ritorno dalla riconquistata tranquillità ad opera del marchese Alizio Boscofino. E quello intrepido cittadino, raccolti i suoi vassalli dalle sue terre di Montaperto, Raffadali, Santa Elisabetta, Calamonaci, e aiutato dal fiore della cittadinanza, si mise e compié l'opera ardimentosa. Egli segretamente introdusse in città e nel suo palagio molti dei suoi vassalli armati, del che insospettiti sei dei capi sediziosi, e precisamente don Silivestro Cozzo, don Occàso Barbèra, don Filiberto Giardina, Lucrezio Spitalèri, Marcantonio Zùbbia e Calàzio Bonocore, si fecero animo a voler chiedere al marchese don Alizio Boscofino il perché di quell'apparecchio, e indurlo a scioglierlo. Il marchese dimostrossi di accedere di buon animo alla richiesta dei capi rivoltosi e invitatili al palagio, entrati quei sei capipopolo, furono dai suoi uomini appostati tutti pigliati e immantinenti decapitati. Le guardie ne affissero le teste sanguinanti sopra alte picche, montarono in sella e insieme al marchese e ai suoi numerosi partigiani, percorsero l'intera città, spaventoso spettacolo ai tristi, orribile ai buoni. Il sindaco Dedomini, che lo sdegno di Dio aveva fulminato di paralisi, venne strangolato nel suo letto dalle mani istesse del marchese Boscofino. Tre giorni appresso Sua Eccellenza Reverendissima Monsignor Ballassàro Raina poteva, le lacrime agli occhi per paterna pietà, tornare in

Montelusa trionfalmente accolto dalla popolazione stanca di soprusi, angherie, scelleraggini».

Dalla morte provvisoriamente scamparono don Alterio La Seta che, ricercato, s'ammucciò presso un suo cugino di Favara, din Tinino Titò che trovò ricovero nel convento delle Suore Agostiniane di Passo Pisciaro e mastro Girlando Pitrella che, andato a trovare la mogliere in casa di Gisuè, s'era dovuto allettare per una botta di tirzana.

«Se c'ero io» smaniava «non li avrei fatto cadiri nel trainello! Ma come hanno fatto, babbasunazzi, a non capiri ch'era un trainello?».

«Non passava giorno» scrisse lo storico avvocato Giuseppe Picone «che la carestia non atterrasse vite, senza distinzione alcuna di giovanezza o vecchiaia. E vieppiù incombeva, più pareva accendere l'ingordigia di alcuni».

E, al solito, questo diplomatico «alcuni» doveva intendersi come dell'unico e solo, e cioè don Ballassàro Raina.

«Or avvenne in quei giorni» conta l'avvocato «che il cardinal Trivulzio, per le strettezze della pubblica finanza, ebbe creata una deputazione, onde suggerire i mezzi opportuni a farla rifiorire, e questa propose la vendita di qualche città demaniale. Montelusa e altri paesi vennero messi all'incanto. Asserendo che la carestia aveva di molto abbassato il valore delle città messe in vendita, monsignor Ballassàro Raina compravasi

Montelusa, Licata e il caricatore di Palma per lo prezzo di centoventimila onze d'oro. Non volle trasmetterne la proprietà ai suoi eredi, imperocché alla sua morte egli avrebbe tutti restituito a libertà. Ciò malgrado le cittadinanze ne sentirono amarissimo disgusto e il nobile e generoso licatese Giuseppe Babilonia partiva a proprie spese, per Palermo, onde annullarsi quell'atto, che del nostro popolo aveva fatto un armento di pecore. Il re, con sue lettere, date a Madrid li venti settembre, dichiarava nulla la vendita e ordinava che i paesi fossero ritornati al demanio regio. Le cittadinanze già tripudiavano quando il re, con lettera del venti di ottobre ordinò la sospensione del suo ordine precedente perché il vescovo, stante la sua età e lo stato della salute sua, aveva fatto presente la brevità del possesso, facendo pervenire al re, a Barcellona, un donativo di cinquemila salme di frumento. Così Montelusa ricadde nella condizione di città baronale e dal quinto luogo che ella occupava nei parlamenti nazionali fu vista balestrata nel trigesimo».

Ai più parse che per la prima volta nella vita sò monsignor Ballassàro Raina avesse sbagliato un affare. Vecchio e malandato com'era arridotto, per quanto tempo avrebbe potuto godersi la propietà dei due paìsi e del caricatore? Ma il pìspico Raina sapeva benissimo che il poco tempo che gli restava da campare era bastevole per quello che aveva in mente di fare per vendicarsi dell'affronto patito dai pidocchiosi di Montelusa.

Per prima cosa, fece arrestare i parrina che lui stimava traditori e li spedì a Palermo, al Tribunale dell'Inquisizione. Ma la carrozza, a poche centinara di metri dalla porta di tramontana, s'arrovesciò in un fosso. Toccando tirreno con violenza, patre Calcedonio Schirò, che stazzava centonovantasei chila, scoppiò come fa una zucca o un melone quando cade 'n terra. Tre parrina pigliarono il fujuto campagni campagni e non vennero mai più arritrovati. Inveci patre Palizio Intelisano, il divoto di San Calò che s'era rumputa una gamba, fu riportato a Montelusa.

In secundis, il pìspico vendette trecento picciotti di Montelusa al barone Titazio Agrò di Catellonisetta. Il barone Titazio sperava che un jorno o l'altro la siccità finisse: quando quell'èbica sarebbe arrivata, il costo della manodopera per la campagna se ne sarebbe acchianato alle stelle, abbisognava perciò fare incetta di vrazza a tempo debito.

Fatte accurate quanto sotterranee indagini, monsignor Raina venne a sapiri che ad impalare don Filippello di Roccalumèra era stato Calòrio Ficarra per fare minnitta dell'onore della figlia sò. Fattolo arrestare, il pìspico lo sottopose a un breve processo e lo condannò a morti. Calòrio venne legato all'inferriata di una finestra del secondo piano del palazzo pispicale e lì lassato a moriri di fame, di siti, di friddo. Ci mise sei jorna. Il catafero arrimase appiso che se lo mangiassero i carcarazzi e gli aipazzi. Dopo una decina di jorna furono pigliati quelli che avevano ammazzato il barone Bonifazio e la baronessa Uzènia e li avevano fatto abballare. Macari loro vennero processati, erano quattro, e ficiro la stessa morti di Calòrio Ficarra. Accussì i finestroni occupati dai cataferi addiventarono cinco. Sulla facciata c'erano ancora deci finestre vacanti, e la popolazioni se la sentiva pendere. Monsignor Ballassàro Raina era addeciso a ripagarsi picca a picca la spisa sostenuta per accattarsi Montelusa.

Capitò che la paglia principiò a pigliare foco da sola, senza che allato ci fosse fiamma. Campagna campagna si vedevano fumulizza che nascevano dal tirreno e ogni tanto qualche casina addrumava di colpo e non c'era nenti da fare, c'era solo d'aspittare che s'abbrusciasse tutta. Il paisaggio era oramà cangiato. Al posto degli àrboli, che si sfarinavano appena uno ci s'appoggiava col palmo della mano, ora spuntavano piante che prima si vedevano basse e stente sulla rina vicino al mare. Si chiamavano papelli, parevano fatte di stecchi morti di colore marrò scuro. Ora sorgevano alte e forti, l'uniche piante che parevano goderci della morte della terra. Una matina presto che si sapeva ch'era dicembrio non certo per acqua o vento, Zosimo vitti levarsi sulla trazzera il pruvulazzo, la polvere, che inevitabilmente si produceva quanno uno caminava. Mastro Girlando, che a Montelusa non ci poteva tornare, diciva che facivano pruvulazzo macari le formicole superstiti quanno si movevano sul tirreno. Doppo tanticchia, Zosimo non vitti più le nuvolette di polvere, signo che l'omo che caminava s'era fermato per arriposarsi. La trazzera, rispetto al posto dove s'attrova-

225

va Zosimo, arrisultava incassata, più vascia, e perciò il picciotto non arrinisciva a vidiri la persona sulla strata. Aspettò a longo, ma il pruvulazzo non si levò più. Allora pinsò che la criatura, màscolo o fìmmina che fosse, forse non ce la faceva ad andare avanti, la stanchizza capace che la stava ammazzando. Cataminarsi era addivintata cosa difficoltevole, macari per la genti che ancora aveva relativa bona salute. Quanno arrivò sulla trazzera, non c'era anima viva, il pruvulazzo era ricaduto, non si moveva paglia. Ai due lati della trazzera ci stavano ora filara di papelli, àuti quanto un omo, d'un colore marrò malato. Zosimo taliò e ritaliò e si fece persuaso che doveva essiri stato un quarche armàlo a sollevare la polvere ed ora andato ad ammucciarsi chissà dove. Nel mumentu in cui stava per voltare le spalle e tornarsene, vitti una cosa che l'atterrì, facendogli arrivare una specie di lama fridda tra le scapole. S'apparalizzò e poi taliò nuovamente, immobile, senza voltare la testa. Era vero, quanto incredibile. Alla pianta di papello più vicina a lui erano spuntati una para d'occhi che lo fissavano. In preda allo spavento, voleva fare voci ma non ci arrinesciva, saltò all'indietro, incespicò in un masso, cadì. Subito una nuvola di pruvulazzo si raprì torno a lui, in qualche modo l'arriparò nascondendogli per un momento la vista di quegli occhi enormi, scuri scuri, che gli era parso non avessero ciglia. Trovò la forza di mettersi assittato, non di susirisi, aspettando che la polvere ricadesse.

Gli occhi c'erano sempre, ma non erano della pianta di papello. Appartenevano a un picciliddro di manco cinco anni, nudo, la pelle dello stesso colore del papello, cotta dal sole e sutta la pelle si vidiva netto il bianco delle ossa. Aveva la testa granni, senza capelli, e nella testa quei spavintosi occhi tutti tirati in avanti che a momenti sporgevano più del naso.

«Chi sei?» spiò Zosimo articolando appena.

Il picciliddro raprì la vucca per rispondere, ma non fece sono, si vittiro i denti bianchissimi tra le labbra secche secche e tirate che pareva arridessero. La lingua era marrò, tutta spaccata. Zosimo capì che il picciliddro non aveva manco la forza di parlari, si teneva addritta solo perché s'era infilato in mezzo agli stecchi del papello che lo sorreggevano. Se non fosse stato per gli occhi, di lui Zosimo non si sarebbe mai addunato, l'avrebbe scangiato per rami più grossi di quella pianta maligna. Stava morendo di fame, forse macari di sete. Si susì di scatto, currì alla disperata verso casa, pigliò un pugno di mollica di pane e un bùmmolo d'acqua, tornò sulla trazzera. Di primo acchito non vitti più il picciliddro, ebbe scanto d'avere sbagliato loco. Invece, taliando meglio, scoprì che stava ancora dintra la pianta, ma aveva inserrato gli occhi. S'avvicinò adascio adascio, quasi a paura che il suo movimento potesse fare addiventare quel corpicino sfarinato, lo toccò con mano leggia. Era morto. Nello spasimo dell'agonia, i pedi della creatura s'erano come interrati nella polvere, erano radici, così come veri e propri rami erano addiventate le vrazza. La testa, senza più la luce degli occhi, s'era ripiegata sul petto e pareva un bulbo della pianta istissa.

Il primo istinto di Zosimo fu quello di districarlo dal papello per dargli seppellimento, ma appena gli fece forza su un braccino per ripiegarlo sentì l'orrendo e secco rumore dell'ossicino che si spezzava. Allora addecise di lasciarlo accussì come stava, nessuno oramà ci poteva fare offisa, òmini e vestie di passaggio l'avrebbero considerato un arboscello insiccato che se ne tornava alla terra.

«Ciò che è morto si dissecca». Si sentiva la testa intronata per tutto il vino che aveva vivuto e che continuava a viviri dal bùmmolo che lo teneva fresco. Voleva stordirsi, farsi venire il sonno, levarsi dalla testa in un modo o nell'altro l'immagine del picciliddro asciucato dall'arsura. Non solo non ci arriniscìva, ma quelle parole, «ciò che è morto si dissecca», gli firriavano nella mente come un moscone dintra un bicchiere. Dove l'aveva leggiùte? Cominciò a cercare tra i suoi libra, che oramà erano più assà di un centinaro. Sfogliò lo *Speculum quadruplex* di Vincenzo De Beauvais, stampato in Vinegia nel 1624, quello che principiava: «Natura dicit dupliciter: uno modo natura naturans, id est ipsa summa naturae lex quae Deus est, aliter vero natura naturata».

Taliò pagina darrè pagina, ma le parole che l'assillavano non c'erano. Allora pigliò in mano il libro che sapeva proibito, quello che aveva cagionato al suo autore, accusato d'empietà, un processo per stregoneria: *Magiae naturalis sive de miraculis rerum naturalium libri IV*, stampato a Napoli nel 1558. I quattro libri di Giambattista Della Porta erano appartenuti, come arrisultava dalla firma, al canonico monsignor Evaristo Pottino, il quale aveva fittamente scritto le sue osservazioni a margine d'ogni foglio. I quattro libra facevano parte della racquisizione che Zosimo aveva fatto nel palazzo pispicale. E propio nei pinsèri che monsignor Pottino aveva annotato nel terzo libro, dove Della Porta parlava di Talete e della scuola di Mileto, Zosimo finalmente trovò quello che cercava. Però non s'accontentò, continuò a leggiri. E a un certo momento, quanno finì, ebbe chiaro in testa quello che doviva fare, una cosa semplici e naturali, come mai non ci aveva pinsato prima? Ma quello che doviva fare, dipendeva dalla sapienzia del libro o era il risultato del fumulizzo che il vino gli aveva fatto arrivare al ciriveddro?

In un angolo della sò càmmara c'era una gistra di saggina, la riempì di libra, se la carricò sulle spalle, la portò fora. La luna faceva jorno, la terra aveva un riflesso rossastro, di cosa combusta. Scegliette con attenzione il posto, lo trovò nello sterrato torno torno il pozzo, dove non c'era nenti che potesse àrdiri. Svotò 'n terra la gistra, tornò alla càmmara, la riempì nuovamente, la risvotò. Dovette fare una decina di viaggi prima che tutti i libra fossero portati fora.

(«Se l'acqua può trasformarsi in tutte le cose, tutte le cose possono trasformarsi in acqua?» s'era addimandato monsignor Pottino).

Considerò tanticchia, solo tanticchia, il munzeddro, il mucchio di pagine stampate sulle quali aveva passato le notti della sua gioventù, assitato di accanosciri sempre più cose. Doppo, senza esitare, ci desi foco con l'acciarino. Le fiamme, a causa di tutta quell'asciuttizza, si levarono alte in un biz.

(«Bisogna riuscire a trasformare la materia in vapore. Il tremolar del vapore è forse il signo del principio della mutazione?» s'era spiato ancora monsignor Pottino).

E difatto picca a picca la casa, la campagna, gli àrboli superstiti accominciarono a tremoliare sotto gli occhi di Zosimo, pareva abballassero.

Doppo un poco il ballo si fece sempre più veloce, tanto veloce che la casa, la campagna, gli àrboli principiarono a scomporsi come se una forbici invisibile e gigantesca li tagliasse pezzo a pezzo. Il fumo che nisciva dalla gran vampata acchianava, per faglianza di ventu, dritto in cielo, non si spandeva, assomigliava a una zaccuràfa, un ago per sacchi, che s'allungava sempre di più e puntava come se volesse spirtusare l'istissa luna. A un certo punto Zosimo non la vitti più la cima della zaccuràfa, oramà era addiventata troppo àuta, troppo distanti nel cielo.

Aspettò che tutti i libra s'abbrusciassero fino all'ultima pagina, addivintassero cenere biancastra. E su questa ittò, per precauzione, due cati d'acqua pigliata dal pozzo.

Dormiva da un due ore quanno l'arrisbigliò un rumore che non sentiva da tre anni. S'avvicinò alla finestra scosso da un brivido di friddo. Pioveva a redini stise, chioviva a tinchitè.

Capitolo settimo

Mallìtta sia sempri donna Filotea Tatafiore marchisa di Valle Zuccàta! Mallìtta issa e tutta la sò fitente razza! Questa fìmmina ambiziosa, pittata nella faccia che pareva una pupazza, con le natiche che ci facevano rollio e beccheggio, dal momento in cui si maritò con don Francisco Vanasco y Sepùlveda, marchese de la Sierra Perdida e primo consigliere del Viceré, parse che perse la testa: al mondo nenti c'era di prizioso, abito, mobile, gioiello, che agli occhi sò abbastasse di priziosità, non c'era cosa valorosa che quel poviro cornuto di marito (mezza Palermo màscola ci aveva inzuppato il pane con donna Filotea) portasse in casa che la mogliere ci dava la soddisfazioni di un minimo gesto di gradimento, nenti, sempre la bocca storceva schifata, come se avesse avuto sotto il naso, rispetto parlanno, una cacata puzzolentissima.

Un giorno donna Filotea amminchiò malamente che voleva accattato un tappito arabo, grande squasi quanto un feudo, che aveva viduto nel salone di donna Libertina Carcavento, duchessa di Calamonaci. Don Francisco scatenò alla cerca i servi per tutta Palermo nobile, ma ammàtula la sera s'arricampava con tappita sempre diversi; la marchisa, appena li taliava srotolati, faceva la bocca storta, non era quello, no e poi no, e correva a inserrarsi nel suo appartamento. Alla porta del quale aveva voglia di tuppiare la notti quanno gli veniva il firticchio di secolei giacersi (tra le pirsòne di nobile ceto si dice accussì per fottere, ficcare): per don Francisco la porta restava inesorabilmente chiusa e di conseguenzia restava macari chiusa la cosiddetta di donna Filotea. Non solo, ma ogni matina che Dio mandava in terra, la marchisa trovava una scascione per armare catùnio, faceva voci, rompeva vasi, strazzava tende.

Il marchisi era dispirato, non sapeva più dove andare a sbattere le corna, solamente un miracolo poteva tirarlo a salvamento. Datosi che la chiesa di San Francesco aveva bisogno di grandi riparazioni, fece sullenni promissa di accollarsi tutte le spese se il santo gli faceva la grazia. La notti istessa s'assognò che, doppo un tirribile combattimento marino, veniva pigliato prigioniero dai turchi e venduto come schiavo. Senonché a un certo momento compariva un arabo a cavallo, lo faceva montare in sella e, arrivati nel deserto, gli diceva:

«Allah è grande e misericordioso! Vattene! Sei libero!».

S'arrisbigliò tutto sudato per lo spavento e diede la colpa di quel sogno alle sarde a beccafico che ne aveva mangiato una chilata e passa. Ma la matina, mentri si lavava, gli tórnò a mente il sogno e contemporaneamente s'arricordò che un mese avanti era stato catturato e incarzarato il pirata Ibn-abd-Mohammed, figlio di un figlio di un figlio di una figlia di Khair ad-Dìn, canosciuto meglio come Ariadeno Barbarossa, pirata celeberrimo e il meglio dei capitani della marina ottomana. San Francesco gli aveva insegnato la strata. Non perse tempo e andò a parlare col pirata a quattr'occhi. Com'è e come non è, una simanata doppo Ibn-abd-Mohammed inspiegabilmente scappava dal càrzaro, e tanti saluti e sono. Quattro mesi appresso una veloce galeotta tunisina approdava per un'ora a Trapani, il tempo di scarricare un rotolo di pezza alto quanto l'albero di maistra d'un bastimento: il pirata aveva mantenuto la parola, quello era il tappito giusto.

Il rotolo venne messo a deposito nel magazzeno di fave di don Filippo Carruvias, in attesa che don Francisco, prontamente avvisato, mandasse qualcuno a ritirarlo. Quanno i servitori arrivarono da Palermo, il tappito non esisteva più, era stato fatto abbrusciare da don Filippo Carruvias in pirsona. Difatto, manco cinco jorna che il rotolo stazionava nel magazzeno, che caddero malati prima quattro lavoranti, poi tre carrettieri, appresso sette spalloni portuali. Il foco incenerì il tappito, don Filippo Carruvias ci aveva visto giusto sull'origine della malatìa, ma non bastò per ardere macari il contagio. Tanto più che il medico fisico Parenzio Filippodi s'era attestato sulla piniòne che non di peste si trattava, come sosteneva don Filippo, ma di semplice febbre paludosa.

Don Francisco Vanasco y Sepùlveda, avvertito dai servi tornati da Trapani, a scarrico di coscienza comunicò la facenna del tappito contagioso alla Consulta di Sanità. La Consulta ci mise otto jorna a decidere di mandare a Trapani il protofisico Agostino Tallarita per vedere di cosa si trattava. Il protofisico però non poté partire di subito, prima aveva da risolvere in tribunale la questione di suo genero che in mesi sei di matrimonio s'era mangiata ai dadi la dote della figlia.

«Così la lue inoppugnata» scrisse il notaro Alessandro Minzoni, storico vescovile girgentano «propagossi rapidamente in Trapani e in Montelusa. Le morti avvenivano con accidenti strani di spasimi, di palpitazioni, di letargo, di delirio, con quelle insegne funeste di lividi e di bubboni; morti per lo più celeri, violente, non di rado repentine, senza alcun indizio antecedente di malattia».

Il medico fisico Parenzio Filippodi, attaccato dal morbo, radunò allato al suo letto, sia pure a distanza debita, moglie, figli, nipoti e parenti fino al terzo grado.

«Qual è il male che m'ammazza?» spiò con un filo di voce.

Ci fu silenzio. Solo il secondogenito Peppuccio, notoriamente di testa limitata, s'azzardò a rispondere:

«La peste, padre».

«Ti diseredo, stronzo» fece il medico fisico. «Io muoio, sia chiaro a tutti, di febbre paludosa».

E spirò.

Tornato di prescia a Palermo doppo il sopralloco trapanese, il protofisico Agostino Tallarita fece la sua relazione davanti alla Consulta di Sanità al completo.

Espose minuziosamente i sintomi, citò alcuni casi particolari, emise la terribile sintenzia:

«Non havvi dubbio, trattasi di peste».

A quelle parole, don Francisco Vanasco y Sepùlveda, presente alla riunione in qualità di rappresentante del Viceré, aggiarniò. Se la malatìa veniva stabilita come peste, non c'era dubbio che agli occhi di tutti lui sarebbe stato tenuto per responsabile, dato che aveva detto la storia del tappito infetto. Taliò negli occhi il medico fisico don Sebastiano Tringali e questi si susì dallo scranno, pigliando la parola. Don Sebastiano, l'anno passato, era stato scartato come protofisico, il Senato gli aveva preferito Tallarita. La sera avanti la riunione, per parare il colpo eventuale, don Francisco gli aveva parlato chiaro: se si dimostrava che non si trattava di peste, Tallarita avrebbe dovuto dimettersi dall'incarico e al suo posto, coll'aiuto di don Francisco, don Sebastiano avrebbe avuto buone possibilità di subentrare.

«Ma come fa, dico come fa, mi domando come fa, l'illustre collega Tallarita ad affermare con tanta sicumera che trattasi di peste?» esordì, gelido e sfottente, don Sebastiano.

Parlò per due ore abbondanti, demolendo una doppo l'altra le argomentazioni del protofisico, e alla fine proclamò:

«Il morbo è, inoppugnabilmente, febbre paludosa».

Don Emanuele Lopìparo fu allora che scattò:

«Ma se dalle parti di Trapani non c'è una minchia di palude manco a pagarla a piso d'oro?».

Don Sebastiano fece un risolino di compatimento:

«Non sempre la febbre paludosa deriva dalle paludi».

E si lanciò in una dissertazione che durò un'altra orata. Alla fine della quale, si susì il protofisico. Era pallido, sudato, in preda a un trimolizzo febbrile. Raprì la bocca e la richiuse. Si passò una mano sulla faccia, trasse un profondo respiro.

«Colleghi illustri» principiò e non andò avanti, s'abbatté in mezzo all'emiciclo sbinuto. O almeno, sbinuto parse, ma non lo era per niente. I membri della Consulta gli si affollarono intorno per soccorrerlo, ma subito si ritrassero scantati. Don Agostino Tallarita era morto davanti ai loro occhi, ponendo fine alla dotta discussione.

Il primo a morire di peste, il giorno appresso, fu propio don Sebastiano Tringali.

Nell'arco d'una simanata, la malatìa abbatté a Palermo almeno millecinquecento persone d'ogni età e d'ogni ceto. La peste a Palermo non era trasuta, come di solito faciva, dalla lordìa delle strate, dai pozzi neri a cielo aperto, dalle casuzze fituse dentro le quali ci stavano, in un solo letto, patre, matre, tre figli e allato l'asino, la capra, il cani, la gatta. Nossignore, la peste era trasuta come una regina proprio in mezzo alla Consulta di Sanità e da lì si era partita per fare l'affare sò.

La morìa, però, non arrestò l'opira di patre Antonio Strazzera. Il parrino, armato di pala, pico e pacienza, da quattro mesi scavava dintra una catacomba interrata, in mezzo a ossa di morto e sorci di un metro, alla ricerca della tomba della Vergine Sempiterna che, secondo un'antica mappa, da quelle parti doveva trovarsi. Che sopra la sò testa avvampasse la peste, patre Strazzera non lo sapeva o se uno dei suoi aiutanti glielo aveva detto se n'era scordato, pigliato com'era dall'imprisa.

La Vergine Sempiterna di nome sò faceva Luchina Sinibaldi ed era campata trent'anni precisi. Quanno nell'859 gli arabi, chiamati in Sicilia dal traditore Eufemio da Messina, occuparono Enna, Luchina Sinibaldi era nasciuta da manco tre mesi. Già da picciliddra Luchina si distinse per la bontà d'animo: di famiglia agiata, rubava le proviste di casa per darle ai povirazzi. Macari da adolescente bellissima non cangiò carattere. Il padre voleva maritarla, ma lei arrefutò dicendo che aveva fatto voto al Signore di restare sempre vergine. Quanno, nell'881 frate Elia si ribellò agli arabi e, organizzato un esercito, li sconfisse a Caltavuturo, la vergine Sinibaldi combatté allato a lui.

Ma fu vittoria di scarsa durata, gli arabi si ripigliarono Enna, frate Elia fu decapitato e Luchina Sinibaldi venne data a godimento di Omar ben Ibraim, che aveva domato la rivolta. Omar ben Ibraim lottò per due ore con Luchina Sinibaldi, ma quella resisteva con tutte le sue forze, si difendeva a calci e graffiuna, finché Omar, stremato, domandò aiuto al suo luogotenente Farid. In due ce la fecero a immobilizzarla e mentre Farid la teneva ferma, Omar fece l'offizio suo, ma con grande faticata la penetrò, la verginità di Luchina pareva protetta da cuoio spesso. La notte appresso, sempre aiutato da Farid, volle nuovamente godersela e con suo grande stupore constatò che Luchina Sinibaldi era tornata vergi-

ne, intatta, come se la sera avanti non fosse capitato niente. A farla breve, per deci notti di seguito Luchina venne deflorata e per deci notti di seguito tornò ad essiri
vergine. Stanco, Omar la passò al luogotenente Farid e
questi, dopo venti jorna, la passò a un suo aiutante. Otto mesi Luchina Sinibaldi venne tenuta nel campo arabo, patendo ogni notte la vrigogna. Riuscita miracolosamente a scappari, riparò a Palermo da una sua cugi-
na. Morì, naturalmente vergine, e in odore di santità.

Una matina (o era una notte? Patre Strazzera non
sapeva più contare il tempo) la tomba della Vergine
Sempiterna spuntò come per miracolo, col nome inci-
so sulla lastra di pietra. Il parrino, doppo essersi sfo-
gato per qualche tempo a chiangiri, sollevò la pisanti
lastra e recuperò le ossa. Granni fu la festa dei divoti a malgrado del lutto e della ruvina; la Vergine Sinibaldi venne portata in processioni dintra un'urna di
vitro. E, per dove passava, i malati sanavano. Sissignore, sanavano!

E fu così, per merito e per gloria della Vergine Sempiterna che la peste sparì da Palermo, come scantata
da quelle bianche ossa miracolose.

La novella della grazia che la Vergine Sempiterna aveva fatto ai palermitani si sparse più veloce del contagio. Ogni jorno s'apprisentavano a patre Strazzera con-
fratelli, nobili, autorità dei paesi vicini e tutti con l'in-
tento d'ottenere un breve prestito delle ossa miracolose, ma il parrino opponeva una decisa negativa:

«Mancu si cala Diu in terra».

I maggiorenti della citate di Enna invece la pensarono giusta, da patre Strazzera non si fecero manco vidiri, inviarono due messi, uno al Cardinale e l'altro al Senato. Il messo mandato al Cardinale era il notaro Perguso Lagùmina, omo di sottile ingegno e di raffinata parola. Questi sostenne che la Vergine Sempiterna doveva essere restituita a Enna, essendo là nata e avendo là patito l'oltraggio che aveva fatto nascere il fiore della sua beatitudine. Quindi si trattava di riavere il dovuto, e per questo Enna si sarebbe battuta, macari arrivando davanti al Papa e allo stesso Re di Spagna. Sarebbe stata quistione lunga e forse per qualcuno dolorosa, ad evitare la quale, ma in linea del tutto subordinata, gli ennesi chiedevano che le ossa, per un mese almeno, venissero loro cedute, dietro regolare atto di ricevuta e d'impegno. Il messo mandato al Senato era Bartolomè Chinnìci, commerciante, omo di potenti statura e di carattere malo. Questi, al Senato in gran completo, disse conciso:

«Se non ci fate avere subito queste quattro ossa, vi assicuro che voi palermitani potete andare a pigliarvelo nel culo».

E tacque. La sopravvivenza della citati di Palermo si basava in gran parte sul frumento che accattava ad Enna. Bartolomè Chinnìci sapeva di che stava parlando e macari il Senato lo sapeva: la Conca d'oro aranci e mandarini produceva e si può campare mangianno aranci e mandarini?

Il Senato e il Cardinale si parlarono. In conclusione, durante la notti, quattro anime dannate e sacrileghe trasirono nella chiesa, legarono mani e pedi a patre Strazzera, stordirono con una botta in testa l'omo armato di guardia davanti all'urna, se la pigliarono e via. All'arba, Bartolomè Chinnìci e Perguso Lagùmina viaggiavano in carrozza verso Enna con le ossa della Vergine Sempiterna coperte da un manto cilestre.

Partendosi dal punto più alto della citate, il Castello di Lummardì, le ossa, in processioni sullenne, passarono per tutte le strate e le viuzze di Enna. Non successe nenti. Allora rifecero la processione partendosi dalla Rocca di Cerere: nenti, nemmeno questa volta. Sempre più velocemente, le ossa della Vergine Sempiterna andarono da nord a sud e da sud a nord, da est ad ovest e da ovest ad est: nenti di nenti, chi era malato moriva e chi era morto morto restava. Gli ennesi cominciarono a sentirsi offisi; qualichiduno, più testa cavuda degli altri, avanzò il sospetto che doppo la deflorazione da parte di Omar Luchina Sinibaldi non solo non fosse mai tornata vergine, ma che al campo turco c'era stata otto mesi per gusto sò. Andò a finire che la decima processione si fermò in mezzo a una strata, la genti se ne tornò a casa e l'urna rimase abbandonata ai cani. Fu allora che Bartolomè Chinnìci ebbe l'idea di pigliarla e di affittarla a quelli di Calascibetta a prezzo altissimo. I calascibettesi abboccarono, ma le ossa della Vergine Sempiterna manco lì si degnarono. In capo a quinnici jorna l'urna venne riconsegnata al Senato palermitano. Il Cardinale, a scanso d'altre camurrìe, quali intimidazioni, ricatti, suppliche, tenne un'omelia il cui sugo era che il fatto di Enna e quello di Calascibetta dimostravano inconfutabilmente la non trasferibilità del miracolo da un paese all'altro, ergo ogni comune andasse a cercarsi i morti suoi.

Fu un gran fiorire di scavi, mentre le pirsune continuavano a moriri come mosche. E capitarono macari cose curiose. Al pàisi di Vallestretta non c'era mai stato manco un beato, a memoria d'omo e di libro. Ma una domenica il parroco, patre Aldanio Pepe, predicò in chiesa che durante la notte gli era apparso un vecchiu, con la varba bianca lunga lunga tanto da fargli tre giri intorno al collo, che gli aveva detto:

«Ah! Citati scanoscenti e smimoriata! Io sono il quasi santo Servazio! Pirchì non v'arricordate di mia?».

Alla cerca del quasi santo Servazio si buttarono tutti quelli che ancora si reggevano in pedi. Scava che ti scava, le ossa vennero trovate propio sutta la chiesa e portate in processione. Di subito, i trecento malati di Vallestretta si susirono e s'accodarono festanti. Ma patre Aldanio, un anno appresso, si spogliò da parrino e si mise con una buttana. Il fatto è che lui sapeva benissimo che il quasi santo Servazio non era mai esistito, aveva livato delle ossa dalla vecchia tomba di un briganti assassino e le aveva messe sotto la chiesa per farle trovare dai suoi parrocciani. Voleva dare loro almeno l'illusione della salvezza e invece la salvezza c'era stata davero. Solo che lui, pirsonalmente, s'era perso. Altra vicenda stramma fu quella che capitò nei pàisi di Panastra, Milici e Jannicò che squasi tra di loro si toccavano, stavano l'uno a ridosso dell'altro. In quei paraggi aveva vissuto ed era morta la beata vergine Pulcheria. Quelli di Panastra si misero subito a scavare, mossi non solo dal desiderio di abbattere la malatìa ma anche dall'ambizione d'avere macari loro una vergine in qualiche modo all'altezza della palermitana Sempiterna.

Ci misero tre jorna e tre notti, ma alla fine trovarono la tomba e le relative ossa. Non fecero in tempo a organizzare la processioni che quelli di Milici ne scopersero un'altra, identica a quella di Panastra e macari essa con l'ossa. Con mezza jurnata di ritardo pure quelli di Jannicò rinvennero tomba e ossa. Possibile che la vergine Pulcheria fosse una e trina? Ogni paese portò la sua beata Pulcheria in processione, ma non capitò nenti in ognuno dei paìsi. Forse che la beata non voleva fare torto a gnisciuno? Questa l'ipotesi che ebbe la meglio, ma da quel giorno in poi i panastresi, i miliciani e i jannicolesi si taliarono di malocchio e non mancarono le coltellate.

La gnà Pina Spicuzza, che fino alla quarantina l'aveva data a chi gliela addimannava, e macari a chi richiesta non aveva fatta, una notte s'insognò San Libertino martire, primo pìscopo di Montelusa.

«Pentiti!» gli fece San Libertino martire taliandola con occhi di foco. «Pentiti della tua vita scillirata!».

La gnà Pina, che aveva ancora il ganzo allato che dormiva alla saporita, con una pidata gettò l'omo fora dal letto e si precipitò a confessarsi. Da quella volta erano passati vent'anni e una notti ogni quinnici jorna San Libertino le compariva puntuale nel sonno e le diceva come doveva comportarsi nell'esistenzia, macari per le più minute cose, se vendere le ova alla vicina, se mangiari il giorno appresso cìciri o fave. Poteva mancari di compariri San Libertino per darle consigli in occasione della pestilenzia? Non poteva, e difatto non mancò.

«Le mie ossa» le fece «giacciono sottoterra nel piano degli zingari, vicino alla chiesa di San Michele. Scavate. Vi verrà un gran bene».

I montelusani, come scrisse lo storico Minzoni, «saputo il sogno della pia pentita, corsero alla piazzetta nomata appunto degli zingari, muniti di vanghe e picconi, e scavarono nel nome della speranza, con fervore pregarono, piansero, ma non rinvennero nulla, nemmeno sotto la chiesetta di San Michele che completamente distrussero con le bell'opere d'arte in essa contenute».

Non mancò la solita malalingua la quale sostenne che il sogno della pia gnà Pina era stato vero, in malafede essendo San Libertino il quale, non avendo mai potuto soffrire San Michele, aveva profittato dell'occasione per farne scomparire la chiesa.

Parse del tutto persa la spiranza di trovare un osso, quanno la scarsa gente che s'azzardava a caminare strati strati vitti un jorno comparire davanti alla Catidrali un omo sicco sicco, squasi uno scheletro, di varba e capilli bianchi, alto ma piegato in due dal peso della gran croci che portava sulla spaddra di dritta. Tano Bellanca l'arraccanuscì per primo, e si mise a fare voci:

«È patre Uhù! Tornò patre Uhù!».

Tutti oramà lo credevano morto, non si avevano più

sue notizie dal primo anno di siccitate, vale a dire cinco anni avanti. L'assillarono di domande. Com'era sopravvissuto alla carestia? Perché non era stato più veduto a combattere contro i diavoli e i fantasimi?

Spiegò, assittato 'n terra, che s'era salvato dalla siccitate e dalla carestia inserrandosi nella seconda grotta, quella con l'acqua che lui usava per vattiare la genti. Mai l'acqua era mancata, magari se era diventata profunna solo mezzo dito e lui s'era nutrito di muschio, rane e vermi. Ma il momento più spaventoso l'aveva passato una matina che, arrisbigliandosi, aveva visto che torno torno al laghetto erano spuntate troffe di cicoria, testuzze di cavolifiore, filame di sparaci.

«E che c'era di tanto spavintoso?» spiò incauta una fìmmina.

«Era opira di Belial, il nimico mio!» gridò patre Uhù con una vociata tale che le pirsune che la sentirono scapparono scantate.

Quanno lo spavento passò, la genti si radunò novamenti, e s'era raddoppiata. Patre Uhù ripigliò dicenno che difatto, spruzzatavi tanticchia d'acqua biniditta, quelle piante s'erano di colpo siccate. Poi si susì, appoggiandosi alla croce, isò un vrazzo e disse:

«Sono venuto a salvare la citati di Montelusa dalla pesti! Passate la voci! Tutti quelli che ponno, qui, stasira, all'avimmaria!». E sinni trasì nella Catidrali.

Saputo il ritorno di patre Uhù, furono propio i malati, macari quelli che non c'era più speranzia, a insistere con mogli, mariti, figli, figlie, patri, matri, perché andassero alla chiamata del parrino, arricordandosi della sua lunga guerra contro il male, diavolo o malatìa che fosse.

Le campani finirono di sonare l'avimmaria e il portone della Catidrali restò chiuso. La genti, ch'era tanta, pigliava chiossà di tre quarti di piazza, principiò a murmuriari. Pirchì quel ritardo? Vuoi vidiri che si trattava di una pigliata pi fissa? A un tratto si raprì il balcone della casa piscopale e su d'esso apparse monsignor Balduccio Principato, il novo pìspico succeduto a monsignor Traina che, se Dio vuole, i diavoli se l'erano venuti a pigliare otto mesi prima. Questo pìspico pareva omo abbonazzato, pronto alla limosina, di fare cortise e attento.

«Miei amati fedeli!» parlò in un silenzio di tomba. «Forse il Signore Iddio vuole mostrare la sua magnanimità a noi peccatori! Padre Ugo Ferlito, che tutti voi conoscete…».

Scoppiarono applausi, pianti, vociate d'allegria, suppliche di benedizioni. Il pìspico impose il silenzio con un gesto.

«Padre Ugo Ferlito» ripigliò «si è sobbarcato a un lungo viaggio a piedi fino a Palermo per incontrarsi con un suo preclaro amico, frate Antonino Caruso, correttore del convento dei Minimi di quella città. Ebbene, egli è riuscito a convincere frate Caruso a prestargli un frammento d'osso di uno dei piedi di Santa Rosalia, nel convento gelosamente custodito. Eccolo!».

Come se fosse un omo solo, la folla crollò in ginocchio, congiunse divotamente le mani in atto di prighiera e levò gli occhi. Tutto quello che vide fu il pìspico fermo, col braccio di dritta isato, il pollice e l'indice della mano che si toccavano per le punte. Il frammento doveva essere minuscolo, la gente ci credette alla sua esistenzia solo per atto di fede.

«E per di più» continuò il pìspico «padre Ugo s'è fatto rilasciare un attestato di verità da me attentamente esaminato e che ho trovato autentico. EppercIÒ la santa domenica che viene tra quattro giorni, ci sarà in Cattedrale una Messa solenne da me officiata, quindi la santa reliquia sarà portata in processione. Passate parola, fatelo sapere a tutti, anche nei paesi a noi vicini».

«Vogliamo patre Uhù!» gridò uno. Centinaia di voci gli fecero eco, freneticamente.

«Patre Uhù! Patre Uhù!».

Il pìspico si voltò verso l'interno e fece 'nzinga. Patre Uhù apparse al balcone, impicciato dalla croce. L'accolse un'ovazione. Il parrino non disse niente. La faccia scavata, gli occhi sgriddrati, voltava di scatto la testa ora a dritta ora a mancina e pariva un grifagno aceddro rapace. Poi il pìspico impartì la binidizione e la genti se ne tornò a badare ai malati.

«Ma tu l'osso lo vidisti?» spiò Michele Ciotta per la decima volta alla mogliere. La fìmmina, che gli stava lavando le chiaghe, scattò nirbusa:

«Era troppo nico, ti dissi! Non si poteva vidiri! Che ti viene in mente, ora, che il pìspico fece solo tiatro?».

Michele Ciotta, che per tutta la vita non aveva fatto che tiatro, pigliando per il culo mezza Sicilia, preferì non raprire più bocca.

Margarita, la figlia di Santa Scimeni, ch'era fìmmina d'esperienzia, mentre le cangiava il linzòlo e le contava del pìspico, si fermò di parlare e poi si addimandò, dubitosa:

«Ma non avevano detto che i santi i miracoli li facevano solo nei paìsi loro? Che ci accucchia con noi Santa Rosalia che è la patrona di Palermo?».

«Appunto per questo, figlia mia, capace che stavolta mi salvo» ci arrispose la matre. «Pirchì, vidi, quei cornuti di palermitani a Santa Rosalia, la loro patrona, ci hanno preferito la Vergine Sempiterna. Santa Rosalia, per far vidiri che non è una pezza di piedi, vedrai che u miraculu lo fa, macari fora di Palermo, macari ni lu culu di lu diavulu».

Capitolo ottavo

Le abitudini di vita di patre Uhù, Zosimo l'accanusceva bene e perciò non ci perse tempo a dirigersi direttamente verso la piazza della Catidrali. Non passava anima criata, ancora faceva scuro, ma la jurnata s'apprisentava bona. Arrivato in piazza, si taliò attorno, senza smontare dal cavaddro. Lo vitti subito, dormiva aggomitolato, la croci abbracciata, sotto il porticato del palazzo pispicale. Scinnì, gli si avvicinò, lo taliò. Non se l'arricordava accussì, diventato tutto bianco di varba e capilli, e, cosa che non sarebbe parsa possibile, fatto ancora più sicco. Si calò, gli mise la mano sull'osso di una spalla – carne non se ne sentiva sotto le dita – e lo scutoliò leggero. Patre Uhù raprì gli occhi a lento a lento, che pareva faticasse, e quanno l'ebbe aperti Zosimo capì che il parrino non taliava nenti e nisciuno di vicino, pareva fosse distante miliuna d'anni, miliuna di miglia. Passò un'eternità prima che gli occhi di patre Uhù incontrassero quelli di Zosimo.

«Aspetta, non parlari, non dire nenti».

Zosimo obbedì, immobile sotto la taliata del parrino, ma non poteva fermare il sorriso di contentezza che gli si stava stampando sulla faccia.

«Tu sei una criatura mia» fece il parrino. Si susì adascio, appoggiò la croci a una colonna, raprì le vrazza.

«Veni ccà, Zosimu».

«Patre» disse Zosimo e l'abbracciò. Patre Uhù barcollò sotto la stretta di quel picciotto stacciuto, tutto muscoli.

«Quanti anni hai, ora?».

«Diciassette ne feci».

«Tempu di mogliere. Ce l'hai?».

«Nonsi, patre, non ho manco la zita».

«Male fai, figlio mio. Provèdi, di prescia».

«Sissi. Patre Uhù, io haiu bisognu...».

«Qualisiasi cosa che posso, figlio mio».

«Ho nicissità che vossia, stamatina istissa, mi fa parlari col pìspico, no con un segretario sò, ma con lui istisso, di pirsuna. È cosa seria assà, altrimenti non mi sarei mai primisso di daricci questo disturbo».

Il picciotto che gli stava davanti era un viddrano, non c'era da dubitarne: il vestito, il corpo robusto, la faccia cotta dal sole, le mani piene di calli. Ma gli occhi? Parevano appartenere a un'altra persona, stonavano in quel viso, erano neri, profondi, la pupilla sparluccicante di lampi d'intelligenza, non di latrigna furberia. Tra l'altro, non pareva per niente impacciato di trovarsi alla sua presenza.

«Eccillenza» fece il picciotto calando per un attimo il ginocchio destro e di subito rialzandosi «mi sento addebbitato per la vostra benevolenzia».

«Quanti anni avete?».

«Diciassette, eccillenza».

«Ne dimostrate di più. Ditemi, parlate pure».

Zosimo taliò il segretario del pìscopo che gli stava allato.

Monsignor Balduccio Principato capì al volo quella taliata.

«Volete usarmi la cortesia di lasciarmi solo con questo giovane?» fece rivolto al segretario, che se ne niscì isando le spalle, sdignato e sdignoso.

«Ditemi pure, vi ascolto. Padre Ferlito m'ha detto che si tratta di una cosa seria».

«Serissima, eccillenza».

«Allora, coraggio».

«Il fatto è che ce ne vuole tanto di coraggio, per dirvi quello che devo dirvi».

Monsignor Principato sorrise leggero.

«Figliolo mio, sono quarant'anni che confesso. Le cose più atroci, i delitti più bestiali, le azioni più impure che l'uomo possa concepire e fare, mi sono state dette tutte. Queste orecchie hanno sentito la voce più profonda dell'inferno. Parlate dunque, senza timore. Volete che ci mettiamo nel confessionale?».

«Non si tratta di piccati, eccillenza. Haiu scanto che quello che dico voscenza possa pigliarlo come offisa, come mancanza di rispetto».

«La vostra intenzione è quella di mancarmi di rispetto?».

«Nonsi, eccillenza, ci lo giuro».

«Allora dite liberamente, è l'intenzione che conta».

Zosimo tirò un respiro che gli allargò il petto.

«Eccillenza, la santa Missa di domani in Catidrali non deve essere fatta».

Monsignor Principato s'imparpagliò, s'era aspettato altre parole.

«State dicendomi che domani non devo officiare la Messa solenne in Cattedrale?» domandò strammato.

«Propio accussì, eccillenza».

«E perché non dovrei?».

«Pirchì...».

Zosimo si fermò, ora veniva il difficile.

«Eccillenza, voi lo sapete che una sissantina d'anni passati, ci fu un'altra tirribili pesti?».

«Lo so. E a voi ve l'ha raccontato vostro nonno?».

«Nonsi, eccillenza. L'ho leggiùto».

«Sapete leggere?» spiò meravigliato il pìspico.

«Sissi, eccillenza. Nel libro che allora scrisse il medico fisico Angelo Bartolino...».

«Ma è scritto in latino!».

Zosimo non arrisponnì, si vrigognava dello stupore del pìspico.

«Latinum studuisti? Legere scisne? Etne etiam loqui?».

Zosimo allargò le vrazza rassegnato.

«Vir excellentissimus, latinum legere et loqui scio».

Monsignor Principato lo taliava con l'occhio sbarracato.

«Vai avanti, parla» fece passando al tu.

«Ecco, nel libro che Angelo Bartolino scrisse doppo la pesti, c'è quel passo che accomencia: jam enim pestis contagio...».

Parlò al pìspico a core aperto, per un'ora filata. Gli disse come, a parere di Angelo Bartolino, che nella sua qualità di medico fisico aveva visto migliaia di casi di pesti, il contagio si diffondeva soprattutto attraverso il contatto fisico delle persone; rammentò decine e decine di fatti osservati: macari a Messina, dove la malatìa quella volta era comparsa, la genti s'era radunata nella chiesa di santo Stefano per prigare, erano tricento fedeli e doppo due jorna erano tutti infettati a morte. Quanno finì, era vagnato di sudore. Monsignor Principato non parlò subito, andò alla finestra da dove la luce del jorno faceva la prima comparsa.

«Il tuo parlare forse è giusto» disse doppo un lungo silenzio «ma ha un difetto. Non c'è Dio».

Taliò fisso il picciotto.

«Tu credi in Dio?».

«Certi jorna sì e certi jorna no» fece con tutta sincerità Zosimo. Aveva capito che con quel pìspico si poteva arraggiunare.

«Ci manca Dio nel tuo ragionamento, il Suo imperscrutabile Volere, la Sua imprevedibile Grazia. Lo sai che a Palermo, prima di portare in processione le ossa della Vergine Sinibaldi, padre Strazzera celebrò una Messa alla quale assistettero oltre mille persone e di quelle mille persone non ne morì nemmeno una?».

«A Voscenza ci piace lu jocu d'azzardo?» spiò Zosimo e se ne pentì subito perché vitti il pìspico scurarsi.

«Lo sai che ha detto sant'Agostino?».

«Sant'Austinu disse tante cosi».

«Disse: credo ut intelligam...».

252

«... intelligo ut credam» concluse Zosimo.

«Esattamente, figlio mio. Intelligere senza credere porta solo al vuoto. Tu hai letto molti libri?».

«Sissi, tanti».

«Dove li tieni?».

«L'abbrusciai, tutti. Ma il loro fumulizzo m'è trasuto nel core, nei polmoni, nel ciriveddro. E ci è rimasto».

«Capisco» fece il pìspico e taliando fermo negli occhi Zosimo, aggiunse:

«Domani mattina celebrerò la Santa Messa nella Cattedrale».

Zosimo, appena nisciuto, girò a mano manca e pigliò la stratuzza che c'era tra la casa pispicale e il convento delle monache. La stratuzza portava a una specie di viottolo, costeggiava la parte di darrè del pispicato che dava su uno sbalanco. Ritrovò la finestra dalla quale era trasuto al tempo di monsignor Raina; l'inferriata, come sempri, era solamente appujata. Taliò, non vide nisciuno nella càmmara. Sollevò la grata, la mise a terra, trasì. Si fece il corridoio che già accanusceva ma, invece d'acchianare al primo piano, proseguì. Trovò, come s'era immaginato, una porta. Era aperta, dava in un altro corridoio, scuroso, pieno d'umiditate. Se lo fece con le braccia avanti, come un cecato, non vedeva nenti. Le sue mani toccarono il legno d'un'altra porta. La spinse e si trovò dintra la Catidrali deserta. Di prescia tornò narrè, rimise l'inferriata al suo posto e pigliò a curriri verso la casa di Nenè Bonocore, figlio di Calàzio Bonocore, uno dei capi della rivolta contro il pìspico Raina, ammazzato a tradimento dagli òmini del marchisi Montaperto. Se Nenè, che all'èbica aveva unnici anni, era arrinisciuto a campare, lo doveva a Gisuè, il patre di Zosimo, il quali l'aveva tenuto come figlio. E Nenè, che ora era un picciotto di sidici anni, considerava Zosimo come e più di un fratello, per lui avrebbe dato la vita sò.

La Missa sullenne era stabilito che principiasse alle undici della matinata, ma già fino dalle otto la genti accominzò a stiparsi nella piazza. Non erano solo montelusani; cavaddra, scecchi, carretta stavano a fare tistimonianza che a migliara erano venuti e continuavano a venire dai pàisa circustanti. Il Capitano di giustizia aveva messo in servizio gli òmini sò e rinforzi stranei: le guardie stavano in fila davanti al portone della Catidrali che si sarebbe aperto solo mezz'ora avanti la funzione, accussì aveva pirsonalmente ordinato il pìspico. I nobili, i decurioni, i sinnaci dei pàisa vicini, arrivati in piazza con le carrozze, venivano fatti trasire nella casa pispicale dal portone di lato. Erano un centinaro, loro avrebbero assistito alla Missa dalla loggia ch'era capiente. Mancava una mezzorata alla rapritura del portone quanno una guardia disse a un compagno:

«Sento feto d'abbrusciato».

L'altro fece col naso come fanno i conigli.

«Veru è».

«Veni da dintra la Catidrali» disse prioccupata la prima guardia. Si taliarono e addeciséro d'avvertire il Capitano. Questi arrivò, impicciccò il naso vicino a un cardine, aspirò. Poi si voltò senza dire niente e corse a cercare il segretario del pìspico.

Mentre gli òmini del Capitano s'affannavano per astutare l'incendio, che non era cosa poi tanto gravi, le vampe s'erano mangiato mezzo altaro maggiore, il pìspico, affacciatosi, disse alla genti che nella Catidrali c'era stato il foco, la funzione la si sarebbe tenuta nella chiesa di San Girlando. S'era girato a metà per tornarsene dintra, quanno venne fermato da un'altissima vociata: «La chiesa di San Girlando pigliò foco! Foco pigliò!».

A Montelusa stavano bruciando, contemporaneamente, la Catidrali, la chiesa di san Girlando, quella di san Michele, quella dei santi Cosma e Damiano. Non bruciò la chiesa di san Calò, perché quello era un santo pricoloso, meglio non fargli torto o sgarbo. Ma era troppo poco capiente per le migliara di persune che avrebbero voluto assistere alla funzione. Il pìspico allora decise che avrebbe detto la Messa nella cappella privata, capace di un centinaro di fedeli, quanti erano suppergiù i notabili che già si trovavano a palazzo, doppo ci sarebbe stata regolarmente la processioni. Che intanto le guardie tenessero a bada la popolazioni che pareva tanticchia agitata.

Prima che la Missa principiasse, i giurati montelusani Andrea Delporto, Giovanni Gamez, Francesco Maria Montaperto e Marcello Trainìti, «prostrati» – come scrisse lo storico Picone – «innanzi l'altare del Santissimo, al cospetto del capitolo, ed a nome del popolo, solennemente abbandonavano i destini della città nelle mani di Dio». Poi il pìspico principiò, prigando il prigabile, cantando il cantabile, mentre tutti affumicavano nell'incenso. La cappella, al massimo, avrebbe potuto tenere cento pirsune: inveci ce n'erano duecento e passa; stipate come sarde, non potevano cataminare un braccio, inginocchiarsi era un problema. Finita la funzioni, spuntò una questione di cerimoniale: immediatamente darrè il pìspico, nella processioni, dovevano starci i nobili o i giurati? Si misero d'accordo dopo un'altra orata, sempri nella cappella. Mentre scendevano la scalonata che li avrebbe fatti arrivare al portone del palazzo pispicale, qualcuno sentì che le gambe gli si facevano di ricotta, un altro ebbe un giramento di testa, un altro ancora desi di stomaco. Il segretario del pìspico li tranquillizzò: erano stati in piedi troppo a lungo dintra la cappelletta assuffricante. Prima di nesciri sulla piazza dove la genti aspittava, si fermarono tanticchia, dare di passo li faticava. Niscirono e di colpo nella piazza si fece un silenzio strammato. In testa c'erano i nobili, com'era stato stabilito, ma a tutti parse che inveci che di nesciri dal palazzo pispicale, niscivano da una lurida taverna. Con le gambe trìnguli mìnguli, i corpi ondeggianti, si sostenevano addritta solo perché, istintivamente, s'erano pigliati tutti sottobraccio. Nello slargo aperto davanti a loro di sei passi, avanzarono in fila come ballerine d'un balletto e doppo tre passi caderono tutti in avanti, facciabocconi, Antenore Grò duca di Favagrossa, Angelo Tuttolomondo principe della Ricottella, Pasquale Dalli Cardillo duca della Favara, Mariano Passacanendolo barone di

Tripisciano, Paolo Arancio marchese di Terraverde, Massimo Filastò duca di Partanna. Appresso venivano i sinnaci, i decurioni, i giurati. Macari essi cadirono 'n terra, tutti, certo con minore stile e ordine dei nobili. Appena la genti si fece persuasa che non di vino si trattava, ma di peste, sinni scappò terrorizzata; in piazza non rimase più nisciuno, solo i morti, tutti, proprio tutti quelli che avevano assistito alla Missa nella cappella privata del pìspico.

La prima voci di popolo fu che u Signuruzzu, per fatti sò particolari, aveva pigliato a malo i montelusani e li voleva fare moriri come cani, per questo aveva fatto attaccare foco alle chiese, aveva impeduto persino che si facesse la processioni. E difatto, il jorno appresso, patre Uhù aveva pigliato la strata per Palermo, riportando l'osso del pedi di Santa Rosalia a chi glielo aveva 'mpristato.

Ma la sira, davanti alla putìa di vino di Conzo Palminteri, don Rinaldo Casacapone, ch'era omo di testa fina, ci arraggiunò sopra con qualche amico.

«Caro amico Calidònio» disse a quello tra i presenti che aveva sostenuto la piniòni che gli incendi fossero opra di Dio «si voi, putacaso, non voliti che vostra mogliere Sina vi prepari la pasta con le fave, voi che fate, abbrusciate la casa? La robba vostra? Nossignori, voi avete cento modi per persuadere vostra mogliere a non farvi la pasta con le fave. E se voi di modi ne avete cento, quanti ne ha il Signore santo prima di mettersi ad abbrusciare le chiese, che sono robba sò?».

«U Signuruzzu non abbrusciò nenti di nenti» fece Nenè Bonocore che patìva di lingua longa e che aveva inteso il discorso trovandosi a passare. «Òmini furono».

«E cu fu?» spiò prontamente don Rinaldo.

«Eh eh!» fece Nenè allontanandosi con l'ariata furba.

«Questo picciotto sapi qualichi cosa» disse don Rinaldo «mi ci joco i cugliuna».

Due sere appresso, nella putìa di Conzo, davanti al secondo litro di vino, davanti a sei pirsune, ma soprattutto davanti alle dimande sirpentose di don Rinaldo, Nenè sbracò e contò che a dare foco alle chiesi erano stati lui, Angilino Basilicò, Volpazio Cimarosa e Zosimo, che anzi aveva avuto lui la pinsàta.

«E pirchì?» spiò interessato don Rinaldo.

Nenè si provò a spiegare le ragioni: Zosimo aveva detto a loro che bisognava fare in modo che tutta quella genti non si trovassi riunita al coperto, il pericolo di contagio era granni assà. E aveva avuto ragione, tant'è vero che tutti quelli che erano stati nella cappella del pìspico erano morti. Di conseguenzia Zosimo aveva sarbato la vita, almeno provisoriamente, a chiossà di dumila pirsone.

«La cosa quatra» fece pinsoso don Rinaldo. «E Zosimo è picciotto di grannissimo ingegno. Uno che ha fatto piccato mortali per salvari la genti. Sicuramente u Signuruzzu ne terrà di conto».

Diversamenti la pinsò il Capitano di giustizia alle cui grecchie inevitabilmente la cosa arrivò. I tre picciotti montelusani vennero subito incarzarati, Zosimo fu pigliato vicino a la sò casa in campagna vicino a Vigàta, e meno male che nisciuno di famiglia lo vitti arristare, pirchì sò matre Filònia, arrisbigliandosi, non se l'era sentita di susirisi dal letto. E la cosa prioccupava assà a Zosimo.

Saputa tutta la vicenna, il pìspico mandò a chiamare il Capitano di giustizia. Si aspettava che monsignore lo ringraziasse per avere incarzarato i quattro, ma arristò deluso. Il pìspico fu friddo con lui.

«Io non intendo infierire. E voglio che anche la giustizia degli uomini si regoli così».

Il pìspico era bono e caro, lo sapivano tutti, ma era una testa firrigna, quanno diceva una cosa, quella doveva essiri.

«Farò accussì» disse il Capitano «lo tengo una decina di jorna in càrzaro e non lo porto davanti alla giustizia».

Ma non erano passati manco quattro jorna, che il Capitano, per il crescere della malatìa che a Montelusa faceva una decina di morti a jurnata, se ne scordò. Si scordò di Zosimo che stava solo dintra una specie di fosso chiuso in alto da sei sbarre di ferro e degli altri tre che invece stavano arriuniti nella stessa cella. Doppo un misi, il Capitano non ebbe assuffucienti òmini per badare a tutti i carzarati e mise in libertà i tre i quali, accridendosi che Zosimo fosse stato già liberato, sinni niscirono felici e cuntenti. Zosimo continuò la sò vita dintra il fosso, cinco metri sottoterra. A mezzojorno una guardia gli gettava, attraverso le sbarre, o pane e aulive, o pane e sardi, o pane e cacio. Per l'acqua, c'era un bùmmolo attaccato a una cordicella, che la guardia riempiva di tanto in tanto.

L'unico momento in cui Zosimo vedeva tanticchia di luci era quanno arrivava la guardia con una fiaccola in mano; per il resto del tempo, scuru fitto. Quella luci gli dava la possibilità di contare le jurnate.

Per non nesciri pazzo, teneva continuamente il ciriveddro in movimento, ora s'arripassava a memoria, metti caso, la vita di Santo Zosimo papa, quello che prima fu amico e doppo nemico di Pelagio e Celestio, ora si mittiva a fari complicate operazioni di matematica. L'importante era non lasciare un varco, la minima fessura, allo scoraggiamento. Da quanno stava nel fosso non gli era mai stata data la possibilità di darsi una lavata, i bisogni sò li faceva in un angolo dove, lo sentiva, andavano a pascersi sorci, vermi e scrafaglia. Se si curcava 'n terra, e lo doviva ogni tanto fare perché le gambe gli dolevano, questi armàli schifosi gli passiavano sulla faccia, sulle mani. Aveva le croste, doviva tenersi a forza per non grattarsi a sangue.

Il peggio venne quanno si fece persuaso che da troppo tempo non era arrivata la luce della fiaccola. Per un attimo, lo pigliò lo scanto d'essere addiventato cieco. Costrinse la menti a ragionare, ma gli costò faticata e sudore: anche se fosse addiventato cieco, la guardia gli avrebbe lo stesso portato da mangiari quel tozzo di pane duro che doveva addifendere dai sorci. Non era che gli fosse venuta a mancare la vista, era la guardia che non gli aveva portato il mangiari. Di colpo, l'afferrò una fami lupigna e si spiò: se haiu tanto pititto, allora da quann'è che la guardia non viene? Volevano lassarlo moriri di fame? Non fu più capace di regolare il movimento del ciriveddro, pensieri guizzanti come bisce lampavano, si rompevano in mille schegge mancanti di senso. Un tremolizzo continuo gli scoteva il corpo, come quanno un omo sta morendo di friddo. E se la pesti era vinuta a pigliarselo macari in fondo a quel pozzo? Era malato, certo, e per questo la guardia non si faceva vidiri, per scanto del contagio. Nitida, precisa, dolorosa come una ferita di lama, ebbe la visione di un rondinone che volava a filo d'orizzonte in un cielo sireno. Le lacrime gli vagnarono la faccia, il petto; si abbandonò al chianto quasi con piaciri e fu propio in quel momento che vitti la luce. Gridò, con quanta aria aveva nel petto, ma non addimannava soccorso o aiuto, non era vociata di gioia, nenti, era un grido e basta. La luci si avvicinò, poi sentì spiare:

«Zosimo sei tu?».

Di subito, non ce la fece a raprire la bocca. Non aveva raccanosciuta la voci, ma era voci d'omo e tanto bastava.

Angelino Basalicò e Volpazio Cimarosa assà faticarono a tirare fora Zosimo dal fosso, non ce la faciva a stare addritta, cadeva da tutte le parti come un sacco vacante. Alla fine ce la fecero e allora principiarono a contargli come avivano fatto a trovarlo, e per l'eccitazione parlavano tutti e due 'nzemmula, squasicché Zosimo, che già capiva picca per come si trovava, capì solamente un quarto di quello che i suoi amici andavano dicendogli. Certi com'erano che macari lui fosse stato liberato dal Capitano di giustizia, non s'erano dati pinsèro: s'apprioccuparono quanno Nenè, tornato da Vigàta dove era andato a trovare Gisuè e donna Filònia, disse che Zosimo a la sò casa non s'era visto. Allora si misero a circarlo perfino campagne campagne, arrivarono fino alla casa dove ci stava don Aneto Purpigno – a proposito, Zò, lo saccio che ti addispiacirà, ma don Aneto è morto di pesti – e ogni volta era nottata persa e figlia fìmmina. Erano oramà senza spranze, che ad Angilino ci venne una dimanda:

«Ma semu sicuri che quel cornuto del Capitano di giustizia l'alliberò?».

Si pigliarono di coraggio e andarono allo steri. Di guardia non c'era nisciuno, ma si scantarono a trasiri. Chiamarono, e non ebbero risposta. Dato che avevano fatto trenta, vollero fari trentuno e andarono a tuppiare alla casa del Capitano. Alla finestra del primo piano s'affacciò una fìmmina la quali, mittendosi a chiangiri, arrisposi che le guardie erano tutte morte e che sò marito, il Capitano, stava morendo. Di corsa, tornarono narrè, trasirono nello steri deserto e si misero a cercari. Ecco come l'avevano libirato.

Appena fora, la luce del sole colpì tanto forte Zosimo da fargli serrare gli occhi e gli venne un dolore subitaneo darrè la testa. S'assittò sopra uno scalone e fece la prima dimanna:

«Sapiti cosa di mè patre e di mè matre?».

I due ebbero una leggera esitazione che Zosimo non notò, era troppo stordito.

«L'ultima volta che abbiamo visto Nenè, una quindicina di jorna passati, ci disse che stavano beni».

«C'è ancora la pesti?».

«Sì, continua».

«Non si è calmata?».

«No. Anzi».

Si susì affaticoso, caminare non poté, le gambe non arriniscivano ad andare una appresso all'altra, se la gamba dritta era avanti, quella mancina voleva starsene dov'era, impiccicata sul terreno, piegare le ginocchia non poteva.

«Ti accompagniamo» fece Volpazio «da solo non ci arrinesci».

«No, voglio stari sulu. V'arringrazio, se non era per voi due sarei morto di fame. Siete amici sulla verità. Tornerò presto a Montelusa e verrò a trovarvi. M'arraccomando, scansatevi dalla malatìa».

«Macari tu».

Si abbracciarono. Appujandosi ai muri, Zosimo ripigliò picca a picca l'uso delle gambe.

Un pedi leva e l'altro metti, finalimenti arrivò nella chiazzetta indovi ci stava mastru Girlando, lo scarparo che s'era maritato con Angelina, la soro di Filònia. Voleva darsi una rinfriscata e farsi dare un quatrupito, cavaddro o scecco o mulo, per andare dalle parti di Vigàta alla casa sò. Tuppiò e rituppiò, nisciuno gli aprì. Allora si mise a fari voci:

«Ohè, di casa!».

Nenti. Si taliò attorno. Non passava un cane, eppuro l'ùmmira diceva che il soli stava a mezzo del cielo, quasi a picco. Le case della chiazzetta erano tutte a un piano e Zosimo notò che porte e finestre del piano terra erano tutte murate. In quelle case non si poteva né trasiri né nesciri. Signo che erano tutti morti? O signo che gli abitanti s'erano inserrati dintra le case, macari con tanticchia di farina bastevole alla supravvivenzia, per non avere contatto con stranei?

«Ohè, Zosimo sono, c'è nisciuno?».

Fu come se avesse detto la parola magica. Due, tre finestrelle si raprirono, spuntarono teste d'òmini. Zosimo s'ammaravigliò, non sapeva che a Montelusa lo vantavano meglio di un paladino di Franza.

«Ah, Zosimo, tu sei?» fece uno. «Chi cerchi?».

«Cerco a mastru Girlando e a sò mogliere Angilina».

«Ah, Zosimo, m'addispiaci».

«Morirono?».

«Non lo saccio, ma una quinnicina di jorna passati se li portarono al lazzaronetto».

«E dove sta stu lazzaronetto?».

«Nella casa ch'era do marchisi Minacore».

La casa del marchisi Minacore se l'arricordava come una bella villa a tre piani, col jardino torno torno. Quanno ci arrivò davanti, pinsò d'aviri sbagliato, tanto la villa ci parse diversa. Il cancello granni, in ferro battuto, era stato levato e al posto del giardino c'erano solo petri e pruvulazzo. Niscì un carretto, uno teneva le retini, due òmini ci stavano sopra assittati, coi piedi pinnuluni.

«È questo il lazzaronetto?» spiò a quello con le retini.

«Questo è» disse l'omo e continuò la strata.

«Sapiti se ci sono mastro Girlando lo scarparo e sò mogliere Angilina?».

«Vattilli a circari» fu la risposta dell'omo.

Davanti alla bella scalonata della villa, ci stavano due carretti, uno vacante, l'altro che aveva sopra tre sacchi. Zosimo s'avvicinò. Non erano sacchi, erano malati ch'erano morti mentre li stavano portando al lazzaronetto. Zosimo sentì parlare e lamentiarsi. Ma le parole e i lamenti non venivano da un posto priciso del jardino. Poi capì che era la casa, la casa stissa che parlava. Dalle finestre, dai balconi, la casa faceva:

«Oh Signuruzzu aiutatemi! O Madonna biniditta! Oh San Caloriu misericordiusu, levami da questa pena! Oh Gesù beddru e santu, salvami, soccorrimi!».

E i lamenti della casa facevano:

«Staiu murennu! Ahi! Ahi! Che foco granni! Ahi! Ahi! Ahimè! Ahimè!».

Risoluto, Zosimo trasì dintra la casa che si lamentiava, dintra il dolori di quella casa.

A decine e decine, màscoli e fìmmine stavano 'n terra, nudi, la pelle piena di bubboni e pustole, in un feto terribili di marciume, di pus, di merda, di pisciazza. Nisciuno ci abbadava, non era un posto di cura, il lazzaronetto, ma un posto di morte. Le facce erano stravolte dalla sofferenza e dall'orrore, capì che mai e po' mai avrebbe potuto arriconoscere mastru Girlando e la zia Angilina. Eppure si fece lo stisso i tre piani, càmmara doppo càmmara, corridoio doppo corridoio.

Quanno niscì novamenti su quello ch'era stato il jardino, capì ch'era stato affortunato a starsene per mesi allo scuro dintra un fosso.

Arrivato a vista della sò casa, vitti la porta chiusa, le finestre macari, una sola aperta. Il tirreno era chiaramente abbannonato, nisciuno da tempo ci aveva abbadato. Sentì stringersi il core. Una voce disse:

«Fermo dove ti trovi. Se fai un passo ti sparo».

La voce veniva dall'unica finestra aperta.

«Zosimo sono» arriniscì a diri.

Sentì dalla casa viniri un grido di gioia, la porta venne aperta e Nenè Bonocore corse verso di lui, le braccia spalancate. Ma si fermò a un passo da Zosimo, lo taliò negli occhi.

«Tutti?» spiò Zosimo.

«Tutti» disse Nenè «stanno darrè la casa, sotto l'àrboli di nespole. Ci ho messo le croci. A loro ci ho badato fino all'ultimo, ma non sono arrinisciuto a salvarli, mi devi cridiri».

«Ti credo» fece Zosimo, assittandosi 'n terra.

Fu allora che vide, come se l'era immaginato in càrzaro, il volo di un rondinone a filo d'orizzonte nel cielo sereno: una visione nitida, precisa, dolorosa come una ferita di lama.

Capitolo nono

Abbacàtesi le ventate di peste, sotterrato chi era destino dovesse essere sotterrato, scampato invece chi era scritto dovesse scapottarsela, macari patre Uhù scomparse. Nisciuno lo vitti più con la sua croci sulle spalli, sempre più arso e spiritato, firriare campagne campagne ora a confortare un moribondo ora a vattiare un picciliddro ora a confessare a chi ne aveva il coraggio, perché le penitenze di patre Uhù non consistevano in patrinnostri e avimmarie, bensì in colpi di nerbo, schiaffi e cazzottoni che lui stesso somministrava.

Alle sempre più frequenti dimanne su dove fosse andato a finire il parrino, qualcuno cominciò a dare risposte. Uno disse che si era arritirato sopra la cima di Monte Losco a pregare per le decine di migliara di recenti morti di peste: patre Uhù avrebbe calcolato, così, a occhio e croce, che per salvare sì e no una mezza dozzina d'anime gli necessitavano almeno tre anni di preghiere. Un altro fece sapere che patre Uhù era addivintato tanto importante che il Papa se l'aveva chiamato a Roma e se lo portava sempre appresso. Una terza voce, che apparteneva a un commerciante di panni che pigliava la roba a Palermo e se l'andava a rivendere a Montelusa, disse che patre Uhù era stato visto dormiri stinnicchiato in terra con la croci allato davanti a una chiesa palermitana.

Il commerciante di panni era quello che aveva detto la cosa giusta.

Tornato nella sua grotta doppo la fine della peste, patre Uhù aveva deciso di farsi una parlatina con Zaleos, inteso macari Ayamoth o Belbezìn o Kuppureth, grande conte a capo di quarantasette legioni di diavolazzi. La specialità di Zaleos era quella di portare agli òmini carestie e pestilenze, sempre apparendo dalle acque a cavallo di un coccodrillo rosso e giallo. Patre Uhù per diciotto jornate s'annutrì solamenti di un pugno di cicoria cruda e di sei vermi: al diciannovesimo jorno, detta la formula, le acque della seconda grotta principiarono a ribollire come se ci si dovesse calare la pasta. Poi con un lampo che accecò il parrino e con una troniata che l'assordò, emerse Zaleos in groppa al suo coccodrillo.

Bellissimo, bionno come un angilo, sempre in corazza d'oro, tra tutti i capi legione, da Abigor a Zopar, passava per essere il più benevolo. Ma stavolta era chiaramente arraggiato.

«E che minchia!» fece. «Possibile che non si possa stare un momento in pace? Uno che mi chiama di qua, l'altro che mi chiama di là, e io devo curriri da un capo del mondo a quello inverso! Che vuoi?».

«Pirchì hai fatto viniri la pesti?».

«E tutti con la stissa stupita dimanda! Che sono, io, a decidere? Io servo sono, quello che mi dicono di fare, faccio».

«Chi te l'ordinò?».

«Uno più potente di mia».

«Dove si trova?».

«Cercatelo tra i simili a tia!».

E detto questo, novamente si calumò nell'acqua che si mise a friggere come oglio bollente.

Simili a tia, aveva detto Zaleos. Ma che veniva a significari? Che doveva cercare tra tutti gli òmini che caminavano sopra la faccia della terra? O forse il gran diavolo voleva assignificari che il capo satanasso, quello che dava gli ordini, s'ammucciava sotto la veste di un parrino o di un monaco?

Questa seconda strata gli parse la più giusta da fare. Accussì passo dopo passo arrivò a Palermo doppo venti jorna ch'era partito dalla grotta. Ogni matina s'apprisentava in una chiesa e lì stava, dalla prima messa al vespero, taliando tutti i parrini che celebravano i riti. Doppo venticinco chiese principiò a scoraggiarsi. Forse che Zaleos l'aveva voluto pigliare per il culo? La ventiseiesima non era una chiesa qualisisiasi, ma la Catidrali, dove Sua Cillenza Reverendissima il Cardinale Zabalèo Trombatore in pirsona avrebbe officiato un Te Deum sullenne di ringrazio per la fine della peste.

Appena che Zabalèo Trombatore trasì, coi paramenti d'oro e argento, la mitria in testa e il vastone in mano, preceduto da tre parrini che facevano dondolare i turiboli e seguito da cento chierichetti che cantavano, a malgrado che l'incenso avesse impregnato naso e polmoni dei circustanti, patre Uhù sentì fortissimo l'odore del sùlfaro. Per prima cosa taliò uno a uno i chierichetti, spissu il diavolo piglia la faccia dell'innocenza. Nenti. Ma il sciàuro dello zolfo si faceva sempre più forte. E a un tratto patre Uhù ebbe la rivelazione: era lui, propio Sua Cillenza Reverendissima Zabalèo Trombatore il principe maligno, Bael in pirsuna, il secondo in ordine gerarchico appresso a Satana. Facendo voci da pazzo e roteando la croci come Orlando la sua spata a Roncisvalle, patre Uhù si fece largo tra i fedeli atterriti e arrivato a faccia del Cardinale, puntandolo con un dito, disse:

«Tu!».

Fu l'unica cosa che arriniscì a dire. Deci, venti, trenta pirsone gli si gettarono di supra, lui cadde affacciabocconi e quelli principiarono a pigliarlo a cavuci, gli sputavano in testa.

Mentre se lo portavano via, patre Uhù arriniscì a taliari a Sua Eccellenza: Zabalèo Trombatore si era sollevata la faccia come se fosse stata una maschera e la teneva appoggiata sulla fronte. Sotto, c'era la vera faccia di Bael, nìvura come la pici, gli occhi di lava fumante, la bocca storta in un ghigno che metteva a luce i denti cavallini e gialli.

Il Capitano di giustizia pinsò subito che quell'essere macilento fosse un povirazzo nisciuto pazzo per la fame.

«Pirchì volevi assassinare a Sua Cillenza il Cardinale?».

«Ma quello non è il Cardinale, è Bael, principe dei diavoli».

«E tu come lo sai?» fece il Capitano che s'addivertiva.

«Perché io sono un parrino!».

Un prete? Allora la cosa poteva addiventare pericolosa. Il Capitano si fece pirsuaso che la meglio era lavarsene le mani. Ordinò che due guardie accompagnassero il parrino o quello che era, allo steri, il palazzo chiaramontano ch'era addiventato càrzaro e tribunale della Santa Inquisizione.

I giudici del Santo Offizio da qualche tempo pativano d'astinenza, el empedimiento della peste li aveva costretti a non trabajar con la diligencia che era a loro propria. Perciò tutti quant'erano si buttarono immediatamente sopra a patre Uhù, affamati di abiure de vehementi, abiure de levi e macari, perché no?, di bellissimi e spettacolosi autos da fé.

In quel tempo i giudici erano divisi in due scuole di pinsèro. Una faceva capo a Monsignor Balduino Garagoz il quale riteneva che la tortura fosse quanto di più persuasivo potesse esistere per indurre una fallace opinione ereticale ad essere smascherata da sé medesima e come tale riconoscersi. L'altra era ispirata da Monsignor Ausonio Colapece, il quale riteneva del tutto erroneo ogni supplizio poiché era la mente a peccare e non il corpo nel caso di preposizioni ereticali. Dunque il reo doveva essere continuamente assistito nel ritrovamento della retta via da preghiere ininterrotte.

In quell'occasione le due scuole decisero di spartirsi l'osso, una simana l'una e la simana appresso l'altra. Per primi se lo pigliarono quelli di Balduino Garagoz. Per ventiquattr'ore filate patre Uhù venne interrogato e candidamente arrispose, dicendo che sapiva chiamare i diavoli, che spesso parlava con loro e che il Cardinale era in verità Bael.

«Voi avreste osato alzare la vostra mano sacrilega sul Cardinale di cui noi siamo devotissimi figli?».

«Se dite accussì, significa che macari voi siete figli del diavolazzo, voi fate parte della sua legione!».

Lo pigliarono, lo portarono nella càmmara di redenzione, l'attaccarono con le corde sopra un tavolazzo doppo averlo spogliato a nudo.

«Empezamos ligero» ordinò Monsignor Garagoz.

Due familiari principiarono leggero, come voleva il giudice. Pigliate due zotte, di quelle che servivano a frustare i cavalli, gli ammollarono dieci azzottate sulla panza e sul petto, poi slegatolo e rilegatolo affacciabocconi, gliene diedero altre dieci sulle spaddri e sulle natiche. La pelle si squarciò, la carne si tagliò. Lo puliziarono con un panno vagnato d'acqua e se lo riportarono nella sala del Tribunale.

Patre Uhù, che si teneva a malappena addritta, confermò tutto quello che aveva detto nel primo interrogatorio.

Lo riportarono nella càmmara di redenzione. Questa volta Monsignor Garagoz disse ai familiari che se la pigliassero commoda, lui e i suoi colleghi avevano bisogno di tanticchia di sonno, sei ore sarebbero state bastevoli.

«Che dobbiamo fare, ora?».

«Continuar menos ligero».

Con le tenaglie affocate gli strapparono le unghia delle mani e dei piedi: ci misero sei ore esatte.

Manco sotto la tortura della goccia d'olio bollente lasciata cadere sulle carni patre Uhù ritrattò la blasfema convicción che il Cardinale fosse l'incarnazione del diavolo.

Alla fine della simana un ammasso di carne coi muscoli allo scoperto e che feteva di bruciatizzo venne pigliato in consegna dai giudici che stavano dalla parte di Monsignor

Ausonio Colapece. In prìmisi, e per la durata di due intere jornate, quattro familiari si occuparono di quello che restava di patre Uhù, lo lavarono, gli massaggiarono tutte le piaghe con erbe profumate e miracolose che attagnavano il sangue e sanavano le ferite. Passate le dù jornate, patre Uhù venne portato nella sala del Tribunale. Uno dei familiari gli desi da bere un'acqua verde dintra a una ciotola di ligno. Il parrino si la bevette e di subito si sentì come prima non era mai stato, manco prima di quanno era picciotto e pieno di vita. Monsignor Colapece gli sorrise, gli spiegò che non l'avrebbe interrogato perché aveva pigliato visione del verbale dell'interrogatorio fattogli dal suo eminentissimo amico Monsignor Garagoz. Dopodiché il familiare che gli aveva portato la ciotola gli desi questa volta una coppa dintra la quali c'era un liquito denso, pareva brodo di gaddrina. Patre Uhù si lo bevve e Monsignor Colapece gli disse ch'era stato bravo perché la pozione l'avrebbe tenuto vigliante per due giorni e due notti, senza bisogno di sonno.

«Per tenerti lucido durante la preghiera» specificò.

Si susì e se ne andò. Venne fatto assittare sopra uno sgabello di ligno e allato a lui, uno per parte, si misero padre Carlos Siqueiros e padre Jacinto Benavente. Padre Siqueiros si calò leggermente verso la grecchia di dritta di patre Uhù e principiò: «Ave Maria, gratia plena...».

Aveva una voce di basso, potente, pareva un tuono che rotolava.

Patre Uhù si scansò e perciò s'avvicinò a padre Benavente il quale, appena ebbe la grecchia di mancina a tiro, attaccò il Pater noster con una voce acutissima di contralto.

Patre Uhù tentò di tapparsi le grecchie con le mani, ma subito intervennero due familiari che gliele legarono darrè la schina. Doppo tre ore, senza un minuto di pausa, ai Padri Siqueiros e Benavente si sostituirono i patri Azis e Maccagnuna, poi vennero i patri Perez e Llorente, che si scangiarono il posto con i Padri Menendez y Pelayo e Tamarit. Alla fine delle prime dodici ore ricomparsero i Padri Siqueiros e Benavente. Altre due volte gli fecero viviri a forza il liquido gialliccio e denso della coppa, quello che lo faceva stare vigliante.

Alla fine della simana di spettanza a Monsignor Colapece, tornò in potere dei seguaci di Monsignor Garagoz. Questi si trovarono davanti un omo sano di corpo, ma non di spirito o di testa. Pareva non avesse più forza nelle mani, qualisiasi cosa gli cadeva per terra. Se l'assittavano sullo sgabello, s'afflosciava, la taliata persa nel nulla. Monsignor Garagoz decise che era meglio, prima di ripigliare l'interrogatorio, dargli una svegliatina e lo fece portare nella càmmara di redenzione.

Poiché patre Uhù appariva inerte come un sacco di patate e con la stessa capacità di reazione, venne posato sul tavolaccio e momentaneamente lasciato sciolto. Quella matina era il quinnici e a ogni quinnici del mese il Reverendissimo don José Ortilla y Orioles y Contreras, grande Inquisitore, faceva la sua paterna visita, càmmara doppo càmmara, a tutto lo steri, dal sottotetto ai sotterranei. Arrivò nella càmmara di redenzione che l'oglio del grande calderone situato dintra al camino accominciava a bollire. Don José Ortilla non venne solo, era accompagnato da Sua Cillenza Reverendissima il Cardinale Zabalèo Trombatore il quale aveva manifestato la magnanima intenzione di rimettere al reo la gravissima colpa onde volevasi macchiare.

A stento, patre Uhù riuscì a raprire un occhio. La prima pirsona che vitti fu proprio Bael. Al diavolazzo quella matina la faccia di Sua Cillenza Trombatore gli stava larga, ogni tanto gli sciddricava verso il basso e quell'essere diabolico appariva per un momento avere quattro occhi. Con un leggero colpo al mento, Bael si faceva tornare la faccia al posto giusto. Patre Uhù a quella vista capì di non avere più scampo. «Di botto rizzatosi in su la tavola» scrisse il parrino Artemio Bentivoglio che colà trovavasi in qualità di confessore «diabolicamente rumoreggiò, e tutti noi presi di terrore il vedemmo indi sconciamente ballare un suo làido trescone. Poscia con tre balzi di stregonesco vigore al calderone appropinquatosi, gridò esser meglio l'oglio bollente della preghiera e nel medesmo oglio tuffossi con alte strida. Di subito un acre odore di frittura si spandette nella sala di redenzione e ci pigliò alla gola. Il Reverendissimo don José Ortilla ordinò che il reo fosse provvisoriamente sepolto e che il processo continuasse. A Sua Alto Parere, dovevasi, oltre all'accusa di blasfemìa, stregoneria, negromanzia, eresia, aggiunger quella d'essersi volontariamente tolta la vita, Supremo Dono del Signore».

La facenna che patre Uhù si fosse fritto non arrivò a Montelusa, si seppe solamente che il parrino si trovava nel càrzaro del Santo Offizio e che lo torturavano. Zosimo, seguito da dodici pirsone che ora gli stavano sempre appresso passo doppo passo, s'apprecipitò nel palazzo pispicale, ma il pìspico, ritenendo cosa prudente non mettersi di mezzo ai fatti dell'Inquisizione, si rifiutò di riceverli, facendo sapere che la quistione non era di sua competenza. Zosimo allora mandò i suoi dodici òmini pàisi pàisi e campagne campagne perché facessero sapiri a tutti quello che stava capitando a patre Uhù. Il risultato fu che ogni jorno un centinaro di pirsone, màscoli, fìmmini, vecchi e picciliddri facevano raduno davanti alla grotta dove un tempo ci aveva abitato il parrino che ora principiava a essere chiamato santo. Doppo una decina di jorna il Capitano di giustizia di Montelusa, Liborio Favagrossa, calcolò che una migliarata e passa si erano avvicendati davanti alla grotta, e se ne fece prioccupazione. Allora mandò una guardia a Palermo per spiegare al suo collega come stavano le cose a Montelusa e dintorni: era possibile scoppiasse una sommossa. Il Capitano di giustizia palermitano discretamente informò della cosa un familiare del Santo Offizio.

La conclusione del processo fu rapida. Riconosciuto reo di tutte le colpe delle quali era stato imputato, il catafero di patre Uhù venne condannato al rogo.

Don José Ortilla y Orioles y Contreras ordinò che il rogo venisse allestito nello spiazzo davanti alla Cattedrale di Montelusa per dare l'esempio e scoraggiare eventuali sommosse.

Di pirsona volle esaminare il catafero. In qualche modo la frittura aveva sino in quel momento rallentata la decomposizione, ma non c'era dubbio che il viaggio da

Palermo a Montelusa, fatto sotto il sole agostano, avrebbe peggiorato le condizioni del catafero. Sicché don José Ortilla ordinò che i resti di patre Uhù, una volta arrivati a destinazione, venissero ricomposti in statua, abbrusciati e le ceneri sparse al vento. I montelusani avevano deci jorna di tempo per sistemare il catafero.

Il Capitano di giustizia Liborio Favagrossa, appena che la cassa col catafero arrivò, la fece portare nella bottega di mastro Martino Zabateri falegnami e fabbricanti di pupi del presepio. Ignorava il Capitano di giustizia che il falegnami era cugino primo di Pizio Miraglia, seguace di Zosimo, e che tra i due correva non solamenti un forte rapporto di sangue, ma macari d'altra natura, anzi sarebbe meglio dire di contro natura.

Per l'esecuzione di quanto stabilito dal Santo Offizio, il catafero di patre Uhù era stato relaxado al braccio secolare, perciò il Capitano di giustizia Liborio Favagrossa fu contento della proposta di Zosimo: lui e i suoi òmini si sarebbero pigliato carico di tutto.

Nel magazzino di Martino Zabateri travagliarono in tre: Martino, Zosimo e Pizio. Un quarto della comarca, Dedèco Mannino, stava alla porta con un compito preciso. Messo il catafero di patre Uhù sopra una tavola, Zosimo con un coltello asportò le intragnisi, le interiora della panza del parrino, le mise in una ciotola che desi a Dedèco. Questi, con una forbicia, le sminuzzava e dava un pezzetto di quelle carni a ogni persona che gli passava davanti, erano centinara a fare la fila per avere una reliquia del parrino. Scarnificato in parte il catafero, sulle ossa Martino Zabateri modellò il corpo con creta molle. Quando questa s'indurì, gli passò una mano di una composta di sua invenzione che aveva colore rosa. La faccia invece Martino s'addecise di farla con la cera liquita alla quale aveva primeramente aggiunta la stessa composta rosa. Patre Uhù, metà di ossa e resti di carne vera, metà di creta e cera, venne alla fine vestito dell'abito penitenziale che era stato espressamente mandato da Palermo e che consisteva in una tonaca gialla qua e là allordata di pece, e infilato in un tabbuto fatto di assi di ligno non piallato.

Addì 17 agosto, da Palermo arrivarono tutti i membri del Santo Offizio fatta eccezione del Grande Inquisitore don José Ortilla che in quei giorni pativa di diarrea per la grande calura. Il pìspico di Montelusa aveva fatto costruire torno torno allo spiazzo delle impalcature di ligno dove i membri del Santo Offizio e i loro familiari potessero comodamente assittarsi. Il pìspico aveva inoltre precettato i religiosi di Montelusa e provincia: tutti dovevano essere presenti, pena gravissime sanzioni. Il pìspico non era osservante della Santa Inquisizione: la temeva, semplicemente.

Alli novi di la matina tutto era pronto per l'auto da fé.

Zosimo, Pizio, Dedèco e Tano Pellegriti portarono a spalla il tabbuto, lo raprirono, ne tirarono fora la mezza statua di patre Uhù, l'attaccarono con una corda al palo in cima al rogo che nottetempo gli altri òmini di Zosimo avevano priparato. Tra monaci, frati, parrina, monache, chierichetti, monsignori e familiari del Santo Offizio erano trecento e passa pirsone, ma gente di Montelusa e dintorni non se ne vedeva. Il Capitano di giustizia ordinò alle sue guardie di stare in campana, l'indifferenza della popolazione lo squietava, lo metteva a disagio. Che stavano priparando? Sistemata la statua-catafero sulla pira, macari Zosimo e i suoi scomparsero.

Le campane della Catidrali e dei conventi vicini principiarono a sonare a morto. Allora Monsignor Balduino Garagoz, che era più anziano di Monsignor Ausonio Colapece, si susì e fece gesto che l'auto da fé cominciasse. Munito di una torcia addrumata, il familiare Benito Cereno desi foco alla pira. Le fiamme pigliarono subito, le fascine e i tronchi erano stati bagnati di liquito infiammabile. Doppo manco cinco minuti che il rogo abbruciava, a patre Uhù capitò qualcosa di simile a quello che era successo a Bael quanno era andato a trovarlo allo steri. Il calore sciolse rapidamente la cera che copriva il teschio. E sotto la cera apparse, a chi l'aveva conosciuto, la vera faccia del parrino che tanto negli ultimi anni di vita si era inteschiato che ora non faceva più differenza tra quann'era vivo e ora ch'era morto. Ebbero poco tempo di meravigliarsi. Appena il foco pigliò, con slancio incontenibile di fede i patri Siqueiros, Benavente, Azis, Maccagnuna, Perez, Llorente, Menendez y Pelayo e Tamarit scinnero dalle tribune e si disposero torno torno al rogo, a gran voce intonando le loro preghiere. Commosso da tanta disperata generosità, macari Monsignor Ausonio Colapece si susì dallo scranno e si unì al coro. Ebbe il tempo d'intonare il Credo che successe il finimundu.

Toccato dalle fiamme, il catafero-statua di patre Uhù esplose con un botto assordante, pezzi di ligno, tronchi d'albero, tizzoni che ardevano volarono da tutte le parti. Fu la strage.

In qualità di storico e non di confessore Padre Artemio Bentivoglio era arrivato da Palermo per contare ai posteri come e qualmente si fosse svolto l'auto da fé.

«Tutto il male e il maleficio che per anni e anni eransi compressi nel corpo del nefando abietto di colpo alla lingua ignea s'aprirono vehementemente. Immediata morte trovarono i pii padri zelatori con monsignor Colapece ch'eransi attorno al rogo ragunati. Monsignor Garagoz, accecato da un tizzone rovente, si mise a correre per lo spiazzo e il diavolo doveva essersi impossessato di così Santa Persona perché correndo orrendamente biastemiava. Vagando cieco, andò a finire sul rogo che intanto erasi disfatto e ivi abbrusciò vivo. Alla fine dell'horribile e diabolico spettacolo si contarono venticinque morti e cinquanta feriti. Tra questi ultimi, altri dieci morirono in hospitale».

Per mesate, per annate intere a Palermo, a Montelusa e in ogni paìsi si parlò del diabolico avvenimento. Tutti accettarono ufficialmente l'opinione scritta di Padre Artemio Bentivoglio e cioè che si fosse trattato di un'ultima riprova del fatto che il Maligno avesse pigliato stabile dimora nel corpo di patre Uhù, cruentemente beffatosi delle preghiere degli astanti dell'auto da fé con un'esplosione d'ira infernale.

Ma a Montelusa e dintorni tutti sapevano, macari se non lo dicivano, a chi era venuta la pinsàta di trasformare il corpo di patre Uhù in una bomba gigantisca.

Il nome di Zosimo per prudenzia non venne mai fatto, ma Zosimo, che all'epoca non aveva passato manco vent'anni, principiò a essere stimato per quello che era, un capo.

Parte terza

Quello che capitò negli anni appresso

Capitolo primo

A un certo mumentu della giuvanizza sò, Zosimo, d'estati e d'invernu, principiò a parere un àrbolo di prima primavera quanno che accomenzano a spuntargli le gemme: la faccia gli si era annigliata di foruncoli, granni e nicareddri, che ora parivano una punta di cimicia ora una muzzicata di vespone. Un jorno, lavandosi nell'acqua del pozzo, l'istisso aspetto sò ci fece impressione e macari tanticchia di schifìo. Siccome che era duminica, sinni scinnì, vistuto bono, a Vigàta a trovare gli amici. Nella taverna ci stava sulamenti Fofò La Bella che aviva l'istissa età sò, e, taliandolo bono, Zosimo s'addunò che Fofò inveci aveva la pelli della faccia bella e liscia.

«Fofò, talè com'è arridotta la faccia mia. Che malatìa po' essiri?».

«Malatìa?» replicò La Bella mittennosi a ridere. «Ca quali malatìa! Chista tutta salute è!».

E gli spiegò che si trattava di un semprici sfogo datosi che, all'età che avivano, dintra di loro c'era linfa troppa assà, in abbondanza rispetto a quella che al loro corpo abbisognava.

«E com'è che a tia lo sfogo della linfa non ti viene?».

«Pirchì io la linfa la faccio nesciri prima che m'arriva 'n faccia».

«Ah, sì? E da dovi?».

«Dal posto suo naturali. La minchia».

In quell'istisso doppopranzo, Zosimo pigliò la strata per Montaperto, girò nella terza trazzera a dritta e, dopo tanticchia, arrivò davanti alla casuzza della vidova Carlino che arriconobbe subito pirchì Fofò gliela aveva spiegata bona. La casuzza era fatta di una sola càmmara. Davanti alla porta inserrata ci stava un omo né vecchio né picciotto assittato supra 'na petra, che si fumava la pipa.

«Bongiorno» fece, aducato, Zosimo.

«Bongiorno» arrispunnì l'altro squatrandolo. «Circate qualichiduno?».

«Mi dissiro che qua ci abita la vidova Carlino».

«Pricisamenti. La vidova abita qua. Io sono u maritu».

Zosimo strammò. Una fìmmina si dice che è vidova quanno che ci morse il marito. Ma se la vidova tiene un marito, vidova non è. E quindi lui non avrebbe potuto spiegari alla vidova che non era vidova quello che addesiderava da lei pirchì il marito gli avrebbe spaccato le corna.

Sicuramenti quel grannissimo garruso di Fofò gli aveva fatto una furiata, uno sgherzo. L'unica era di scapparsene di prescia. Girò le spalli alla casa e proprio mentri stava per fare il primo passo, la voci dell'omo lo fermò.

«Pirchì ve ne andate?».

«Pirchì mi pari che la signura vidova non è in casa» fece Zosimo taliando verso la porta inserrata.

«Mia mogliere c'è» disse l'omo. «Solo che per ora è accupata. Ancora cinco minuti ed è libira».

Zosimo principiò a sudare. Come avrebbe potuto dire alla vidova Carlino che voliva ficcare con lei in prisenzia del marito? Tuttu 'nzemmula la porta si raprì e niscì un viddrano.

«Bongiorno» salutò senza taliare né a Zosimo né all'omo assittato.

«Tocca a voi» fece l'omo con la pipa.

Sturdutu, Zosimo trasì nella casuzza.

«Chiudi la porta» fece una voce fimminina.

Zosimo la inserrò. Da una finistruzza che dava nel darrè della càmmara trasiva una luce bastevole a fare vidiri quattro grossi sacchi inchiùti di paglia per dormiricci supra, un tavolino, due seggie di ligno, e un cufularo per cucinare. La vidova, una quarantina rusciana, stava acculata in un cato pieno d'acqua e si lavava in mezzo alle gambe. Era cummigliata a malappena da un cammisone tutto spirtusato. Quanno finì, si ittò sui sacchi, isò il cammisone arravugliandolo supra le minne, raprì le gambe.

Zosimo intanto si era sentito passare la gana. Il fatto che fora ci stava il marito a fumarisi la pipa mentre che lui ficcava con la mogliere non gli pareva cosa.

«Beh, t'arrisolvi?» spiò la vidova.

E visto che Zosimo, doppo avere fatto dù passi non si cataminava, la vidova, susendosi a mezzo, allungò la mano, pigliò un capo del cordino che teneva i cazùna di Zosimo e lo tirò. I cazùna caddero e la vidova sbarracò gli occhi. Mai aveva veduto tanta grazia di Dio in un corpo d'omo, tanta grossizza, tanta lunghizza, tanta solidizza. Sintendosi addivintare squasi sonnambulica, la vidova ci posò la mano supra. E che fu? In un vìdiri e svìdiri si attrovò davanti agli occhi un ramo duro come una petra firrigna, un ramo pigliato di vento, pirchì la cima cimiava e pareva che addimannasse requie. La vidova ci posò supra l'altra mano ed ebbe appena il tempo di faricci una carizza. Tutta la linfa stimpagnò violenta, assammarandole la faccia, i capilli, le minne. E continuò a sgorgare, a malgrado che la vidova, col cammisone, tentasse in qualichi modo di attuppare la sorgiva.

«Matre santa! Matre santa!» arripeteva, mezza scantata e mezza addivertuta.

Quanno lo sdilluvio finì, la cima del ramo arritornò a cimiare, ancora c'era linfa da fare sbummicare.

«Tutto bono e biniditto!» sclamò la vidova.

Si stinnicchiò supra i sacchi e allargò le gambe. Zosimo ci si stesi supra, ma non sapeva comu fare. Qualichi tempu avanti l'amico sò Cicciu Lanza gli aviva cuntato che, a trasire per la prima volta, ci potiva essiri difficortà pirchì la natura, a malgrado di tutto quel largo di panza che tenevano, le fìmmine se l'erano fatta assistemare in un posto scognito. Allora la vidova, capendo che il picciotto era la prima volta che praticava e sintendo una vampa di foco che le quadiava l'anima per la filicità d'incignare un omo alla vita, glielo agguantò con la mano e lo guidò al posto giusto.

286

Doppo un due orate, avendo la vidova per la terza volta ripigliato a fare voci di pecora scannata, il marito, che se ne stava sempre fora a fumare, s'apprioccupò. E po' era arrivato un altro viddrano che aspittava che la fìmmina si fosse libirata. Allora si susì dalla petra e andò darrè la casa a taliare dalla finestruzza. Non vitti nenti pirchì già scurava, sentì invece più forti i lamenti della mogliere la quali, quanno non si lamentiava, faceva sciati accussì forti che parevano quelli di un mantice.

«Catarì, tutto beni?».

«Sì, sì, tutto beni… sì… sì… sì…».

«C'è qua fora un'altra pirsuna che…».

«Mannalo via… sì… sì… mannalo via… o Madunnuzza santa!… O matruzza mia… sì… sì…».

Finalimenti, doppo un'altra orata, la fìmmina, con un sospiro, disse:

«Basta, non ci la faccio più. Tutta rotta mi sento».

Zosimo si susì, si tirò su i cazùna. Nello scuro fitto, macari la vidova si era susuta per addrumare una cannìla. Era nuda, si era persa il cammisone.

«Quanto viene?» spiò, impacciato, Zosimo mettendo una mano in sacchetta per pagare.

«Nenti» fece la vidova. «Tu non paghi nenti. E se ti spercia di tornare a trovarmi, non pagherai mai nenti».

Avvicinò la cannìla alla faccia di Zosimo, lo taliò a longo.

«Mi lo dici comu ti chiami?».

«Zosimo».

La vidova si tirò narrè, parse scantata.

«Madunnuzza santa! Propio propio Zosimo Zosimo?».

«Zosimo Zosimo sono. Pirchì? Sono accussì canosciuto?».

«Certo. La genti dice che i tò cabasisi sono quatra-
ti. Ma io ora saccio come sono, parino dù milanzani belle grosse».

Arridì, avvicinò arrè la cannìla alla faccia di Zosimo
e, di colpo, si fece seria seria.

«Ti posso vasari?».

E senza aspittari la risposta, posò le labbra su quelle del picciotto. E allura Zosimo si sentì addivintare le
gambe di ricotta. No, non pirchì gli era vinuta la stanchezza delle ficcate che si era fatto, ma pirchì la vasata sincera della fìmmina era la meglio cosa che gli fosse capitata dintra a quella càmmara.

Arrivato a essiri ventino, Zosimo si fece pirsuaso
ch'era spuntato il tempo giustu per maritarsi. Siccome
che era un bon partito, picciotto serio e già di rispetto
a malgrado la giovintù, propietario di casa e tirreno, tra-
vagliatore e nello istisso tempo omo che sapiva il leggiùto
e lo scrivùto, ogni tanto, già da quanno era sedicino, gli
si erano apprisentate quelle fìmmine che combinano
matrimoni a fargli proposta ora di una picciotteddra ora
di un'àutra. Ma Zosimo si era sempri mantenuto nega-
tivo. A vint'anni cangiò di proposito, ma aviva addeciso che la mogliere se la sarebbe scigliuta lui istisso.

Una duminica a matino, sulla piazza di Vigàta, vitti un carretto che si fermava e dal quale scinnivano un
patre, una matre e una figlia diciottina che trasirono
in chiesa per ascutare la santa missa. Zosimo non era

omo chiesastro epperciò s'arrefutò di seguire la diciottina la quali, al solo vidirla scinniri dal carretto, gli aveva fatto grannissimo sangue. L'aspittò di fora e quanno la picciotta niscì, in mezzo a patre e a matre, si fece fintamente pigliare da una fortissima botta di tosse. Per un attimo gli occhi della diciottina e quelli di Zosimo s'incontrarono. E questo abbastò, tant'è veru che la duminica appresso si taliarono nuovamenti e stavolta non ci fu abbisogno di colpi di tosse. Alla terza duminica, gli occhi di Zosimo spiarono:

«Ci vogliamo maritari?».

«Sì» arrisposero gli altri occhi.

Zosimo manco acconosceva il nome della picciotta, ma tempu dù jorna seppi tutto quello che c'era da sapiri. Si chiamava Ciccina, aviva diciotto anni e mezzo, era figlia di Martino Lanzafame e di Locurzio Giuseppa e aveva quattro frati, Luzzu, Gaspanu, Totu e Vicè, tutti più granni di lei.

Erano propietari di un pezzo di terra dalle parti di Montereale. Alla quarta duminica, Zosimo s'alliffò, si pittinò, si vistì bono e scinnì in paìsi, fermandosi però alle prime case, il carretto dei Lanzafame addoviva per forza passare da lì. Appena lo vitti arrivare, si chiantò in mezzo alla strata e isò un vrazzo. Martino Lanzafame tirò le retini e il cavaddro si fermò. Allura Zosimo s'avvicinò, si levò la birritta e disse:

«Mi chiamo Michele Zosimo e mi voglio maritare a vostra figlia Ciccina. Oggi doppopranzo, se mi faciti l'anuri d'arricevermi, passo dalla casa vostra e parliamo. Bona jurnata».

Si rimise la birritta in testa e se ne andò, lassando il patre e la matre completamente pigliati dai turchi e Ciccina ch'era tutta una vampa di focu.

A mezzojorno, davanti alla famiglia arreunita a tavola per mangiari, Martino informò i figli Luzzu, Gaspanu, Totu e Vicè della dimanna di matrimonio. Ma avanti che potesse dire la piniòne sò, parlò per prima la mogliere Giuseppa chiamata Pippina.

«Io a questo Zosimo non ci lo voglio casa casa. Lo sanno tutti che è un malaconnutta, un picciotto che non arrispetta a nisciuno, capace della qualunque».

«È uno sdilinquente» disse Totu.

«È uno che se la fa con le buttane» rilanciò Vicè giluso pirchì qualichi volta aveva dovuto aspittari a longo il turno sò davanti alla porta della vidova Carlino, datosi che nella casa c'era Zosimo che se la spassava.

«Ma se si marita con Ciccina, certo non se la farà più con le buttane» osservò saggiamente Luzzu.

«E po' pirchì lo chiami sdilinquente?» intervenne Gaspanu rivolto a Totu. «T'arresulta pirsonalmenti che ha ammazzatu a qualichiduno?».

«Tri a favori, io, Luzzu e Gaspanu» fece a questo punto il capofamiglia Martino. «E tri contrari, Pippina, Totu e Vicè. La facenna va arrisolta a modo nostru».

Nisciuno naturalimenti addimannò a Francesca chiamata Ciccina come la pinsava. La piniòne della picciotta non contava, lei avrebbe dovuto simpricimenti fare quello che la famiglia sò aveva stabiluto di fare.

Appena finuto di mangiari, i Lanzafame sinni niscirono tutti nello spiazzo davanti alla casa per arrisolvi-

290

ri la facenna a modo loro. I quattro figli màscoli si spogliarono di gilecco e cammisa e si misero Luzzu e Gaspanu da una parte e Totu e Vicè dall'altra.

«Accomenzamo» fece Martino.

E i quattro principiarono a pigliarisi a pugna, cavuci, timbulate. Doppo una mezzorata di lotta, Totu dovette arritirarsi pirchì un pugnu di Luzzu gli aveva quasi cavato l'occhio mancino e cinco minuti appresso macari Vicè s'arritirò per via che un gran cavucio di Gaspanu alla panza l'aveva squasi fatto sviniri. Avevano vinciuto i favorevoli al matrimonio.

E così quanno Zosimo s'appresentò verso la scurata, trovò questa situazioni: i figli màscoli della famiglia Lanzafame erano ammaccagnati, chi aveva un denti rotto e chi un occhio malannato, gli occhi di Ciccina inveci sparluccicavano d'alligrizza, la matre Pippina faciva la vucca mezza storta mentri il patre Martino stava addignitoso e composto. Prima che Zosimo spiegasse la 'ntinzione sò, tutti i Lanzafame calarono la testa e dissero in coro:

«Sì».

Un misi doppo, Ciccina e Zosimo si maritarono. Nella prima nuttata che passarono 'nzemmula come marito e mogliere, Ciccina raprì la vucca cinco volte.

La prima volta disse:

«Ahi!».

La seconda volta disse:

«Matre mia, che bello che è!».

La terza volta disse:

«Ancora».

La quarta volta disse:

«Vacci adascio».

La quinta volta disse:

«Amuri mè».

La matina appresso, Zosimo s'arrisbigliò che il sole trasiva dalla finestra, cosa che prima non gli era mai capitata. Sò mogliere non era corcata allato a lui. Per un attimo s'imparpagliò, poi la sentì cantare nella càmmara di sotto. Aveva una vuci intonata. Si vistì, scinnì. Ciccina non lo sentì: stava famiando il forno per cuocere il pane che aveva già preparato. Ma a che ora si era susuta? Fìmmina forti, fìmmina beddra, fìmmina di lettu, fìmmina di casa. Zosimo s'affacciò alla porta, taliò la campagna e il mare in lontananza e tirò un suspiruni di felicità.

A novi misi, Ciccina si sgravò di un figlio màscolo. Come nomi, ci misero Gisuè, l'istisso di come si chiamava il patre di Zosimo.

Nel milliseicentu e novantatrì, vali a diri tri anni appresso il matrimonio, Ciccina si sgravò di un secondo figlio màscolo. Lo vattiarono, com'era di giusto, col nomi di Martino, l'istisso del patre di Ciccina.

In una bella matinata del mesi di settembiro di quell'anno, e precisamenti a lu jorno sidici, il cavaleri don Cecè Barresi, Primo Agente della Dogana di Montelusa, stava andando a trovari in carrozzino a sò figlia

'Ntunietta, maritata a Nicolino Consolo, scrivano comunale di Montereale. La figlia abitava in contrata Pizzodicane, a una mezzorata di strata passate le ultime case di Vigàta. Tutto 'nzemmula il cavaddro scartò con violenza, come se fosse stato scantato da qualichi cosa in mezzu alla strata, ma inveci non c'era nenti, e po' si fermò facendo vidiri che non aveva gana di prosecutare. Il cavaleri, a forza di zottate sulla schina dell'armàlo e di santioni, arriniscì a farlo ripigliare a caminare. Ma doppo tanticchia la vestia scartò nuovamenti e si fermò.

«Ma si po' sapiri che minchia ti piglia?» fece don Cecè scinnendo dal carrozzino per vidiri cosa tanto fastidiasse il cavaddro.

Fu solamenti allura, quanno che ebbe posato i pedi 'n terra, che accapì quello che stava succedendo, vali a dire che c'era il tirrimoto. Mentri sinni stava senza sapiri che fare, sentì una sullenne e cupa rumorata dalla parte di mare. Si voltò a taliare e vitti, sintendosi veniri i sudori friddi, una grossa colonna di fumo nesciri dalla superficie delle acque le quali, torno torno, bollivano tanto da poterci calare la pasta. Di tempu in tempu, dalla colonna di fumo si partivano palle di foco che acchianavano a grannissima altizza. Appena il cavaleri, atterrito, lasciò le briglie che ancora teneva nelle mano, il cavaddro, tirandosi appresso il carrozzino vacante, sinni scappò che pareva Baiardo. Intanto sotto a li pedi di don Cecè, che a malappena arrinisciva a tenersi addritta, la terra traballiava sempre più forti e lui da ogni parti vidiva correre all'impazzata faine, maiali, picore, cunigli, serpenti, capre, surci di campagna e perfino cavaddri, muli, asini scecchi che avevano romputo le corde che li tenevano e ora sinni scappavano senza sapiri indove. Il cavaleri tentò di fare un passo, ma non ci arriniscì, la gamba s'arrefutò di cataminarsi. Era addiventato di petra. Intanto si era levato un vento che pareva colorato di grigio e a lento a lento metteva scuro alla luci del jorno mentri che l'aria principiava a fetere di zolfo abbrusciatizzo, come dev'essere ni l'infernu. Adocchiato un viottulu che portava verso una collinetta chiamata Sanpietro, don Cecè arriniscì finalimenti a caminare e principiò a farlo, assà faticanno pirchì ora il vento si portava appresso una cìnniri fina fina che faceva difficoltosa la respirazioni. Mentre s'arrampicava, vitti che avanti a lui c'era altra genti scantatissima, picciliddri che chiangivano, fìmmini che prigavano, òmini giarni in faccia, la quali macari issa andava nella midesima direzioni. Doppo una mezzorata d'acchianata, il cavaleri arriniscì a vidiri, a malgrado lo scuro che pareva fosse calata la notti, una casuzza rustica con davanti un grande aulivo, propio sulla cima in piano della collinetta. Sutta all'àrbolo d'aulivo ci stavano una cinquantina di pirsone che taliavano verso la parte di quelli che ancora acchianavano il viottulu e facivano in continuazione voci e gesti d'incoraggiamento a caminare più di prescia.

Nell'ultimo tratto di camino a don Cecè ci parse d'essiri in una varca in mezzo a lu mari in timpesta anzicché supra la terraferma, tanto erano violente e l'una appresso all'altra le scosse del tirrimoto. Tussenno per la cìnniri trasutagli in petto e con gli occhi lacrimevoli per

l'istissa cagione, finalimenti arrivò nel piccolo piano-
ro in cima alla collinetta. E qui, di subito e con grannissimo stupore, s'addunò che l'aria era tersa e pulita,
e che una carma assoluta rignava in quel piccolo tratto di terra. Voltatosi a taliare torno torno, vitti che la
spessa caligini circondava tutt'intero lo spiazzo senza
però penetrarvi e che al di là ancora le scosse continuavano implacabili e che altri povirazzi chiangenti e
scantati si addirigevano verso il posto dove lui s'attrovava già in salvo. Al cavaleri parse d'essiri come un
naufrago che, mentri dispirato nata nel mari in tempesta,
scopre una zattera e ci acchiana supra. Ma il paragoni
non reggeva, pirchì macari supra la zattera il naufrago
continua a patire il movimentu di l'acque turbinevoli
mentri, nel loco indovi il cavaleri si era arriparato, il
tirrimoto pareva non esserci mai stato e manco aviri la
'ntinzioni d'esserci.

Allura s'arrivolse al viddrano che gli stava più vicino e completamenti strammato gli spiò:

«Ma com'è sta cosa?».

«Quali cosa?» spiò a sua volta il viddrano.

«Chista» fece don Cecè ammostrando con la mano
stisa quello che stava capitanno.

«Ah, chista?» disse il viddrano. «Ora a vuscenza ci
lo spiego. Nuantri semu tutti amici e canuscenti di Zosimo. Vossia ne intisi parlari?».

«Sì, ne intisi parlari».

«Aieri a sira u primu figliceddro di Zosimo, ca manco aviva tri anni di etati e ca di nomu faciva Gisuè, morsi di fevri maligna».

«Mi dispiaci» fece il cavaleri.

«E macari a nuautri dispiaci. Stamatina vinnimu tutti ccà pi chiangiri la morti di lu picciliddro e tutto 'nzemmula lu tirrimoto si scatinò. Allura Zosimo si susì da lu pagliatoiu indovi ca ci stava u murticeddru dicennu ca stu tirrimotu era un'offisa, unu sgarbu ca lu celu ci voliva fari. Niscì fora di la casa, si fici di cursa pi tri voti lu giru di la cima dicenno paroli mammalucchigne ca nisciuno accapiva e po' turnò dintra. E lu tirrimotu facenno bidienza all'ordinanza di Zosimo si alluntanò da chista casa».

Col ciriveddro, don Cecè non cridiva alla storia che il viddrano gli aveva contata, ma la vista e l'udito e l'odorato gli dicevano cosa diversa.

«Posso aviri l'onore d'accanusciri a questo Zosimo?».

«Ora no. Dissi ca nun voli vidiri a nisciuno. E l'ordini di Zosimo sunnu ordini».

Avevano appena finito di parlari, che nello spiazzo arrivò, mezzo morto di faticata, un piscatori con una cesta di pisci che parevano bolliti.

«A ripa di mari li pigliai» spiegò. «Lu mari li jetta fora a centinara e centinara già pronti pi essiri mangiati».

E a malgrado che fetessero di sulfaro se li mangiarono.

L'indomani sira, al circolo, don Cecè Barresi contò quello che gli era capitato. E siccome che era omo posato, equilibrato e di una parola sola, la mità dei prisenti ci cridì. E accussì il nome di Zosimo fu accanosciuto macari tra i borgisi.

Capitolo secondo

Il Viceré Veragua era una cosa fitusa, un latro di passo. D'accordo col figlio Juan, che in quanto a sdisonistà era capaci di dari punti a chi l'aveva fatto nasciri, era arrinisciuto ad accaparrarsi, con il verso o con lo sverso, tutto l'oglio ca l'àrboli d'aulivo facevano nelle campagne torno torno a Palermo. Doppu, siccome che il pititto viene cu lu mangiare, sempre col verso o con lo sverso si era pigliato macari l'oglio di Trapani e di Catellonisetta. Il comercio sò era quello di carricare l'oglio arrubbato supra un bastimento che lo portava in Spagna indovi che se lo vendeva mettendosi in sacchetta il guadagno. A quelli che avevano i feudi, il Viceré l'oglio glielo pagava accussì picca che i proprietari manco ci ripigliavano le spese, ma quelli non potevano arribbellarsi perché il Viceré ci procurava prebende e privilegi. Con i povirazzi viddrani che avevano quarche arboliddro d'aulivo, gli òmini del Viceré non ci perdevano né un quatrino né un minutu: si pigliavano le giarre coll'oglio, se le carricavano sui carretti e vi saluto e sono. Se c'era qualichiduno che s'azzardava a diri mezza parola, gli òmini del Viceré o l'incarzaravano o lo sparavano, non c'erano né Santi né Madonne.

E spuntò la jurnata che il Viceré Veragua s'arrisbigliò con la bella pinsàta di latroniare l'oglio di Montelusa: la vallunata tra Montelusa e Vigàta era un vero e propio bosco d'aulivi saraceni in mezzo del quali spuntava quarche colonna, che pareva d'oro, delli tempii che i greci ci avevano flabbricato.

Il Viceré ci aveva a Montelusa un omo sò, in tutto dignu di lui. Chisto omo era un duca che si chiamava Simón Pes y Pes che possedeva tre feudi che ci aveva lasciato sò patre in riditità. Aveva la stessa 'ntifica età di Zosimo e in quarche modo i due parevano di simiglianza, c'erano macari certi vecchi stòliti che contavano una storia di tanti e tanti anni avanti secondo di la quali Zosimo e Simón erano fratrastri in quanto che erano tutti e dù figli di Gisuè, il patre di Zosimo, mentre la matri di Simón era la mogliere del vecchio duca Pes y Pes. La storia, che di sicuro non era cognita a Simón, era inveci a canoscenza di Zosimo che altissimamente se ne stracatafotteva, anzi, una vota che uno per babbiari lo chiamò «ducuzzu», Zosimo gli mollò un cazzottu tali che quello ci mise tri jorna prima di rapriri gli occhi.

Quanno che Simón Pes y Pes arricevette l'ordine dal Viceré d'accattare a mezzo tarì per ogni giarra l'oglio dai nobili e di pigliarisi senza pagari quello dei viddrani, si sentì arricreare tutto al pinsèro che avrebbe potuto fare danno. Perché lui era fatto accussì di natura: si non faciva danno, non si sentiva cuntentu. Una vota aveva fattu abbrusciare quattro casuzze di viddrani da i sò servi, ch'erano sempri armati, pirchì diciva ca la notti era scura e lui non voleva rumpirisi l'osso del collo

datosi che doveva passare a cavaddro nella trazzera allato alla quale c'erano le casuzze.

In primisi, Simón si fece consegnare l'oglio dai proprietari dei feudi e glielo pagò un quarto di tarì. Poi
mandò quattro soldati campagne campagne per avvisare tutti i viddrani che appresso tre jornate sarebbero passati i carretti per ritirare le giarre con l'oglio. Chi
faceva resistenzia, sarebbe stato ammazzato sul posto.

Maria, chi chianti! Maria, chi lamenti! Maria, chi disperazioni! E comu si faciva a campare senza una cruci fina fina d'oglio sopra la minestra di cìciri e favi?
Comu si faciva a mangiari senza tanticchia d'oglio per
la cicoria, per la lattuca, per il tinnirùmi?

E che erano addivintati, capri? Pecori? E come si faciva a livari la botta di sole, di quella che ti piglia a tradimento e ti fa stramazzari 'n terra cchiù mortu ca vivu, senza la magarìa di l'oglio e l'acqua?

Una processioni di màscoli e fìmmini, vecchi e picciliddri cu li mani ni li capiddri s'arricampò alla casuzza
di Zosimo: chi viniva da li muntagni dalla parte di Cammarata, chi dalle chianure indovi che ci passa il Plata-
ni, chi da lochi marini come Montereale e perfino Fiacca, tutti a spiargli consiglio datosi che l'accanuscevano
comu pirsona di senno e di cori (e macari di mano,
quanno che ce n'era di bisogno).

Quanno li fìmmini si misero a parlari cu li fìmmini,
i picciliddri a jucari cu li picciliddri e i vecchi a tenta-
re d'arricurdarsi delle spirenzie passate, Zosimo chiamò
sparte tutti i màscoli che non aspittavano che d'essiri
chiamati.

«Assà a longo ci pinsai supra a chista facenna» disse Zosimo. E proseguì:

«L'oglio ci lo dobbiamo consegnari, come voli quel cornuto del Viceré e quel grannissimo cornuto del duca Pes y Pes».

Ci fu una murmuriata generale e Tanu Gangarossa, talianno dritto nelle palle degli occhi a Zosimo, s'appronunziò.

«Sarvanno il rispetto che tutti nuautri ti dobbiamo e ca tu ti meriti, iu, pi parte mia, l'oglio non ci lo cunsegno».

«E quelli t'ammazzano. E tò mogliere e i quattro tò figli sinni vannu a dimannare la limosina. Tanù, farisi ammazzari non sempri è gestu di coraggiu, soprattuttu quanno si lasciano in mezzo ai guai quelli che restano».

Tanu Gangarossa calò la testa e sinni stette zitto.

«Donchi» prosecuì Zosimo. «Appena tornati a le case vostre, pigliate la giarra, la quartara, la lanceddra o il bùmmolo indovi ci tenete l'oglio e li svacantate in un'àutra giarra o in un àutro bùmmulo, ma non li dovete svacantare completamente, dovete lasciare sul fondo un due dita d'oglio. Mi spiegai?».

«Ti spiegasti» fecero i viddrani a coro.

«Le giarre, le quartare, le lanceddre o i bùmmoli indovi ci avete messo l'oglio li andate ad ammucciare, attappandoli bene, sottoterra. Poi pigliate le giarre, le quartare, le lanceddre o i bùmmoli restati con le due dita d'oglio e li riempite d'acqua. A questo punto l'oglio che è sul fondo se ne acchiana alla superficie e accussì i soldati si fanno pirsuasi che ogni giarra, ogni quartara, ogni lanceddra o bùmmolo sono inchiuti tutti d'oglio. Si carricano ogni cosa e se ne vanno».

Tutti si fecero una gran risata, qualichiduno batté le mano, solamente Tanu Gangarossa se ne ristò mutanghero.

«Non ti capaciti?» gli spiò Zosimo. «Pirchì?».

«Pirchì se il duca Pes y Pes si adduna dell'ingannu, ci fa ammazzari a tutti. E allura iu mi dumanno e dico: nun è megliu farisi ammazzari prima?».

«Tanuzzè, a farisi ammazzari nun è megliu né prima né doppu. Tu stammi a sentiri e fa' comu ti dico iu. T'assicuru che il duca non ce la fa a tempu ad addunarisi del trainello che gli abbiamo fatto».

Quanno che tutti, meno di Fofò La Bella che Zosimo aveva prigatu di restari, se ne tornorono a li casi sò, principiava a scurare. Zosimo allura addrumò un lume, s'assittò a la tavula, e scrisse una littra nonima al Viceré.

Cellentissimo Signori e Viceré!
Tutta la popolazzioni villica di Girgenti e contorni, appena canosciuta la volontate Vostra di farci consignari l'oglio che tenevamo ni le case nostre allo duca Pes y Pes, non ci permettemmo di fari né ai né bai e di subito misemo giarre e bùmmoli con l'oglio davanti a la porta, dimodiché quanno che i soldati del duca sarebbino passati avessero fatto di prescia a portarisilli coi carretti.

E i soldati sono avvenuti e si sono carricato l'oglio nostro.

Però uno dei servi de lo duca è venuto a contarci una facenna che ci ha fatto arraggiare a tutti quanti.

Pari donchi che il duca ha dato l'ordine a quattro servi sò fidati di svacantare le giarre e i bùmmoli, mettiricci dintra acqua lasciandoci supra appena due dita d'oglio, quasicché taliando solamenti la superfice uno si fa pirsuaso che trattasi di tutto oglio. Ha principiato a fare accussì con le giarre e i bùmmoli de la popolazioni villica.

Il duca Pes y Pes è un grannissimo cornuto che non solo ci sdirrubba dell'oglio nostro, ma piglia macari pi lu culu, con rispetto parlanno, Sua Maestate lo Re di Spagna e lu Viceré che qua lo rapprisenta!

Stinnicchiati a li so pedi, la supprichiamo, Cillenza, di daricci Giustizia!

Tutti gli errura ce li aveva messo apposta, lui il taliano lo sapiva scriviri comu a Dio.

Detti la littra a Fofò La Bella.

«Fofò, tu ca sei la meglio carta del mazzo, appena ca lu duca ha finito la raccorta dell'oglio nostro, ti pigli un cavaddro e te ne vai a Palermo. Sta littra deve arrivari ne le mani del Viceré. Mi pozzo fidari?».

«Lassa fari a mia» disse Fofò La Bella.

Sei jorna appresso il duca Pes y Pes venne arrestato e portato in càrzaro a Palermo dai soldati del Viceré che avevano taliato bene nelle giarre, nelle quartare, nelle lanceddre e nei bùmmoli e, sutta all'oglio, ci avevano attrovata l'acqua.

Ammàtula il duca faceva voci in spagnolo, in siciliano e in taliano che lui era 'nnuccenti comu a Cristu, che non si capacitava come fosse successo quel cangiamento d'oglio in acqua, arrivò a dire che c'era stata una magarìa del diavolo a li sò danni.

«Ah, sì?» fece il Viceré «voi avete a che fare col Diavolo? Allora è cosa che riguarda la Santa Inquisizione».

Mentri il duca se la vedeva coi parrini dello steri, i viddrani se la scialarono e desiro il giusto merito della facenna a Zosimo ch'era cchiù sperto e capace di una volpi.

L'anno appresso, che siamo arrivati al milli e sicento e novanta e cinco, Ciccina si sgravò di un figlio màscolo.

Di nome ci misero Gisuè, per arricordare il patre di Zosimo e il picciliddro morto dù anni avanti.

Dù anni appresso a questa nascita, che siamo arrivati al milli e sicento e novanta e setti, Ciccina si sgravò ancora di un figlio màscolo e di nome ci misero Filippo.

Nel milli e seicento e novantanovi, Ciccina era novamenti prena e una mammana, taliandole la forma della panza, le aveva detto che stavolta assicuramenti si trattava di figlia fìmmina. Ciccina, la quali di una figlia fìmmina doppo a tanti màscoli si sentiva propio bisognevole, provò assà consòlo, ma non s'arrisolveva a dire al marito il pinsèro della mammana pirchì era pirsuasa che Zosimo addesidirasse un altro màscolo. Ed era cosa giusta, pirchì dintra a una casa i figli màscoli portano ricchizza, le figlie fìmmine portano guai.

Finalimenti una sira, quanno già era gravita di tri misi, corcati Gisuè e Filippo, mannato Martino che aviva sei anni a governare le vestie, cuntò al marito quello che prividiva la mammana. S'aspittava che Zosimo tanticchia s'infuscasse, invece la cosa fu arriversa. L'omo si susì dalla tavola e si mise a ballari torno torno alla mogliere, cantando per la cuntintizza tanto forte che finì a burdello, datosi che Gisuè e Filippo, arrisbigliati di primo sonno, accomenzarono a chiangiri che non li fermava manco la mano di Dio e Martino, tornando dalla staddra di cursa per capacitarsi di quello che stava capitanno a sò patre, era sciddricato e si era scugnato il naso cadendo affacciabocconi 'n terra.

Quanno si andarono a corcari, dalla finestra trasiva una lama di luna che faciva tanta luci che manco un lampadariu a deci cannìle. Zosimo sentì acchianargli dintra tanta felicità da obbligarlo a raprire la vucca per farisi un'altra cantata. Ciccina, che aveva capito la nicissità del marito, a scanso d'altro burdello gli attappò la bocca con la mano. Zosimo gliela baciò e spiò:

«Che nome ci mittemo?».

L'indomani a matino Zosimo disse alla mogliere che doveva farsi vivu a Montelusa per una facenna della quale era stata addimannata la piniòne sò. Era cosa che accapitava di frequenzia: Zosimo veniva chiamato, ora a Montelusa ora a Vigàta ora a Montaperto ora a Montereale, per dire come la pinsava ogni volta che c'era di mezzo una quistione che poteva finiri a schifìo tra quelli che avevano una lite di confine, una questione d'anuri, una spartizione di ereditati e via di questo passo. Zosimo inzomma era addivintato una speci di judici di paci che tentava sempri di mettiri il bono indovi che poteva essirci il malo. La parola sò era sempri giusta, pirchì nasciva da animo sireno e libero da ogni interesse tirreno. Perciò Ciccina ci criditti. Inveci, forsi per la prima volta da quanno si erano maritati, Zosimo le aveva cuntato una farfanterìa. Infatti si era addeciso di andari a Montelusa non pirchì c'era bisogno della prisienzia sò, ma pirchì era jorno di mercatu e lui voliva accattare qualichi cosa per fare un rigalo a Ciccina la quali finalimenti gli dava la tanto spirata in sigreto figlia fìmmina. Pigliò la mula e partì.

La matina era chiara e senza vento. Quanno Gisuè e Filippo s'arrisbigliarono, Ciccina ci desi a mangiari e doppo se li portò darrè la casina indovi che l'erba era alta e, macari se cadivano mentri jocavano ad assicutarsi, non potevano farisi mali. A cinco passi di distanzia ci stava un piro che faceva pira duci duci. A Ciccina ci venne subito la voglia di mangiarisinni una, e ora doviva mangiarisilla per forza datosi che è cosa cognita che abbisogna sempri soddisfari i desideri delle fìmmine prene, masannò capace che la figlia le nasceva con una macchia a forma di piro macari in mezzo alla frunti. S'avvicinò all'àrbolo e s'addunò che i pira dei rami vasci se li era tutti mangiati, mentri ancora ce n'erano che pinnuliavano dai rami più alti. Poteva arrampicarsi, come era abituata a fari, ma pinsò che la figlia fìmmina che portava nella panza meritava quarche riguardo. Andò a pigliare la scala di ligno, fabbricata da Zosimo, e l'appuiò bene all'àrbolo. Doppo acchianò, stinnì una mano, cuglì un piro e se lo mangiò, arricriandosi. Aveva appena finito, che le venne voglia di mangiarsene un altro. Ne vitti uno granni, sodo, maturo al punto giusto, solo che era quello più in alto di tutti. Non volle rinunziaricci. Acchianò fino alla cima della scala, ma non era ancora bastevole. Allura si mise in punta di pedi e allungò il vrazzo fino a quanno era possibile.

Martino, che era juto a travagliare nella vigna doppo la partenza del patre per Montelusa, ascutava le voci e le risate luntane dei sò frati che jocavano. Poi sentì il grido, acutissimo, e capì subito che a fare voci era stata sò matre. Si mise a curriri verso il darrè della casina indovi sapiva che la matre portava i picciliddri. Quanno arrivò, vitti Ciccina longa 'n terra ai pedi del piro col sangue che le nisciva a fiotti d'in mezzo alle gambe. Gisuè e Filippo stavano allato alla matre, la taliavano con gli occhi sgriddrati e chiangivano. Senza pirdirisi d'animo, Martino, ch'era un picciliddro forte e stacciuto, si carricò nelle vrazza i dù picciliddri e se li portò in casa.

«Stati boni ca a mamà havi bisogno di mia».

Pigliato il primo pezzo di pezza che gli capitò davanti, l'assuppò d'acqua di pozzo frisca, l'arravugliò e l'infilò in mezzo alle gambe di Ciccina. Poi, currendo come un furmine, s'addiresse verso la casa di lu zù Gaspanu Lanzafame, frati di sò matre, che stava più abbascio, propiamenti ai pedi della collinetta.

«Zù Gaspà, a mamà cadì da scala».

Gaspanu, che sapiva Ciccina prena, s'appriuccupò e principiò a curriri verso la casa di Zosimo, seguito da

Martino che non aveva più la forza di respirari e rantuliava.

L'omo si fece subito capace che sò soro era morta dissanguata. Si la carricò e la portò nella càmmara di supra. I picciliddri, quanno la vittiro, ripigliarono a chiangiri.

«Accumpagnali a la mè casa» fece Gaspanu a Martino «che ci sono li mè figlie che possono darci adenzia. E dici a mè mogliere Cuncetta di lassari perdiri la qualunque e di viniri subito qua».

Cuncetta arrivò doppo una mezzorata chiangendo pirchì dalle paroli di Martino e dalla chiamata del marito aveva accapito che si trattava di disgrazia grossa.

«Nun la putemu fari attrovare accussì a Zosimo quanno torna» disse Gaspanu alla mogliere. «Spogliala, lavala e mettici vistita puliti».

E niscì tinendo una mano supra la spalla del nipote. Ma appena fora, Martino si scrollò e se ne andò darrè la casa. Gaspanu capì ch'era meglio lassarlo solo. Martino, ai pedi dell'àrbolo di pira, detti finalimenti sfogo alle lagrime.

A Montelusa Zosimo s'attardò. Aviva accattato per Ciccina un granni sciallo virdi tutto arriccamato e stava niscenno fora dal pàisi, quanno si sentì chiamari da una pirsona che stava passanno supra a uno scappacavallo.

«Zosimo, aspetta ca ti devo parlari».

Era Sisinno Nicotera, un canoscente. La quistione che quello gli apprisentò era bastevolmenti dilicata. Si trattava che una niputi vintina di Sisinno era prena di un picciotto che non se la voleva più maritari. Il patre della picciotta vintina, che era frati di Sisinno, voliva ammazzare chi gli aveva cunzumatu la figlia non dando la dovuta riparazioni matrimoniali. La cosa era gravi assà, non c'era tempu di perdiri, e Sisinno aviva addeciso di andari a trovari Zosimo quel jorno istisso. Ma dato che aveva avuto la fortuna d'incontrarlo a Montelusa, tanto valeva sbrigari la facenna subito.

Il che venne a significare che Zosimo arriniscì ad arricamparsi che erano squasi le quattro del doppopranzo e aveva un pititto da lupo. Mentre acchianava con la mula lungo il viottulu, gli venne la bella pinsàta di fari una sorpresa alla mogliere. Invece di prosecutari dritto, pigliò un altro viottulu che lo portava propio nella parte di darrè dello spiazzo. A vista della casina, scinnì, attaccò la mula a un àrbolo e si mise lo sciallo in testa come se fosse una fìmmina. Fece quarche passo e si fermò di botto. Non quatrava. Le finestre erano tutte aperte, eppuro non si sentiva una voci, una risata dei picciliddri. Troppu silenziu, troppu. Fu allura che vitti la scala appuiata all'àrbolo di pira e gli parse cosa stramma, pirchì mai e po' mai Ciccina l'avrebbe lassata accussì, ch'era una vera tintazioni per i picciliddri. Avanzò di quarche passo e vitti, propio sutta all'àrbolo, una palla di pezza rossa. Si calò a taliarla meglio e s'addunò che quel rosso non era vernici; ma sangue, sangue ancora impiccicoso. In un lampo che gli fece doliri la testa, capì quello ch'era successo, che sò mogliere era andata a mangiarsi un piro ed era caduta dalla scala. La figlia che aviva nella panza era sicuramente persa, ma forsi Ciccina ancora... Scattò come una fleccia, svoltò l'angolo e andò a sbattere contro a sò cugnato Gaspanu che l'agguantò forte.

«Aspetta, Zò, aspetta un mumentu».

Non si fermò, desi un violento ammuttuni a Gaspanu che dovitti lassarlo. Ma dalla porta della casina niscero Fofò La Bella e Tanu Gangarossa, dù degli amici di Zosimo che Gaspanu aveva avvirtuto della disgrazia. Non ebbero abbisogno di firmarlo, Zosimo si bloccò da solo. Aveva capito che Ciccina era morta. Le paroli non sirvivano a nenti di nenti. Senza perciò diri manco una sillaba, si levò lentamenti la giacchetta, il gilecco, la cammisa e ristò col petto di fora.

«Per favori» disse.

Fofò e Tanu si taliarono per un mumentu, poi Tanu si fici avanti. Zosimo gli sparò un cazzuttuni in faccia, Tanu traballiò, ma non si tirò narrè, ristò con le vrazza che gli pinnuliavano lungo le gambe.

«Sfogati» disse.

E Zosimo lo colpì, lo colpì ancura e ancura e ancura fino a quannu Tanu cadì 'n terra. Allura si fece avanti Fofò.

«Ancora ci sugnu iu» disse.

Ma Zosimo lo taliò strammato, come se si fosse appena arrisbigliato.

«Eh?» spiò.

E subito dopo, con la testa tirata tutta narrè, fece un grido, uno solo, lunghissimo, non finiva mai, non era d'omo, ma di lupo, di vestia sarvaggia ferita a morte. Voltò le spalli alla casina, si misi a curriri sempri più veloci, sempri più luntano, sempri facenno l'istisso ululatu.

Gaspanu voliva andargli appresso, ma Fofò lo firmò. «Lassalo sulu» disse.

Il lupo ch'era addivintato curriva pirchì la strata era tanta e forsi, se fosse arrivato a tempo, ancora ce l'avrebbe fatta a vidiri la pirsuna che voliva vidiri prima che scomparisse per sempri nel loco scuro, nel pozzo senza funno, nello sbalancu senza ritornu. Alla luce della luna curriva filato e si firmò sulamenti un mumentu in mezzu a un canneto per strappare una canna e doppo, currennu currennu, con il cuteddru tagliò la canna, ci fici i pirtusa giusti, attaccò con un filo di raffia che aviva in sacchetta i cinco pezzi di canna tagliati a lunghizza diversa l'uno allato all'altro. Doppo ancura, quanno si persuase ch'era arrivato al loco giustu, si scantò. Si scantò d'aviri sbagliato strata pirchì non arrinisciva a vidiri l'ingresso di la grotta di patre Uhù, indovi aviva abitato col parrino quannu gli insegnava il leggiùto e lo scrivùto.

Non poteva perdiri tempu a circare la trasuta della grotta, avrebbe fatto tardu, troppo tardu. E mentri principiava a disperarsi capì che la trasuta gli stava davanti, era sulamenti ammucciata da un'enormi troffa di spinasanta. Ci si ittò dintra, all'urbigna, graffiandosi a sangue vrazza e petto, la passò, nello scuro fitto capì d'essiri già dintra alla grotta. Si mosse sicuro, l'accanosceva beni, mentre torno torno ai sò pedi si muovevano scursuna, cunigli sarvatici, lucertole, armali arrisbigliati nel sonno dal suo arrivo improvvisu. Avanzò ancora e, dal cangiamento della friscura sulla pelli, seppe d'essiri arrivato alla secunna grotta, quella con lo specchio d'acqua in mezzo. Ora sintiva l'umidità dell'aria. Caminò rasenti il muro della grotta per trenta passi e qui si firmò pirchì doviva essiri al posto circato. Allungò il vrazzo e infatti toccò con la mano la pareti di fondo della secunna grotta.

«Di là di chista pareti» gli aveva detto un jorno patre Uhù «c'è il tuttu e il nenti».

Portò alle labbra lo stromentio di canna che si era fatto e ci soffiò adascio. Lo stromentio arrispose al suo sciato. Allura si pigliò di coraggio e, sempri adascio adascio, principiò a circare le note. Doppo una mezzorata le note gli vennero tutte alla mente.

Era una musica che gli aveva fatto ascutari patre Uhù, serviva a firmare per un mumentu i morti mentre principiavano a scinnire nel loco che non si torna, e quella musica abbisognava sonarla, gli aveva spiegato, come se fosse l'ultimo gesto della tò vita, con l'istissa dispirazioni, raccogliendo in quel sciato tutte le pene e tutte le spiranze, tutti i jorni e le notti, tutte le lagrime e tutte le risate non sulamenti di la vita tò, ma macari di la vita di tutte le pirsune accanosciute, vive e morte. E mentri si sonava abbisognava puro ripetiri certi paroli che principiavano accussì:

«Mòirai, aperésioi, nuktòs fila tékna melaines...».

E allura Zosimo sonò dicenno nella menti le paroli. E mentri sonava, sintiva che tutto quello che lui era stato, era e sarebbe stato si condensava in quel suo sciato che le canne cangiavano in musica. Poco a poco, davanti ai sò occhi principiò a formarsi una nuvolaglia biancastra che portava un barlume splapito e si faciva sempri più consistente. Obbligò il suo cori a non firmarsi, a fari girari il sangue, a fari gonfiari d'aria i sò purmuna: se interrompeva il sono, tutto era perso. E finalimenti la vitti. Ma era virità o era tutta fantasia? Non aviva nisciuna importanza. Ciccina vistiva l'abito col quali s'era maritata (e lui avrebbe saputo doppo che propio con quell'abito l'aveva vistuta la mogliere di Gaspanu levandogli le robbi macchiate di sangue) e caminava a lentu dandogli le spalli. Si vidiva chiaramenti che non aveva gana di prosecutare nella strata, ma era obbligata a farlo. Zosimo, non putennu staccari le labbra dalle canne, la chiamò, la chiamò a longo con gli occhi.

Ciccina dovitti sentirlo pirchì si firmò e lenta lenta si voltò a taliarlo.

Aviva la stessa faccia, pricisa, di quanno era mortu Gisuè, sò figliu. Doppo raprì la vucca e disse senza paroli, ma Zosimo la sentì lo stisso:

«Oramà…».

E fece un gesto con la mano, come quanno si jetta 'n terra una cosa inutili.

Si voltò nuovamenti e ripigliò la strata. Zosimo continuava a vidirla mentri s'alluntanava e capì ch'era la musica che gliela manteneva davanti agli occhi, ancora tanticchia, prima che riscomparisse nella neglia.

Allura staccò le labbra dalle canne e lo scuro nella grotta tornò di colpo.

Capitolo terzo

Quanno che Martino, il figlio più granni di Zosimo, addivenni diciassittino, si zitò con una bona picciotteddra di Montereale che di nome faciva Vicenza Loporto e che era di uguali etati. Di questo zitaggio Zosimo s'allegrò pirchì, datosi che Martino, una volta maritato, avrebbe continuato ad abitare con lui, assà ci faciva piaciri aviri una fimmina picciotta casa casa, pirchì una casa senza fimmina è come una lampa senz'oglio. Difatti, doppo la morti di Ciccina, Zosimo non si era più voluto maritare, a malgrado che le ruffiane facissiro la fila darrè la porta. L'anno che venne appresso, e semu arrivati a lu milli e setticento e unnici, Zosimo e Vannuzzu, vali a diri i dù patri degli ziti, stabilirono che a Martino e a Vicenza si sarebbero fatti gli sponzali a lu deci di settembiro nella chiesa di Santu Caloriu a Vigàta. A li primi di austu, Zosimo andò a parlari col parrino, patre Apico Stanzillà, per pigliari gli accordi. Appena che sentì la data stabilita, patre Apico fece una mezza sturcitina di vucca. Zosimo se ne addunò.

«La chiesa è impignata lu deci di settembiro?» spiò.

«D'essiri impignata, nun è impignata» arrispose il parrino.

E sturcì ancora la vucca. Zosimo s'imparpagliò, macari pirchì era la prima volta che vedeva a quel parrino e non sapiva com'era fatto.

«Scusatemi, parrì, ma questa smorfia che vi viene, vi viene pirchì la natura vi fece accussì opuro vi viene per il discorso che vi sto facenno?».

«Per il discorso che mi state facenno» arrispunnì patre Stanzillà mentre la vucca gli arrivava a toccare la grecchia di mancina.

«Spiegatevi meglio».

«Non lo sapiti che il viscovo di Tindari sinni scappò a Roma a parlari cu lu Papa per la facenna dei ceci sacri?».

Ora i cìciri erano addivintati sacri? E quanno sarebbero addivintati sacri macari i citriola e i cucummareddri? E po', che minchia ci accucchiavano il viscovo di Tindari, il Papa e i cìciri col matrimonio di sò figlio? Vuoi vidiri che patre Apico Stanzillà era nisciuto pazzo?

«Non lo sapiti che il poviro viscovo di Catania è stato obbligatu a scapparisinni? E non lo sapiti che tutti i catanisi sono stati scomunicati?» incalzò patre Stanzillà dando una gran manata sull'altaro maggiore pirchì stava accomenzando ad arraggiare.

Zosimo si sintiva pigliato dai turchi. La vucca di patre Apico intanto aveva accupato il posto della grecchia di mancina mentri la grecchia di dritta stava calanno al posto di la vucca.

«E non lo sapiti che il viscovo di Messina ha dovuto fare la stissa 'ntifica cosa? Scapparisinni come un latro assicutato dai cani? Non lo sapiti, eh?».

Il parrino, che ora faciva voci che intronavano, aveva macari agguantato un cannilabro e pareva volerlo rumpiri supra la testa di Zosimo. Il quali, facennusi pirsuaso che patre Stanzillà era non solamenti pazzu, ma pazzu furioso, sinni niscì di prescia, senza manco salutari.

Martino e la zita Vicenza erano divoti a san Caloriu epperciò si volivano maritari nella chiesa sò, ma datosi che le cose stavano come stavano, Zosimo pinsò bene di andare a spiare nella chiesa Matre se era possibili fare il matrimonio al deci di settembiro.

«Certo che è possibili» fece il parrino Angilu Jacolino che aviva appena finito di diri missa e si stava levanno i paramenti nella sagristia.

Tantu don Apico Stanzillà era grasso, tanto don Angilu Jacolino era sicco. Pareva pirsona assinnata, che uno ci poteva arraggiunari. Si misi a scrivere i nomi dei picciotti che si dovevano maritari, dicenno:

«Intantu iu li segnu».

E che voliva dire con quell'intantu? Pirchì il parrino s'ammostrava dubitoso? Zosimo si tenne però dallo spiare. Quanno don Jacolino sentì il nome del patre dello sposo, isò gli occhi dal foglio.

«Dunque voi siete il famusu Zosimo» fece.

«Sissignura. Pirchì? C'è cuntrarietà?».

«Nisciuna» rispose il parrino.

Quanno finirono di pigliari gli accordi, Zosimo non seppe negarsi alla curiosità che se lo stava mangianno vivo.

«Mi dicissi una cosa, parrì. Ma patre Stanzillà è pazzu?».

La faccia di don Jacolino si fece piatosa.

«No, mischinu, sanissimo di menti è».

«E allura pirchì straparla di cìciri sacri, di viscovi e di papa? A momenti mi spaccava la testa con un cannilabro!».

«Povirazzo, si scanta di non putiri più fari l'officio sò, vattiare, cunfissare, comunicari, maritari…».

«E pirchì?».

Il parrino lo taliò.

«Voi che siete l'omo che siete, non sapete nenti delle cose che stanno capitanno alla chiesa qua in Sicilia?».

«No. Non sono chiesastro».

«Ne ero a canoscenza, tant'è veru che non vi ho mai visto ascutari una missa. Sbagliate però, non a non viniri alla missa, ma a non sapiri quello che sta succidenno. Aviti intiso parlari della controversia liparitana?».

«Mai».

«Allura ve la cunto io» fece il parrino.

E gliela cuntò.

La tristi facenna era principiata una jornata ai primi di novembiro dell'anno passato per una sullennissima minchiata. Il viscovo di Lipari aviva mannato dù servi sò al mercato per vendere quattro sacchi di cìciri di un tirreno di propietà. La disgrazia volli che quel jorno sbarcassiro nell'isola dù catapani, che erano guardie spagnole appena nominate, i quali addimannaro ai servi di pagari la tassa che spettava al governo. I servi s'arrefutarono, dissero che mai avivano pagato sulle cose che il pìspico mannava a vendere, fossiro cìciri o pumadora, frumentu o favi. Allura i dù catapani assequistrarono un sacco. E avivano tortu pirchì scanoscivano la leggi in base alla quali i parrina non pagavano gabelle. Quanno il viscovo seppi la facenna, arraggiò come un cani, tanto che i dù catapani s'addecisero a restituire il sacco. Appena se li vitti davanti, il viscovo incaniò ancora di più, fece voci che era stato compiuto sacrilegio, dato che i cìciri erano sacri pirchì lui li aveva binidiciuti, e furminò i dù povirazzi con l'anatema.

«Ca quali anatema e anatema!» fece il Giudici di Monarchia Francesco Miranda, dichiaranno nullo l'atto del viscovo.

E già. Bisogna sapiri che in Sicilia, da qualichi secolata, c'era una intisa, una liggi, chiamata Apostolica Legazia, per la quali viscovi, cardinali e persino il Papa di pirsona pirsonalmenti non potevano fare anatemi, interdetti e scomuniche senza l'approvazioni del Giudici di Monarchia.

«E io ti fotto!» fece il viscovo di Lipari.

E mandò un parrino dal Viceré, che stava a Messina, con una littra nella quali addimandava il licenziamento del giudici Miranda, una cinquantina di misse di riparazioni, l'arresto dei due catapani e cento sacchi di cìciri.

Senza diri né ai né bai, il Viceré fece catafottere in càrzaro il parrino con tutta la littra.

«Vogliu vidiri se questo grannissimo curnuto ha il coraggio di ittare in càrzaro macari a mia!» fece, saputa la notizia, il viscovo di Lipari, che oramà per la raggia gli nisciva foco dalle nasche.

E s'appresentò a Messina domandanno udienzia al Viceré. Passa un jorno, ne passano dù, ne passano tri e il viscovo aspetta sempri darrè la porta. In capo a una simana, offiso, parte per Roma, si ietta ai pedi del Papa e accomenza a lastimiare, chiangiri, implorari riparazioni per il torto patuto.

Il Papa, per certi affaruzzi politici sò, s'addichiara d'accordu, proclama che la cancellazioni fatta da Miranda non aveva valori e che la quistione di mettiri e levari anatemi, interdetti e scomuniche riguardava solo lui e i ministri sò, senza che la Monarchia in Sicilia s'intrummettesse a rumpirgli i cabasisi. E ci mise il carrico da unnici scomunicanno Miranda.

«Il Papa ha gana di babbiare» fecero i ministri del governo radunati a Palermo. «La bolla papalina contro il nostro Giudici è carta da strazzare, nun vali nenti pirchì non ha macari la firma del Viceré. E perciò nelle chiese non se ne deve parlari».

Inveci i viscovi di Catania e di Messina ne parlarono e di conseguenzia il Viceré li spedì con la forza fora dell'isola.

Alla fine del cunto di patre Jacolino, a Zosimo gli scappò una gran risata.

«Voi ve la scialate» fece il parrino serio serio. «Pirchì non pinsate che le chiese in mezza isola sono chiuse e i povirazzi che ci hanno bisogno per confissarsi o per comunicarsi o per vattiare un picciliddro non sanno come fare? Manco l'ogliu santo si può portari!».

318

«Ma il viscovo di Montelusa come si la pensa?» spiò Zosimo.

«E questo è il busillisi! Ancora non si è appronunziato. Tiene la vucca cusuta. Doviti sapiri che sua cillenza Ramirez, il nostro viscovo, ha due consiglieri, patre Carmona e patre Filippazzo. Uno gli dice una cosa e l'altro gli dice la cosa contraria. Speriamo beni. Se si addecide a fare come gli altri viscovi, ti saluto e sono. Viene a dire che macari qua si chiudono le chiese e il matrimonio ve lo potete scordare».

Propio quanno vennero a mancari quinnici jorna allo sposalizio, il viscovo Ramirez se la pinsò bona di pigliari partito. E quindi non solamenti fece impicciicare sulle porte delle chiese la bolla papale contro il giudici Miranda, ma ce ne mise allato un'altra, arrivatagli frisca frisca da Roma, con la quale il Papa scomunicava tutti i ministri siciliani e tutti quelli che obbedivano ai loro ordini. Il Viceré, furioso, ordinò al Capitano d'armi di Montelusa, che di nome faceva Ochoa, di dare dù jorna di tempo al viscovo per lasciare il pàisi. Passarono i dù jorna e Ramirez non si cataminava. Allura Ochoa agguantò il viscovo, lo portò a Vigàta, lo fece imbarcare supra una feluca e lo spidì a Malta. Ochoa però scanosceva che Ramirez, prima di partiri, aveva nominato al posto sò un canonico, Silio Cozzolo, il quali, il giorno appresso la partenza del viscovo, fece impicciicare sulle porte il foglio che scomunicava Ochoa e proclamava l'interdettu, vali a diri che non si potevano rapriri le chiese e dari i sacramenti.

A questo punto, che siamo arrivati alla fine d'austu,

Martino e la zita persiro la spiranzia di putirisi maritari come Dio accomanna. E la zita pigliò a chiangiri. Era purtata al chianto macari quanno non c'era ragioni di chiangiri, figurarisi ora che ragioni ne teneva a palate. A Zosimo ci siddriava a vidiri le fìmmine chiangiri epperciò si sintiva nesciri il senso a vidirsi sempri davanti a quella picciotta che pareva una fontana.

Un jorno, alla scurata, che sinni stavano assittati davanti alla casina a pigliari frisco, e c'erano macari parenti e amici con moglieri, arrivò il sono di una campanella che s'avvicinava e po' sullo spiazzo comparse un omo, un cinquantino con un gran sacco sulle spalli e con una specie di barracano che lo cummigliava tutto a malgrado del gran cavudo che faciva.

«C'è promisso?».

«Avanti» disse Zosimo.

«Salutamu a questa bella compagnia» fece l'omo posando il sacco a terra.

Dalla voce e dal modo tutti si ficiro persuasi che l'omo era uno di quelli che girano per fere e mercati vinnenno rimedi contra le malatìe quale la tossi o il malo di schina. Poi l'omo si levò il barracano, raprì il sacco, tirò fora un tricornu e se lo misi 'n testa. Un parrino! E difatti quello confirmò:

«Sono patre Zigaìna, parrino girovago, sempri pronto agli ordini di chi havi bisogno di confessioni, comunioni, oglio santu, binidizioni, vattesimi, matrimoni, tutto quello che abbisogna a prezzi modici!».

«Matrimoni?!» gridò Vicenza la zita, che stava appartata sutta a un àrbolo, finendo di colpo di chiangiri.

«E come no!» fece il parrino tirando fora dal sacco ostensori, turiboli, ampolline, paramenti, missali. «Un matrimonio viene a costare tanticchia di più di una simprici comunioni, ma qui tengo tutto l'occorrenti!».

I prisenti tirarono un sospiro: finalimenti lo sposalizio si sarebbe fatto! Ma vennero aggilati dalla voce calma e ferma di Zosimo:

«Se non ti levi da qua subito, ti faccio assugliare e mangiari dai cani. Tu sì parrino come iu sugnu viscovo».

Velocissimo, l'omo rinfilò tutto nel sacco, si rimise il barracano, salutò.

«Domanno pirdonanzia».

E se ne andò. Vicenza, scunsulata, ripigliò a chiangiri.

La zita finì di chiangiri e anzi accomenzò a sorridiri quattro jorna avanti la data stabilita. Infatti da Palermo era arrivato a Montelusa il canonico Petru Attardi con cento soldati del Viceré e sette parrini di ricambio. Il canonico, che altissimamente se ne stracatafotteva del Papa, fece arristare tutti i parrini che erano d'accordo con Ramirez, sfondò la porta del convento dei Cappuccini, ne pigliò tri, li fece legare con una corda e li ittò in funno a un pozzo profonnissimo. E po', tanto per fare accapire a tutti che lingua parlava, murò porti e finestri del convento delle Carmelitane che si erano proclamate fideli al Papa. Il giorno doppo, nella Catidrali, disse una Missa sullenni.

Patre Jacolino non venne arristato, avendo dichiarato che si assuggettava al canonico Attardi e rapriva la chiesa Matre di Vigàta.

Epperciò, la matina dello sposalizio, dalla casa di Zosimo si partirono una cinquantina di carretti, tutti carrichi di invitati parati a festa. Ma appena arrivati sulla piazza, vittiro che la porta della chiesa Matre era inserrata. S'informarono. E accussì vennero a sapiri che la sira avanti un pazzu, facendo voci che patre Jacolino era un traditore del Papa, gli aveva ammollato dù coltellate. Conclusioni: il parrino era sì vivo, ma non in condizioni di celebrari un matrimonio.

Di colpo, quel matrimonio si stracangiò in funerali. Silenzio di tomba, tutti con la testa vascia, la zita davanti alla porta chiusa che gli occhi le erano addiventati dù pipironi. A questo punto, Zosimo arrisolvette.

«Tutti a la chiesa di san Caloriu!».

Indovi voleva andare a parari Zosimo se macari quella chiesa era chiusa datosi che patre Stanzillà era stato incarzarato? Comunqui, siccome Zosimo era Zosimo, girarono i carretti e lo seguirono. Arrivati alla chiesa, Zosimo chiamò Fofò La Bella, Tanu Gangarossa e qualichi altro e disse:

«Sfonniamo sta porta».

Abbastarono due spallate.

«Tutti dintra!» ordinò Zosimo.

Quanno tutti trasero, Zosimo, dando le spalli alla statua di san Caloriu, chiamò davanti a lui Martino e Vicenza che aviva l'abito di sposa assuppato di lagrime.

«Statimi a sintiri tutti» fece Zosimo. «Voglio che ragiunate supra a questa situazioni. Se ora come ora ninni iemu a Montelusa, ci attroviamo a sette parrini forasteri, quelli che si è portati appresso il canonico Attardi, pronti a fare questo matrimoniu. Ma questo matrimoniu lo fanno per fari piaciri a Dio o per fari piaciri al Viceré? E se attroviamo un parrino nostrano che ci rapri la chiesa, lo fa pirchì è sincero o pirchì è scantato di andare a finire in càrzaro, dato che il canonico Attardi non sgherza? Io allura mi domanno e dico: che valori po' aviri un sacramentu quanno viene esercitatu per fari piaceri al Viceré o pirchì si ha scanto di fare una mala fine?».

Nisciuno sciatò.

«Se siamo tutti d'accordo, andiamo avanti» fece Zosimo tirandosi di lato in modo che i dù ziti si trovassero davanti alla statua del santo. E po' prosecuì.

«Io, Zosimo, domanno a tia, Martino Zosimo, in nome e per conto del qui presenti san Calorio: ti vuoi pigliari come mogliere a Vicenza Loporto?».

«Sissi, patre» fece Martino.

«Io, Zosimo, domanno a tia, Vicenza Loporto, in nome e per conto del qui presenti san Calorio: ti vuoi pigliari come maritu a Martino Zosimo?».

«Sì, patre» fece Vicenza con un sorriso che le tagliava la faccia.

«Giurate di essiri sempri rispettosi e viriteri tra di voi?».

«L'aggiuramu» fecero a una voce Martino e Vicenza.

«Scangiatevi l'aneddra».

Se li scangiarono.

«San Caloriu vi addichiara marito e mogliere» concluse Zosimo.

Lo stisso 'ntifico problema dello sposalizio s'appresentò l'anno appresso quanno Vicenza si sgravò del primo figlio al quali venne dato il nome di Michele, come quello del nonno, Michele Zosimo che, da parti sò, se l'era scordato di chiamarsi accussì in quanto oramà erano anni che tutti l'acchiamavano solo Zosimo.

«Io mi lassai maritare da voi, patre» disse Martino a Zosimo «pirchì mi feci convinto che li sacramenti dati per superchieria o per scanto non hanno valori. Ma ora come facemu per vattiari a mè figlio?».

E mentri diceva questo, taliava a sò patre come per invitarlo a fare trentuno doppo aviri fatto trenta, vali a dire a vattiare lui stesso il picciliddro nella chiesa di san Calorio, datosi che don Stanzillà era sempri in càrzaro.

Ma Zosimo s'arrefutò. Però disse a Martino e a Vicenza di portare tanticchia di pazienzia pirchì la cosa forse l'arrisolveva. Gli era arrivata una certa voci che abbisognava di conferma.

L'indomani di matino prestu, che ancora c'era scuru, pigliò la mula e si partì. Caminò di bon passo per tri ore e finalimenti arrivò a la casa di uno dei camperi del feudo del marchisi Torregrossa. Questo camperi, che di nome faceva Cocò Milazzo, una volta, a Montelusa, aveva fatto una minchiata e Zosimo gli aviva arrisolto la quistioni. Cocò, appena vitti arrivare Zosimo, s'alligrò, gli fece faccia, gli portò mezza cannata di vino bono e delle aulive sapurite. Com'è di giusto, Cocò non spiò a Zosimo la ragione della vinuta: sarebbe stata una vera e propia malaccrianza. Fu Zosimo pirciò a parlari per primo della facenna.

«Come sta vostro frati, il parrino? Ne avite notizie?» attaccò.

Patre Amantino Milazzo, che era maggiuri d'etati di sò frati Cocò, era stato incarzarato pirchì fedeli al Papa, però era arrinisciuto a scappari. Allura il capitano Ochoa l'aviva fatto cunnannari a morti. Il parrino, prosecuto, si era ammucciato in campagna, ma Zosimo aveva saputo che con Cocò si vedeva spisso.

«Ma quanno mai!» disse Cocò facenno la faccia afflitta. «Mi si rompi il cuore a sapiri questo poviro frati mè solo e senza nisciuno che gli dà adenzia!».

«Se vi capita per casu d'incontrarlo...».

«Mi pari difficili assà» l'interruppe Cocò.

«Va beni, ma se vi capita l'incontro, dovreste dirgli che Zosimo è in difficortà».

«Voi? In difficortà?!» s'ammaravigliò Cocò.

E allura Zosimo gli spiegò la facenna del nipoteddro che si doviva vattiare.

Quattro jorni doppo la visita di Zosimo al camperi, s'appresentò un viddrano sicco e malannato con un vastone sulle spalle. Dal vastone pinnuliava una truscia, un fazzolettone annodato ai quattro capi ed evidentemente pieno di roba.

«Sono patre Amantino Milazzo» disse a Zosimo «e vado di prescia. Mi scanto dei soldati di Ochoa, quelli appena mi vidinu m'ammazzanu».

Arrivò Vicenza col picciliddro in braccio, mannarono a chiamari a Martino che travagliava in campagna.

«Indovi ci mettiamo?» spiò Vicenza.

«Indovi volete» arrispose il parrino. «In ogni loco c'è Diu».

Dintra alla truscia patre Amantino si era portato

l'occorrenti. Un'ora appresso il picciliddro veniva vattiato con freschissima acqua di pozzo.

Si cunta e si boncunta che propio in quell'anno, che era il milli e setticento e tridici, li nazioni che si facivano la guerra si intinzionarono a fare la paci. I re s'arreunirono in una citate che di nome faceva Utrecchiti e si misiru d'accordo doppo sciarre, azzuffatine e male parole.

Stavano assittati sutta all'àrbolo d'aulivo e c'erano presenti i meglio della chiurma di Zosimo.

S'arreunivano ogni duminica in prìmisi per ascutare come se la pinsava Zosimo e in secùnnisi pirchì il loco era bello con la viduta del mari luntano, c'era una friscanzana che arricriava, il vinu, che accompagnava sarde salate, tumazzo e aulive conzate, era forti e cordiali nell'istisso tempo. Si erano scangiate le notizie della simanata, di 'Ntonio Sammartano che ci era morta la mula, di Peppi Fragalà che ci era nasciuta la quarta figlia fìmmina ed era parso nisciuto pazzo tanto che voliva ammazzare la mogliere, di Giurlannu Spinoccia che in punto di morti aveva addimannato un parrino per cunfissarisi e non se ne era attrovato uno. Finiti questi discorsa, Tanu Gangarossa disse che in paìsi aviva sentito dire che in un certo posto avivano fatto una certa paci in basi di la quali la Sicilia cangiava re.

«Vero è» spiegò Zosimo. «A seguito di l'accordo che questi potenti ficiro, la nostra terra passa da essiri proprietà delli spagnoli a essiri proprietà di un duca che di nome fa Vittorio Amedeo di Savoja e che pirciò da duca passa a re. E nui semo sempri uguali a cìciri o a favi che s'accattano e si vinnino».

«Ma unni minchia è sta Sacoja?» spiò Fofò La Bella.

«Tu lo sai che il Papa sta a Roma? Bene, la Savoja è distanti quanto andari due volte da ccà a Roma, 'n mezzu a li muntagni».

«Ma paci la fici puro il Papa?» spiò Tanu Gangarossa.

«Il Papa in questa paci non ci trase. Il Papa continuerà ancora a scassaricci la minchia, anzi peggiu».

«E pirchì peggiu?».

«Pirchì il Papa e questo Vittoriu Amideu è da tempu che si sciarriano».

«Tu pensi che con questo re cangia qualichi cosa?» fece Giurlannu Cucinotta.

«E che deve cangiari, Giurlà» intervenne Fofò. «L'accanusci la poisia?».

«Quali poisia?».

«Quella che fa: "Tutti lu sannu, lu sapi puro u mulu / ca u viddranu lu piglia sempri 'n culu". Ti piaci la poisia?».

«No».

«Ma la poisia si può cangiari» fece Zosimo. «Accussì, per esempio: "È scrittu 'n celu, lu jorno spunterà / ca futtemu lu Re, u Papa e a Nobiltà". Chista ti piaci?».

«A cangiari una poisia è facili» commentò Giuggiuzzu Siracusano, ch'era il più vecchiu di tutti. «Lu difficile è cangiari lu munnu».

«Volenno, ci si arrinesci» fece Zosimo addiventato serio.

«E comu?» fece Tanu Gangarossa. «Nun avemu né armi né esercitu, siamo soli e abbannunati, nun avemu putiri, nenti, avemu sulu gli occhi per chiangiri…».

«Una cosa l'avemu» disse Zosimo sempri serio. «La fantasia. Che è l'arma più piricolosa. Però abbisogna sapiri quann'è il mumentu giustu».

E tutti non accapirono se Zosimo stava babbianno o diciva supra u seriu.

Capitolo quarto

La matina del deci di ottobiro del milli e setticento e tridici attraccò, nel porto di Palermo, un ligno inglesi che portava il novo re di Sicilia a pigliari possesso della terra che ci avivano arrigalato a Utrecchiti. Il re viaggiava con la mogliere Anna e il Viceré Annibale Maffei. Attraccarono macari altri dù legni, supra i quali c'erano centocinquantuno pirsone tra òmini di Corte, officiali di Camera, cavalieri e guardie sguizzere. Al largo avivano dato àncora altri dù navigli pieni rasi di quattrocento e diciannovi tra alti e bassi impiegati dell'amministrazione pubblica per assostituiri gl'impiegati che avivano travagliato cogli spagnoli. Ancora più al largo, si erano firmati altri navigli con seimila soldati che dovivano pigliari il posto di quelli spagnoli.

Davanti al ligno inglesi che stava per finire le manopere per mettere una scala d'anuri alla fiancata, c'era il Senato della citate, vistuto tutto scocchi e maniglie, che aspittava il regale sbarco. Mezza Palermo affollava i contorni, tenuta abbada dalle guardie del Senato.

Dalla scala prima scinnirono di cursa una trentina di guardie sguizzere che s'addisposero su due file con la spata tirata di fora e tenuta dritta con il vrazzo isato.

Passò una mezzorata e non capitò più nenti. La popolazioni taliava le guardie che parevano statue, non si cataminavano, a malgrado che il vrazzo con la spata accomenzasse a pesare. Poi finalimenti in cima alla scaletta apparse uno, vistuto di panno grigio chiaramenti di scarsa qualitati, di stazza media. Un cammareri o un aiutanti di campo di sua Maistà. Arrivato 'n terra il cammareri, principiò a scinniri uno sicco e alto, dalla faccia 'mperiosa, vistuto con gran ricchizza, il cappello tutto piume. Era il re. Scoppiò il battimano e, in mezzo allo scruscio, si fece avanti il principe Niccolò Branciforti dell'Arenella incarricato di leggiri un'ode di bonvinuto scritta dal canonico Verruso che non poteva intervenire di presenzia data la gran camurrìa della controversia liparitana. Il canonico Verruso aviva macari scritto, una decina di jorna avanti, un'ode per la partenza del Viceré spagnolo: ci aviva cangiato sulamenti qualichi cosa (per esempio «tu che parti» addivintò «tu che arrivi») e l'aveva data para para al principe.

Il quale principe Branciforti s'assistimò propio davanti al re e principiò a declamari l'ode che se l'era imparata a mimoria:

«Qual legno che periclita / se l'onda infuria fera…».

E qui si fermò. Pirchì sua Maistà di colpo era addivintato strabico e tanto russo in faccia che pareva che avisse pigliato foco. L'occhi del re si erano storciuniati a taliare il servo e pareva ordinassero al principe di taliarlo macari lui. E don Niccolò Branciforti dell'Arenella lo taliò. Ma che c'era di taliare? Era un tali qualisiasi, malovistuto, perfino aviva la spata arrugginuta.

E po' era 'ntipatico. Stava per ripigliari a declamare quanno il re, fattosi ancora più russo e strabico, sibilò come un serpenti:

«Non sono io il re, coglione!».

Matre santissima! Madonna biniditta! Se sò Maistà non era quello che gli stava davanti, veniva a dire che quello che l'aveva chiamato coglione era il Viceré Maffei e veniva a dire macari che il re vero era l'altro, u servu! Ma che fitinzia di re era? Un re di secunna mano? Non solo non aviva nisciuna ariata regale ma doviva essiri omo di una grevianza assoluta.

Asciucandosi il sudori dalla fronti, il principe Branciforti dell'Arenella fece dù passi di lato come un granciu e, arrivato all'altizza di quello vistuto di panno scadenti, riattaccò la poisia:

«Qual legno che periclita / se l'onda infuria fera...».

Vittorio Amedeo si l'ascutò tutta battenno sempri 'n terra la punta del pedi mancino e sempri con la testa isata a taliare le nuvoli 'n celu. Pariva stuffato e stanco. Quanno il principe finì col cannarozzo asciutto vuoi per la longhizza dell'ode vuoi pirchì gli era venuto il pinsèro che il re gli avrebbe fatto scuttari lo scangio di pirsona, sò Maistà calò appena appena la testa, voltò le spalli a tutti e se ne riacchianò a bordo senza manco una parola di ringrazio. Il Viceré Maffei arrestò a taliarlo tanticchia imparpagliato, doppo disse:

«Sua Maestà ringrazia per la festevol accoglienza».

E se ne acchianò macari lui a bordo.

Il Senato della citate aspittò una mezzorata che qualichiduno si facissi vivo, ma ammàtula, dalla scala non scinnì più nessuno. I soldati sguizzeri non sapivano che fari, stavano sempri con la spata isata, però accomenzavano a traballiari per la stanchizza. Il comandante s'arrisolvette a dare un ordine e accussì quei povirazzi pigliarono la posizione di riposo. Una mezzorata appresso ancora, il Senato della citate sinni tornò a la casa.

Tempu una vintina di jorni, i siciliani seppiro come se la pinsava il re vinuto dalla Savoja.

Per quanto arriguardava la nobiltate:

Ai nobili che addimannavano audienzia si faciva obbrigo d'appresentarsi a Corte con un massimo di dù carrozze (cogli spagnoli i nobili sinni purtavano appresso minimo minimo cinco).

Non sarebbero state ammisse a Corte dame con abiti sfarzosi di sete e pizzi, le signore avivano tempu mesi sei per cangiare guardaroba.

Ai nobili era proibito severamente il joco (carti, dadi o qualisiasi altra cosa) sia nei circoli che nelle case sò.

Ai nobili era macari proibito viviri vino o qualichesiasi altra cosa.

Tutti i pàisi e villaggi fondati dai nobili venivano immediatamente confiscati e addivintavano propietà della Corona.

Tutti i tribunali baronali erano da cunsidirarsi aboliti.

Tutti i privilegi nobiliari sarebbero stati rivisti entro l'annu a viniri. Per intantu, eranu suspisi.

Tutte le fonti e le sorgive che i nobili avivano in propietà, passavano d'uso comune. Il nobile che ne aviva d'abbisogno pagava una tassa, il burgisi o il viddrano che ne aviva parimenti d'abbisogno pagava il doppiu.

Per quanto arriguardava i parrini:

Tutti i parrini favorevoli al Papa dovivano lassari l'isola tempu quinnici jorna pena l'arresto.

Tutti i beni della Chiesa passavano alla Corona.

Il diritto d'asilo delle chiese e dei monasteri era abolito.

Per quanto arriguardava l'esercitu e la marina:

La truppa sarebbe stata fatta per tri quarti da soldati piamontisi.

La marina invece per un quartu sulamenti di piamontesi (datosi che il mari loro lo vidivano col cannocchiali).

A capo dell'esercitu, un ginirali piamontisi.

A capo della marina un ammiragliu 'mpristatu dall'inglisi.

Tutti i Capitani d'Arme di ogni città vinivano mannati a la casa sò. I novi sarebbero stati nominati tempu un misi.

Per quantu arriguardava l'amministrazioni:

Il sissanta per cento delle carriche di giudici o di ministro sarebbe stato occupato da pirsone non siciliane.

Gli offici non si potevano più accattare o vinniri, ma sarebbiro stati assegnati dal Viceré.

A capo di tutti gli uffici che si occupavano di tasse, tributi, gabelle, imposte sarebbero andati funzionari piamontesi.

Tasse, gabelle e imposte, a fari data del jorno uno di dicembro erano da cunsidirarisi aumentate del venticinco per cento. Parimenti ogni tributo addovuto per qualisiasi cosa.

La tassa supra il macinatu veniva raddoppiata.

E fu chiaro a tutti che sò Maistà, ni li primi vinti jorni di regnu, si era jocata la corona di Sicilia.

Per il jorno trenta dell'istisso mesi di ottobiro, il Senato della citate di Palermo decretò di fari una grannissima festa in anuri di Vittorio Amedeo e di sò mogliere, la rigina Anna. Si sarebbe principiato, alle quattro di doppopranzo, con una tauromachia che veniva a significari il combattimentu di un omo, chiamatu torero, contro un toro firoci, di una razza spiciali che era allivata in un feudo del principe Aragona y Cortes. Il principe, che in quanto spagnolo ci andava pazzo per questo geniri di combattimentu detto corrida, aviva macari rapruto una scola di toreri giuvanetti e con questi picciotteddri, che erano tutti agili, svelti e beddri, passava la jornata e, dicivano le malilingui, macari la nuttata. Richiesto di dare un toro e un torero per una festa in anuri del re Savoja, in sulle prime il principe sdignosamenti s'arrefutò, proclamando la sua fidiltà al re di Spagna e giuranno e spergiuranno che mai e po' mai avrebbe dato la sò opira per anurari l'usurpatori. Ma dù jorni appresso cangiò piniòni, sia pirchì il Senato gli proposi un forti ringraziu in dinaro sia pirchì era da tempu che non vidiva una corrida. Nella piazza della Misericordia, ch'era capiente assà, s'accomenzarono a costruire i palchetti di ligno supra i quali dovivano assittarsi gli illustrissimi e le staccionate che avrebbero circoscritto l'arena. Nell'istisso tempu s'arreclutarono i picadores, vali a dire òmini a cavaddro armati di lancia che addovivano stuzzichiare l'armàlo e i banderilleros, che in Sicilia erano di pelli nìvura, i quali infilavano nel corpo del toro una specie di freccette che lo facevano infuriari ancora di più. Questi banderilleros nìvuri, che avivano già travagliato con gli spagnoli, possidivano la capacità d'addrumari un piccolo foco d'artificio attaccato in cima alla banderilla mentri che la inzeccavano nella vestia.

Ogni tantu alle riunioni sutta all'àrbolo d'aulivo compariva Turiddru Macca. Viniva quanno poteva in quanto che essenno lo gnuri, lu cuccheri del marchisi Filocolo Lanzetta di Comisini sempri ai sò ordini doviva stare. Turiddru era importanti non sulamenti per il travaglio che faciva, ma macari pirchì arriportava agli amici i discursi che facivano i nobili.

«Jorno trenta sugnu a Palermu» fece Turiddru «pirchì lu marchisi havi a parlari col re e po', nel doppopranzo, è invitato a una granni festa».

«Io non ho mai avuto occasioni d'accanusciri Palermu» disse Zosimo.

«Pirchì non ci veni?» spiò Turiddru.

«E come?».

«Con noi. Ti fai un viaggiu scomudo pirchì devi stari all'aria e al ventu assittato a cassetta con mia».

«E che dice il marchisi se mi vidi?».

«Il marchisi manco li talìa i sò servi. E se addumanna spiegazioni, ci dico che ti pigliai come aiutanti».

«E come mi vesto?».

«Non ti apprioccupari. I vistita te l'impresto io».

Arrivarono a Palermo la matina tardo del jorno ventisetti e il marchisi si fece portari a palazzo del barone Ragusa pirchì avrebbe mangiatu e durmuto nella casa di questo nobili ch'era amico sò. Macari Turiddru e Zosimo ci potevano mangiari e durmiri, ma nel riparto della servitù.

Maria santa, quantu ci piacì a Zosimo la citate! Firriava strate strate con la testa tanto piegata narrè a taliari i palazzi, le statue, le chiese che doppo un dù orate gli veniva dolori al cozzo. A ogni cosa bella che vidiva, il cori gli si allargava in petto ed era obbligato a tirare un sospiro profunno. Certe volte gli pareva d'essiri imbriaco, tanto la testa gli girava.

Invece le facci delle pirsone che vidiva caminare gli portavano malincunia, erano un'altra cosa della billizza che le circondava. Gialli, tirati, con i calamari torno torno agli occhi, parivano tutti malatizzi, forsi ci ammancava lu suli e l'aria di la campagna.

Jorno trenta, la matina, accumpagnarono il marchisi all'audienza, e quanno l'audienza finì, sinni tornarono a palazzo Ragusa. Alle tri di doppopranzo carricarono il marchisi per portarlo alla corrida in piazza della Misericordia, ma nelle vicinanze vennero fermati dai soldati pirchì non si poteva procediri con la carrozza. Santianno, il marchisi disse a Turiddru e a Zosimo d'aspettarlo e s'avviò a pedi.

Andò a finiri che una decina di carrozze si arradunarono in una piazzetta e i gnuri e i servitori accomenzarono a chiacchiariari tra di loro. Doppo una mezzorata, si sentì il sono delle trombe che veniva a significare che sò Maistà e la regina erano arrivati e che la festa principiava. Di tempu in tempu si sentivano macari battute di mano o i botti dei mortaretti dei banderilleros. Tutto 'nzemmula arrivò un burdellu di voci, lamenti, grida d'aiuto, biastemie, passi di genti che correva. I gnuri e i servi appizzarono le orecchie, certo era successo qualichi cosa di serio, forsi il toro aviva incornato il torero.

Il toro aveva veramenti incornato qualichiduno, ma non il torero. La facenna era andata accussì. Fino da quanno era trasuta nell'arena, la vestia aviva addimostrato che non aveva gana di sgherzare, dava certe cornate alla stacconata che tutta la costruzioni di ligno traballiava. Quanno intervennero i banderilleros, le cose si misero peju. Circondato dai mori che l'assordavano con le loro vociate, scantato dai botti e dai fochi delle banderillas infilate nelle sò carni sanguinanti, l'armàlo, a un certo mumentu, arriniscì con una cornata a fare cadiri 'n terra un moro, e po', arraggiato, lo sullivò in aria, lo risbattì 'n terra e gli desi altre tirribili cornate.

Alla vista della scena, la regina, addiventata giarna in faccia che pareva una morta, si susì addritta dicenno che sinni vuliva andare. A questo punto, come voli la tichetta, tutti i nobili presenti si susirono macari loro addritta ghittandosi sulle spalli il mantello e s'inchinandosi alla regina. Questi mantelli si portavano nìvuri di fora ma fo-

derati dintra di raso rosso. Quello che appresso capitò
lo contò in poisia il solito canonico Verruso.

Allora il tor furente, vedendo un mar di rosso,
per traverso galoppa, salta, muggisce, mosso
da rabbia incontinente con le corna all'assalto
va a dritta e a manca e infin, con ampio salto,
quasi alato destrier varca la palizzata
e con precisa mira dardeggia una cornata
nel posterior pertugio del duca di Superga
che, nell'omaggio chino, a lui porgea le terga.
L'infelice da' in strida e la regina, rotto
vedendo il suo servente sanguinare a dirotto,
vacilla, geme, porta le mani agli occhi
e, dall'orrore vinta, si piega sui ginocchi.
E intanto il toro ancora, ripigliata la mira,
colpisce al basso ventre il conte di Stamira
crudelmente privandolo, o sorte amara e vile,
di quello ch'era stato il suo orgoglio virile.
Alfin, sbollita l'ira, il tor parsi quietare
sicché agevolmente si fece incatenare.

Quella sira istissa, passianno per la Vucciria con Turiddru, Zosimo s'avvicinò a un banco indovi si vinni-
va carni e che era atturniato da tanti pirsone che arri-
divano. Avevano macillato il toro che aviva fatto danno nella corrida e ora la genti se l'accattava a pezzi e
con tanta allegria. La testa c'era ancora. Aviva gli occhi aperti, tanto arraggiati che facivanu spavento macari morti, i corna erano addivintati russi di sangue e
sangue c'era macari in tutto il pilu. Zosimo la volle e
la pagò cara pirchì il propietario del banco diciva che

338

quella testa di toro che aviva inculatu un nobili e ne aviva castratu un altro, sarebbi stata l'orgogliu e lu vantu di ogni casa di genti onesta e faticatora.

Quanno tornò a Vigàta, Zosimo la prima cosa che fece fu di chiamare a Savaturi Alletto, bravo pittori di spondi di carretto con le storie di Orlando e Rinaldo. Gli disse che voliva un disigno priciso 'ntìfico alla testa del toro. Tempu una simana Savaturi glielo consignò. E allura Zosimo andò a Montelusa dalle signurine Colosimo che sapivano cusiri e arriccamari come altre non ce n'erano. Spiegò che voliva riportato quel disigno in mezzu a un gran pezzu di panno nìvuro assai resistenti.

E questa addivintò la bannera di Zosimo.

Chiantato un palo allato all'àrbolo di aulivo, ogni duminica, quanno si arradunavano gli amici, Zosimo la isava, tanticchia ridennu e tanticchia supra u seriu.

Un doppopranzo, che già scurava, gli amici stavanu tutti assittati sutta l'aulivo. Avivano parlato a longo della controversia liparitana, tutti erano d'accordo che Zosimo doviva dire pubblicamenti da quali parti stava. Zosimo però non si era appronunziato, pariva distratto. Il fatto è che si sentiva viniri la febbri, dintra la carni sò c'era come un calore che cresceva e ogni tanto avvertiva un bripito di friddo lungo la schina. Macari il cori gli batteva più rapito. Ma Zosimo sapiva che non si trattava di malatìa, né di terzana né di malaria. Eranu anni e anni che questa febbri spiciali non ci pigliava. Era calato quel silenzio che sempri c'è in una chiurma d'amici quanno s'avvicina il mumentu dei saluti, s'aspittava sulamenti il primo che si susiva e diciva:

«Beh, si fici tardu».

Fu proprio in quel silenzio che per Zosimo il tempu si fermò. Ogni cosa viventi e no che c'era torno torno a lui s'apparalizzò, le foglie non si smossero più al vinticeddro della sira che avanzava. Persino una taddrarita che stava facenno il suo volo basso e tortuoso s'arrestò, le ali spiegate, sospesa in aria come se fosse addisegnata in un quatro. E macari le nuvoli, oramà ferme, appartenevano allo stesso quatro. Fofò La Bella era tanticchia calato verso Tanu Gangarossa e aviva la vucca aperta come se gli parlasse, ma le labbra non si cataminavano e non nisciva parola. Non c'era rumore, nenti, non un sono. Il fumo della pipa di Gegè Cosentino era immobili metà fora e metà dintra al fornello. Il cane, che stava saltando una staccionatella, stava con le dù zampe di davanti a mezzaria.

A mano dritta di questo quatro, qualichi cosa si mosse. Ma era una cosa che non appartiniva al quatro, calava dal cielo, una specie di riga nìvura, sottili sottili, che puntava proprio alla testa di Giacuminu Seddio.

Quanno fu a pirpindicolo priciso, la riga nìvura che pareva un sirpenti scattò, trapanò la testa di Giacuminu che si raprì di colpo in dù, uguali a una milograna matura, interminabilmenti continuò a trasiricci dintra fino a spaccargli in dù tutt'intero il corpo. Durò un attimu.

Doppo tornarunu i rumura, le voci, i gesti, il muvimentu di tutti i jorni, ma a Zosimo ci parsero insopportabili, si sentì assordare, gli venne di tapparsi le grecchie. Il primo a susirisi e a diri: «Si fici tardu» fu proprio Giacuminu Seddio.

L'indumani, all'ora di mangiari, Zosimo si vitti cumpariri davanti a Fofò La Bella, bianco in faccia che pariva una fantasima a malgrado della curruta che si era fatto. Aveva il sciato grosso, non arrinisciva a parlare.

«A Giacuminu Seddiu ammazzaru, aieri a sira».

Giacuminu stava tornanno a la sò casa nella campagna di Bonamorone. Ancora non faciva scuro fitto. Strata facenno, aviva incontrato a Peppi Nicolosi, un viddrano che abitava da quelle parti e avivano addeciso di fari un pezzo di strata 'nzemmula, chiacchiarianno. Doppo un centinaro di metri vittiro viniri avanti tri soldati savojardi a cavaddro li quali, appena s'addunarono dei dù viddrani, si fermarono. Macari Giacuminu e Peppi ficiro l'istisso. Allura quello dei tri soldati che stava in mezzo dissi qualichi cosa con paroli che non si capivano. Per il sì e per il no, i dù viddrani non si cataminarono. A questo puntu, sempri quello che stava in mezzo e che doviva essiri il capo, fece 'nzinga a Peppi di viniri avanti. E Peppi obbedì, mentri il capo arripeteva quelle paroli che non si capivano.

«Eh?» fece Peppi.

Non ebbe il tempu di diri altro. Il soldato di mancina tirò fora la sciabula e gliela calò in testa di piatto. La botta fu tirribili e Peppi, prima di cadiri 'n terra sbinuto, vitti a Giacuminu che aviva affirrato per le gambi il capo dei soldati e circava di farlo cadiri dal cavaddro. Quanno Peppi arripigliò canuscenza, i soldati non c'erano più. C'era però Giacuminu, mortu, la testa spaccata in dù da una sciabolata come una milograna matura.

Una volta, che manco era decino, aveva scavato con le mano un fossiteddro allato alla casa, ci aviva messo dintra una mènnula, l'aviva ricoperto. Una misata doppo si era arrisbigliato che si sintiva la febbri. Aviva appena messo un pedi fora che il mondo si era di colpo firmato. C'era un silenzio come si nisciuna cosa fosse mai esistita. Si scantò, voliva chiamari a sò matre Filònia, ma la voci non ci nisciva: doppo vitti che la terra, nel posto 'ntifico indovi aviva seppellita la mènnula, si rapriva e dal pirtuso assumava un àrbolo di mandorle, con tutte le foglie e le mènnule verdi, prima nicareddro e po' sempri più granni. Preciso a come sarebbi addivintato qualichi anno appresso.

E un'altra volta, posando la mano supra la panza di Ciccina ch'era prena di appena dù mesi di Gisuè, aviva visto la faccia di sò figlio pricisa 'ntifica a quella che aveva quanno era vinuto al mondo.

Ma non aviva prividuto né il fulmine che abbrusciò l'àrbolo di mandorle, né la febbri maligna che ammazzò a Gisuè. Aviva sempri prividuto nascite, vite nove d'òmini, piante, armàli. Pirchì ora, per la prima volta, gli era apparso chiaro davanti il signo della morti?

Parte quarta

Come fu che Zosimo diventò re

Capitolo primo

A metà dell'anno che venne, e precisamenti al mesi di giugnu del milli e setticento e quattordici, a Montelusa e in tutti i paìsi dei contorni non si trovava più un parrino disposto a dire missa manco a pagarlo a piso d'oro. Da Palermo era arrivato, in rapprisintanza del re, Girolamo Gioeni che era omo che per natura sò non ci andava certo di lèggio e che per di più aviva arricevuto carta bianca, veni a dire che poteva fari qualisiasi cosa che gli passava per la testa. E infatti, un jorno, ebbe una bella alzata d'ingegnu. Ci stava a Chiusa, da tempo arritirato pirchì addivintato cieco, un parrino quasi ottantino e accussì malannato che manco arrinisciva a stare addritta. Di nome faciva Vito Paternostro. Mannatolo a pigliari coi soldati, Gioeni l'obbligò a dire missa nella Catidrali con un soldato che lo reggeva pirchì non cadesse dall'altaro e con un altro soldato che stava con la sciabola di fora per ammazzarlo se per caso s'arrefutava di continuare la funzioni. A quella missa s'apprisentarono sì e no una vintina di fideli, ma visto di che missa si trattava, abbannunarono la chiesa che restò vacante.

Abbisognava trovari una soluzioni. Allura il canonico Catanzaro, d'accordo con Gioeni, si fici mannari da

Palermo una ventina di parrini che distribuì in tutte le chiese di Montelusa.

Una notti Zosimo, che era un dù ore che si era corcato, venne arrisbigliato da un certo tripistìo davanti alla casa dove oramà viveva solo, dato che macari Filippo, diciassittino, si era voluto maritari un anno appresso a sò frati Gisuè. Chi poteva essiri a quell'ora? Taliò dalla finestra, c'era una bella luna, vitti una vintina di ùmmire allatu all'àrbolo d'aulivo. Si sintiva parlari a voci vascia. Non erano soldati, ma poteva essiri un trainello, meglio stare accorti. Non si vidivanu armi. Poi si sintì chiamari.

«Zosimo! Rapri! Amici semu!».

Non si cataminò da darrè la finestra. La voci di quello che l'aveva chiamato gli era parsa cognita, ma era megliu arrifardiarsi.

«Zosimo! Iu sugnu, Cocò Milazzo!».

Cocò Milazzo era il camperi frati di quel patre Amantino che gli aveva vattiato il nipote. Un amico. Raprì la finestra.

«Scinnu subito».

Scinnì, addrumò lumi e cannìli, raprì la porta, li fece trasiri in casa pirchì faciva frischiceddro.

A malgrado che apparissiro viddrani, Zosimo capì subito che erano tutti parrini: pirchì il parrino, e similmenti lo sbirro, si po' vistiri come voli, macari di fìmmina, ma sempri si vidi che è parrino (o sbirro).

Giranno l'occhi a taliarli in faccia, Zosimo infatti vitti a patre Amantino, ancora più sicco e ancora più malannato di come se l'arricordava.

Cocò Milazzo attaccò a parlari.

«Ci devi portari pirdonanzia, Zosimo, per il distrubbo che ti stiamo danno. Ma la cosa è seria assà e merita l'attenzioni tò».

«Vi sento».

«Tu» prosecuì Cocò «hai accanosciuto a mè frati Amantino. Stava in un posto che ci avivo attrovato io per scappare alla prosecuzioni. A picca a picca, a mè frati si sono appresentati, sapendolo ammucciato al sicuro, altri parrini macari loro scappati alla prosecuzioni. Che sono tutti qua. Ora il fatto è che hanno saputo che sono arrivati parrini forasteri che hanno pigliato possesso delle loro chiese. E non solamenti delle chiese, ma della casa, dell'orto, delle prebenne... Inzumma, sti povirazzi si arridurranno poviri e pazzi si la facenna continua».

«E io che posso fare?» spiò Zosimo.

«Intanto, ci porti consigliu».

«Spiegati megliu».

«Patre Cosimo» fece Cocò indicanno un omo piuttosto picciotto, alto e stacciuto «è della piniòne di mettiri questi parrini forasteri nella nicissità di andarsene da Montelusa».

«E come?».

Patre Cosimo si fece una risatella prima di dire il come.

«A lignate» spiegò. «Si pirsuadono a lignati. I più picciotti tra di noi, macari aiutati da qualichi parrocciano, trasino in chiesa e, mentri sti parrini dicinu missa, ci diamo una sullenne fracchiata di lignati».

«Ma così si commette sacrilegiu!» insorse un parrino anzianu.

Patre Cosimo si stringì nelle spalli. E tutti taliarono a Zosimo.

«La viulenza porta viulenza» disse Zosimo.

Calò silenzio.

«Inzumma» ripigliò doppo averci pinsato tanticchia «mi pari d'accapiri che voi volite che questi parrini forasteri se ne vanno e che le chiese restano chiuse. È accussì?».

«Accussì» risposero i parrini in coro.

A Zosimo principiò a caminare in testa una mezza idea.

«E sti parrini indovi dormino?».

Per tutti arrispunnì patre Amantino.

«Beh, dorminu unni durmivamu noi. Chi in una càmmara della sagristia, chi in una casuzza allato alla chiesa, chi...».

«Basta accussì» l'interruppe Zosimo. «Tempu una simanata al massimu vogliu sapiri nomu e cugnomu d'ogni parrino e il loco priciso indovi che abita. Vi appromettu che li farò scappari da Montelusa, senza bisogno di fari sacrilegiu, e che da queste parti non vorranno mai più turnarci».

Patre Manueli Lovoi sinni stava a dormiri nella casuzza allocata propio attaccata alla chiesa dei santi Cosma e Damiano quanno sentì un botto spavintoso. Siccome che era nasciuto e crisciuto in un paìsi di terra ballarina, accriditte a una passata di tirrimoto. Aviva l'abitudini di tiniri sempri addrumata, macari mentri durmiva, una cannìla. Si susì a mezzo del letto e in quel preciso mumentu la porta della càmmara si raprì e comparse il Diavolo. Era iddru, senza dubbio, tuttu di pilu russu, dù granni corna supra la testa, feteva di picorume e di sùlfaro, gli occhi sgriddrati, una zotta di carrettiere nella mano mancina, il dito indici della mano dritta puntatu come una canna di moschettu. Non parlava. Patre Manueli si pisciò e mentre si pisciava, si fici trimanno lu signu di la cruci.

«Va... va... di... rere... retro... sa... satana» arriniscì a dire.

La risata del Diavolo fu spavintosa, tanto forte che la luci della cannìla rischiò d'astutarsi.

«Ti sei addannatu l'arma, parrino misirabili!» fece il Diavolo con voci naturalimenti cavernusa e parlannu in strittu dialettu sicilianu, cosa che il parrino in quel frangenti non rilevò. «Epperciò devi viniri cu mia allu 'nfernu in mezzu all'armi perse!».

Patre Manueli si cacò.

«No... No... pi amuri 'i Diu!».

E si mise a chiangiri. Chiangennu, scinnì dal letto con la merda che gli colava in mezzo alle gambe, s'inginocchiò.

«Pi amuri 'i Diu!».

«Diu? E lu chiami ora a Diu doppu ca ci facisti tradimentu arrinnigannu a lu Papa?».

E gli ammollò una trimenda zottata nella faccia.

«Ma chi minchia mi veni a parlari di Diu, strunzu? Sùsiti e veni cu mia!».

Sintendosi culari il sangue dallo sfregio, patre Manueli s'arravugliò che parse un picciliddro quanno dorme.

«No... no...».

«Mi fai pena» disse il Diavolo. «Epperciò t'offru l'occasioni di scansariti lu focu di lu 'nfernu. Si tempu dumani a sira tinni vai da chista chiesa, capaci ca te la scappotti».

Gli ammollò un'altra zottata per buon piso e niscì.

Venti diavoli quella notti comparsero a Montelusa, uno per parrino, e venti parrini, alla prima luce del jorno, chi a pedi, chi in carrozza, chi in carretto, chi a cavaddro, sinni scapparono dalla citate lassanno abbannunate le chiese. Venti ex diavoli, la sira istissa, si ficiro una gran mangiata e una gran vivuta sutta all'àrbolo d'aulivo allato al quale c'era il palo con la bannera di Zosimo isata.

Fu un tristo dicembro, quello del milli e setticento e quattordici. Gioeni e Catanzaro, arraggiati per la facenna dei diavoli ai quali non cridivano (per la virità non cridivano manco a Dio), desiro l'ordine ai soldati di andari a circari campagne campagne tutti i parrini latitanti. Dovivano immediatamenti turnari alle loro chiese, raprirle e fare le funzioni. Chi s'arrefutava o s'arribbillava, sarebbe stato immediatamente incarzarato.

«E se ci scappa qualichi mortu, è megliu. Accussì capiscinu che non sgherziamo» fece Gioeni al comandante.

La caccia principiò, ma era difficili attrovari i parrini ammucciati, dato che i viddrani li proteggevanu. E allura qualchi soldato, per obbligari i viddrani a diri dov'erano i parrini, accomenzò a dari foco alle loro case. La matina dell'antivigilia di Natali spuntarono impiccicati nelle strate di Montelusa e dei paìsi vicini copie di un fogliu scrittu dal Papa che malidiciva i montelusani chiamannoli «figli ingrati e disertori». Un altro foglio, a firma Gioeni, spiegava ai signuri nobili che se non fossero intervenuti alla missa di Natali sarebbero stati cunnannati a morte. Patre Minico Sacchitello si misi a caminare strati strati santianno contro il Papa. La genti, atterrita, s'inserrò nelle case.

La matina di lu santu Natali, una quantità di pirsone andò a Sanpietro nella casa di Zosimo che per gli amici sò aviva fatto priparari mustazzole di vinu cotto, cacateddri di mènnula e vinu sciruppatu. Tutti si vasavano e si facivano agurio. Vinni macari Custantinu Seddio, frati di quello che era stato ammazzato senza ragioni dai soldati piamontisi. Mentre che si vasavano, Custantinu disse alla grecchia di Zosimo:

«Stanotti 'u Bammineddru Gesù mi purtò un rigalo».

«Ah, sì?» fece Zosimo tenendolo stritto. «Che ti purtò?».

«Un soldato piamontisi che aviva perso la strata. Tuppiò a la mè porta, iu raprii, mi lu vitti davanti, lu fici trasire e gli tagliai la gula».

«Pirchì lu facisti?».

«Pirchì accussì me frati Giacuminu è cuntentu».

«Dove l'hai messo il catafero?».

«In un posto sicuru».

Non passò manco una mezzorata che, con altra genti, venne Cicciu Cascio, uno che era sempri allegro ma che stavolta pariva prioccupato.

«C'è cosa?» gli spiò Zosimo tirandoselo sparte.

«Aieri doppopranzo tardo mè mogliere, che era scinnuta all'ortu, si mise a fari voci. Aviva trovatu a unu che era statu firutu a morti. Ancora parlava. Mi lu portai in casa. Era un parrino, i piamontisi l'avivano scoperto e volivano arrestarlo. Ma lui si era addifeso e, a malgrado che l'avivano ferito, era arrinisciuto a scappari. Doppo picca, si fici lu signu di la cruci, addimannò al Signuri di pirdunaricci i piccati, chiudì gli occhi e murì».

«E tu pirchì sei prioccupatu?».

«Pirchì nun sacciu chi fari cu stu mortu. A purtarlo in chiesa ci faria offisa: lui era nimico di chisti parrini forasteri. Che mi cunsigli?».

Zosimo pigliò una decisioni immidiata.

«Stanotti me lo porti qua».

«U mortu?!».

«Sissignuri. M'interessa».

«Come mortu o come parrinu?».

«Come parrinu».

«Allura non ti po' serviri. Era vistuto in borgisi».

«E tu portami macari un vistito di parrinu».

«E unni lu trovo?».

«Te la vidi tu. Ci sono tante chiese abbannunate...».

Poi s'avvicinò a Custantinu Seddio.

«Stanotti portami il piamontisi».

«Il catafero?!».

«Sissignuri».

«E pirchì?».

«Pirchì dù nun fa tri».

La matina del ventisetti dicembiro del milli e setticento e quattordici, don Armando Giaele Ficarra marchisi di Santo Spirito si partì con una carrozza dal palazzo di Montelusa con un ospiti, l'amico Ippolito Gaudenzio barone della Frasca. Il marchisi voliva fari vidiri all'amico una torretta che aveva fatto costruiri supra il tettu della sò villa di Bonamorone addotandola di tutti i più moderni cannucchiali per taliare le stiddre dato che s'addilettava di stronomia. Il barone, santianno che manco un carritteri o un pirriatori arraggiati, contava all'amico che ancora non arrinisciva ad agliuttirisi il fatto ch'era stato obbligato da Gioeni ad assistiri alla missa del santo Natali con gli altri nobili.

«Ma scusami» spiò il marchisi. «Tu non ci vinivi ogni anno alla missa di Natali? Ti ci ho visto io!».

«Ennò, cazzo!» arraggiò il barone. «Una cosa è che ci vado di mia voluntà e una cosa è che mi ci obbriga quella grannissima testa di minchia di Gioeni».

«Questo è veru».

«E lo sai io che ho fatto? Ho biastimiatu Diu, la Madonna, Gesù e tutti i santi per quantu è durata la missa. E sì che era longa!».

Doppo si misero a parlare delle tasse del re savojardo che stava finenno d'impoviriri la già misera isula.

«E poi» fece il marchisi «con gli impiegati delle tasse una volta ci arraggiunavi, ti ci mettevi d'accordo, io faccio un favori a tia e tu ne fai uno a mia, ci si capiva a mezza parola, povirazzi, con lo stipendio che avivano erano bisognevoli di tutto... Con questi piamontesi invece non ci si arraggiuna, tu gli parli e loro non ti capisciono».

«Talia là» fece il barone interrompendolo.

«Unni?» spiò il marchisi calannosi verso il finestrino dell'altro.

«Nenti, scusa, m'era parso...».

«Vuoi vidiri che questi impiegati piamontisi sono onesti?» concluse il marchisi con voce angosciata.

«Scusami, Armando» ripigliò il barone pinsiroso. «Vuoi ordinare al tuo gnuri di tornari narrè? Mi pari di aviri visto una cosa che non mi pirsuade».

C'era una cosa, infatti. Pinnuliava dal ramo più alto del millinnariu aulivo saraceno che signava il bivio per Vigàta. Erano dù morti impiccati all'istisso cappio, i corpi legati 'nzemmula stritti stritti da diversi giri di corda. In capo a la testa di uno, c'era pusatu un corvo che gli stava mangianno un occhio.

«Jemuninni» disse il barone che ci veniva da vummitari.

«Lassarli accussì non è cosa di cristiani» fece il marchisi che macari lui non si sintiva tanto beni di stomacu, ma non gli pariva giustu abbannunari accussì i dù poviri morti.

E desi ordini allo gnuri e al servo che stava in cassetta di acchianari supra all'aulivo, tagliari la corda e calari 'n terra i cataferi. Non fu opira facili e tantu menu rapita. Manu a manu che i dù corpi calavano, si sintiva sempri più forti il fetu della morti.

«Ma da quantu tempu sono lassù?» si spiò il baroni tinendo un fazzulettu supra u nasu.

«Aieri nun c'eranu» fece un viddrano anzianu che si era fermato a taliare. «Ci passai aieri a sira e nun c'eranu».

«E allora?» fece il barone strammato.

«Veni a dire» spiegò il viddrano che di queste cose ne accapiva «che li hanno ammazzati qualichi jorno narrè in un loco diverso e po' li hanno misi supra all'aulivo».

Intanto i dù cataferi erano stati stinnicchiati 'n terra.

«Madonna santa, è un prete!» sclamò, inorridutu, il marchisi.

«Cristo di Diu, è un soldato piamontese!» disse, scantatu, il barone arriconoscendo la divisa dell'altro mortu.

Il viddrano, lo gnuri e il servu invece non dissiru nenti.

Il marchisi, mentri s'avvicinava a taliari il soldato, s'addunò che da sutta la giacca, all'altizza del pettu, gli spuntava una specie di cartiglio arrotolato. Si la pinsò tanticchia, po' s'addecisi e ordinò al servu:

«Piglialu».

Il servu lo tirò fora.

«Raprilu».

Il servu lo svolse.

Al marchisi ci facìa schifìu tuccarlu.

«Tenulu apertu».

Il servu lo tenne apertu.

Il marchisi avvicinò la faccia per leggerlo. Ci stava scrittu a caratteri grossi e d'un russu che parivRa sangue:

«Né cu 'u papa né cu 'u re».

Intantu eranu arrivati altri dù viddrani che si unirono

al gruppo. Uno si avvicinò al catafero del parrinu e l'arriconobbi.

«È patre 'Ntoniu Ventu, se n'era scappatu pi non diri missa».

«E ora che facemu?» spiò il barone.

«Noi due ce ne torniamo a Montelusa ad avvertiri il Capitano di Giustizia» rispunnì il marchisi e prosecuì rivolto al servu. «Tu resta qua e non fari avvicinari a nuddru. E sta attentu alla carta, non si deve perdiri».

Partiti i due nobili, uno dei viddrani spiò al vecchiu:

«Tu lu sa' chi c'è scrivùtu nni la carta?».

«Sì. C'è scrittu ca non bisogna stari né da la parti di lu papa né da la parti di lu re».

«E cu è ca voli accussì?».

«Nun l'accapisci? Zosimo» arrispunnì il vecchio con un surriseddru.

Una bella matina di li primi di ghinnaro dell'anno che venne, s'apprisintò affannatu un viddranu.

«Chi fu?».

«Zosimo, accura. Sta vinennu a truvarti unu di l'òmini do Capitano di justizia. Unu 'mpurtanti».

«Si porta appressu soldati?».

«No, è sulu. Sta acchiananno la trazzera supra u sò cavaddro».

«E io l'aspettu» disse carmo carmo Zosimo.

Il viddrano scomparse.

L'omo di giustizia era quarantino, di forti musculatura, bastevolmenti àutu. Aviva gesta lenti ma sicuri. Fermò il cavaddro al limite dello spiazzo:

«C'è primisso?».

Una vuci profunna, senza ùmmira di superchia o di sprezzu.

«Avanti».

L'omo scinnì, attaccò la vestia alla stacciunata, avanzò fino a mittirisi 'n faccia a Zosimo.

«Mi chiamu Petru Montaperto» disse. «E sono l'aiutanti del Capitano di Giustizia, Gnaziu Tarallo. E vù siete Zosimo?».

«Sì».

Montaperto lo taliò a longo, occhi negli occhi. Doppo si voltò, s'alluntanò di quarchi passo, si misi a osservari una speronara luntana supra il mari.

«Bello» disse.

«Vi posso offriri un vuccali di vinu?» spiò Zosimo.

«Sì, grazii».

«Accomidatevi, mentri vi lo porto» disse Zosimo indicandogli una panchina di petra allato alla porta.

Quanno tornò con dù vuccali, Zosimo lo trovò assittato che s'era addrumato la pipa. Pariva uno che faciva a modo sò nella casa di un vecchiu amicu ch'era venuto a truvari doppo tempu.

«Alla saluti» fece, prima di viviri, isanno il vuccali.

«Alla vostra» arrispunnì Zosimo con l'istisso gesto e assittandosi macari lui. Vippiro in silenziu, assapuranno il gusto forti e amaragnolo.

Montaperto non raprì vucca fino a quanno non ebbi finuto di scularisi il vuccali che posò tra loro dù.

«Ancora?».

«No, grazii» disse.

357

Taliò verso il mari, la spironara non si vidiva più. Tirò un suspiru come se la cosa gli facisse dispiaciri e disse:

«Currino voci».

E siccome non spiccicò altro, Zosimo si vitti costretto a dimannari:

«Che voci?».

Montaperto fici un gestu vago.

«Voci. Chiacchiari. Filami. Dicinu che vui, Zosimo, aviti ammazzato prima un parrinu, doppo un soldato savojardo e po' aviti impiccato i dù cataferi».

Zosimo raprì la vucca per negari, ma Montaperto, isanno una mano, lo fermò:

«Sparagnate il sciato. Ad ammazzare il parrino fu un soldato piamontesi, ad ammazzare il soldato piamontesi penso che fu Custantinu Seddio per vinnicari la morte di sò frati Giacuminu. Non ve lo dissi? Voci, chiacchiere».

Parse aviri di colpo perso ogni interessi a quello che diciva, si susì, sorrise a Zosimo.

«Grazie del vinu e pirdonate il distrubbo».

S'avviò tranquillo e sireno, slegò il cavaddro, vi montò.

«Allura pirchì siete vinuto?» spiò Zosimo.

«Per fari la vostra canuscenza. Pirchì dovivo capire chi era stato a fari il tiatrino dell'impiccagiuni e a scriviri la carta con quelle paroli, né cu 'u papa né cu 'u re. E ora che ebbi l'anuri d'acconoscervi, mi ci joco i cugliuna che siete stato voi. Bona jornata».

Girò il cavaddro e sinni andò. Zosimo restò a taliarlo a longo mentre faciva la scinnuta della trazzera. Aviva parlato con un omo, un omo vero.

Capitolo secondo

Si cunta e si boncunta che nel misi di ghinnaro dell'anno appresso, e semu arrivati al milli e setticento e sidici, il Papa arrinovò la scomunica sullenne contro tutti quelli che, nell'isula, obbidivanu agli ordini del re senza tiniri cuntu degli ordini che inveci dava lui. Per tutta risposta, il Viceré Maffei se la pinsò bona: tutti quelli che vistivano un abito chiesastro, parrini, monaci, sorelli, dovivano firmare una carta scritta nella quali si diciva che loro prima di tuttu arrispittavano l'autorità del re. A Montelusa vintisetti parrini arrefutarono la firma. Allura vennero portati in catini a Vigàta, imbarcati supra una tartana ginovisa e spiditi a Roma. Il Papa, quanno si vitti arrivari sti povirazzi, s'incaniò. Propiu il jorno avanti il cardinali che s'accupava di facenne di dinaro gli aviva spiegato che le pirsune ghittate fora dalla Sicilia, tra viscovi con seguito, monsignori, canonaci, parrini, sorelli, monaci, frati, erano dumila e tricentu: e la spisa per daricci a mangiari e dormiri stava addiventanno forti assà. Il Papa, per levarsi il pinsèro, fece una mossa grossa: dicritò che l'Apostolica Legazia era da considerari abolita.

«Ah, sì?» fece il Viceré che pariva una fìmmina per

quanti mirletti si mittiva nel vistito, ma che invece era una petra firrigna d'animo. «E io gli manno altre bocche da sfamari».

E desi ordini pricisi. Il giudici Schirò, a Montelusa, sfunnò la porta del convento di San Vito coll'aiuto di 'na poco di soldati savojardi e agguantò una trentina tra monaci e parrini che vi si erano arriparati. Doppodiché, al solito: incatinati, portati a Vigàta, imbarcati e spediti a Roma. Fece arristare macari l'arcidiacono Ugo e il canonico Biancucci, ma non li spedì fora, li tenne in càrzaro. Mentri procedeva pirsonalmente a incatinari a questo canonico, capitò che un chiericu, che di nome faciva Locicero, s'arribbillò e si misi a fare voci contra a Schirò. Il giudici, che era manisco, gli si avvicinò e lo pigliò a cavuci nei cabasisi. Il povirazzo cadì 'n terra lamintiannusi e allura Schirò gli spiò:

«Pirchì ti lamenti? Tu nun hai cabasisi e pirciò non ti possono dolere».

Doppo arrivò a Montelusa un novo vicario ginirali, mannato dal Viceré, che di nome faciva Vanni. Questo Vanni era prima di tuttu un tragediatore. La duminica in albisi ordinò una granni prighera pubblica: si misi una corda al collo, una catina di spine 'n testa, dù grossi petre attaccate sulle spalli e una cruci nella mano dritta. Accussì parato accomenzò a firriari strate strate. Darrè a lui venivano dù portantine. Nella prima ci stava frate Peppi Ballotta degli Scalzi che era tanto grassu che non si arreggeva addritta, appena tentava, le gambe lo mollavano e lui principiava a rotolari come una palla. Nella secunna ci stava il canonico Brignone che, essenno stato obbrigato a susirisi dal lettu indovi si trovava in punto di morti, morse nel mezzo della processioni. Uno se ne addunò e s'avvicinò a Vanni avvertendolo del fatto.

«Megliu accussì» fece il vicario. «Tiratelo fora dalla portantina e carricatevelo sulle spalli. Fate vedere a tutti che è morto».

E quanno l'ordini fu esecuto, Vanni si mise a fari voci:

«Taliate, genti, taliate! Lu santu canonicu Brignone ha dato la sò vita pi salvari le porche animi vostre! Unitevi alla processioni!».

«Faciva impressione» disse Fofò La Bella a Zosimo e agli amici arradunati quel doppopranzo istisso sutta all'àrbolo d'aulivo. «Lu vicariu Vanni persi la voci, ma nuddru ci andò appressu. Iddru, la portantina cu Ballotta, il canonicu mortu e darrè di loro manco un cane. La genti ti ha pigliato 'n parola, Zosimo: fa come vuoi tu, non sta né cu lu re né cu lu papa».

«Ma non sono cuntenti» intervenne Tanu Gangarossa.

«Spiegati megliu» disse Zosimo.

«Tu dicisti 'na cosa giusta, ca chisti parrini dicinu missa, confessanu, comunicanu, fanno chiddru ca fanno o in nomu du papa o in nomu du re. Nun lu fannu in nomu di Diu epperciò non rapprisentano Diu. E infatti ora la genti non si cunfessa, non si fa la comunioni, mori senza parrini. Però nun si sentinu la cuscienza a posto. Abbisognirebbi che glielo dicissi qualichiduno che la cuscienza ci l'hanno a postu».

«E io non glielo dissi?» fece Zosimo.

«Non abbasta. Si ci lo dice Diu, Gisù o la Madonna, allura sì».

«Vuoi babbiari?».

«Non haiu gana di babbiari. E tu ci devi pinsari: aieri morsi Nicolino Alletto. Voliva un parrino, si disperava, ma i sò figli non gliclo chiamarono. Nicolino, prima di muriri, ci ghittò sulla testa la sò maledizioni. E Sciaveriu, 'u figliu granni di Nicolino, stamatina mi disse che forsi aviva fattu errori a non chiamaricci un parrinu qualisisiasi».

Per tutto il tempu che durò la riunioni, Zosimo parsi perso ne li sò pinsèri. Alla fini, quannu tutti stavanu salutannosi per tornari alle casi, chiamò sparte a Fofò La Bella.

«Fofò, c'è ancora la petra dell'Omomortu?».

La Bella, che non s'arricordava di questa petra, lo taliò imparpagliato.

«Non ti torna a menti?».

«No».

«Fofò, quanno eravamo picciliddri, e stavamo dalle parti di Montereale, jocavamo in cima alla muntagneddra dell'Omomortu. C'era una petra che se uno ci parlava...».

«Sì, ora me l'arricordo» l'interruppe Fofò.

Era un sigreto. Un jorno si erano addunati che, in mezzo al grosso masso di roccia che c'era propio in cima alla muntagneddra, ci stava un pirtuso. Zosimo ci aveva infilato prima una mano e po' tutto il vrazzo senza toccari il fondo. Allura Fofò ci aviva mannato dintra una petra: per quanto avissiro appizzato le grecchie, la petra sprufunnò senza rumorata d'arrivo. Una para di jorni appresso ci tornarono con una corda di setti metri.

L'infilarono e il pirtuso si l'agliuttì tutta. Unni finiva? Zosimo accostò la vucca e spiò, come se parlasse a una pirsona:

«Mi lo dici quann'è profunnu 'u pirtusu do tò culu?».

Allura capitò una cosa stramma. A un ducentu metri di distanza, sutta la cima della muntagneddra, c'era la strata per Montereale. Nel mumentu nel quali Zosimo disse quelle paroli, stava passanno nella strata un viddrano a cavaddro di uno scecco. Il viddrano tirò le retini, si fermò e si mise a fare voci arraggiate talianno torno torno:

«Veni fora, garruso! Ca inveci do pirtuso do culu ti fazzi avvidiri quant'è longa la mè minchia!».

Zosimo e Fofò si taliarono. Il viddrano cridiva che la dimanna l'avissiro fatta a lui. Ma come faciva la voci ad arrivari a tanta distanzia? Zosimo rifece la prova. Accostò la vucca al pirtuso e disse chiano chiano:

«La minchia tò forsi è longa, ma è muscia».

«La mè minchia è muscia?» vociò il viddrano a ducento metri di distanzia. «Veni fora, se hai curaggiu, che ti la faccio pruvari!».

S'addivirterono ancora tanticchia col viddrano e il jorno appresso rificiro la prova: Zosimo restò abbasciu nella strata, Fofò acchianò fino alla cima e parlò con voci normali nel pirtuso. Zosimo dalla strata sintì ogni parola ed era come se gli fosse allato e parlassi, ma era invisibuli.

E arrivò la notti della festa di santu Campagnolo. Di questo santu non c'era una statua o un quatro in tutte le chiesi, i parrini non ne volivano manco sentiri parlari pirchì dicivano che era un santu che non c'era, che se l'erano inventatu i viddrani. Epperciò, quanno si faciva sta processioni notturna i parrini non ci s'appresintavano. Dati i tempi che erano che non si facivanu più feste e processioni per la facenna della controversia, la mancanza dei parrini accunsintì che questa festa, inveci, si putisse fare ogni anno senza 'ntirruzioni o conseguenzie. Datosi che santu Campagnolo non aviva né quatri né statue che lo raffigurassiro in qualichi modo, ognuno si lo vidiva a modo sò, chi con la varba e chi no, chi con la fance in mano e chi no e via discurrennu. Era il santu protettori dei raccolti, faceva chioviri quannu era giustu, faciva àrdiri lu suli alla misura che ci vuliva, tiniva luntana la gilata, vigliava sulle patate siminate, sulla vigna quanno i graspi principiavano a maturari, faciva scappare le cavallette o i passari che portavano dannu al frumentu. In testa alla processioni che si partiva alle otto di sira da Montelusa, ci stavano le fìmmine che portavano canistra con frutta e virdura, appresso vinivano i cantatori, màscoli e fìmmine, che cantavano le lodi di santu Campagnolo e gli facivano il ringrazio e doppo tutti i fedeli. All'istissa ora, alle otto, una processioni 'ntifica si partiva da Montereale, macari issa in anuri di santu Campagnolo. A mezzanotti spaccata, le dù processioni s'incontravano sutta alla muntagneddra dell'Omomortu e si mittivanu a cantari e a ballari.

364

Caminanno, i cantatori màscoli facivano la impruvvisa. Per esempio, agitando in aria un cetriolo, cantavanu:

O gran santu Campagnolu,
mi lu dasti lu citriolu,
mi lu dasti grossu e duru
ca s'attrova ni lu scuru.

I cantatori fìmmine facivano macari loro una impruvvisa. Pigliavano un melone nel quali era stato fatto un pirtuso nico e cantavano:

O gran santu Campagnolu,
cu 'u muluni m'accunsolu!
Quant'è beddru e sapurusu!
Cu s'u gusta stu pirtusu?

Le dù processioni, a mezzanotti spaccata, s'attrovarono propio sutta all'Omomortu. I màscoli si salutarono, le fìmmine s'abbrazzarono e si vasarono. Doppo, come d'abitudini, attaccarono la canzuna del santu:

Santu beddru, fammi la grazia
ca la mè panza sia sempri sazia,
teni luntana la tinta disgrazia...

Tutto 'nzemmula, sulla cima dell'Omomortu, propio allato al pitrone di roccia, s'addrumarono quattro vampe di foco.

«Maria! Chi fu? Chi succedi? Chi è, 'ncendiu?».

«Pici greca, mi pare» fece uno di naso fino.

Non avivano finito di spiarsi cos'era quel foco che proprio in mezzo alle quattro vampe comparse una figura d'omo. A malgrado della distanzia, tutti s'addunarono che era nudu, che era di corporatura bella stacciuta e dutata, tanto che le fìmmine picciotteddre girarono la testa vrigognuse. L'omo nudu, che aviva la faccia cummigliata da una treccia di pampine, isò le vrazza in celu e parlò.

«Sugnu santu Campagnolo».

«Miraculu! Miraculu!».

Allura le fìmmine picciotteddre rigirarono la testa e taliarono, pirchì le vrigogne di un santu nun sono vrigogne, ma cose sante che po' macari addiventano reliquie. Tutti i fideli erano caduti agginucchiuni, e c'era chi chiangiva, chi si sintiva pigliari dal moto, chi prigava e non tanto pirchì lo vidivano, il santu, ma pirchì li sò paroli parivanu dette alle grecchie di ognuno, come la voci del parrino nel cunfessionili.

«Mi sintiti?» spiò il santu.

«Sì! Sì! Sì!» fu la risposta.

«Fideli mè» ripigliò a sussurrare la voci del santu. «Pirchì stati scantati si nun putiti iri a la chiesa a cunfissarivi, a fari la comunioni, a vattiare i vostri figli? U Signuri lu sapi ca la corpa nun è vostra, ma di tutti sti parrini fitusi ca saranno addannati! U Signuri cumprenni, u Signuri capisci! Prigati isanno l'occhi 'n celu: chista è la casa di Diu! Vasati i picciliddri con amuri, chistu vali vattiu. E si unu sta murennu, faciticci fari il signo di la cruci e tantu abbasta! Mi capistivu?».

«Sì! Sì! Sì!» fecero tutti chiangennu.

«V'abbinidicu».

In un vìdiri e svìdiri le vampe s'astutarono e il santu spirì.

Non era passata manco una simana dalla miraculusa apparizioni di santu Campagnolo, quanno in casa di Zosimo tornò ad appresentarsi Montaperto, l'omo di Giustizia. Fece l'istesse cose della volta passata.

«C'è primisso?».

Aspittò la risposta, scinnì, attaccò il cavaddro, si mise a taliare il paisaggiu.

«Vi posso offriri un vuccali?».

«Ma certo».

Quanno Zosimo torno coi dù vuccali, lo trovò assittato supra la panchina. Oramà era di casa. Vippiro in silenziu, ma stavolta per primu attaccò Zosimo:

«Currino voci» disse.

«Ah, sì? E che voci?».

«Che il Viceré vi farà prestu Capitano di Giustizia».

Montaperto fece lo stessu gestu di quannu si scaccia una musca.

«Bella sodisfazioni arristari parrini! Si scannanu sempri peju. Menu mali che la popolazioni si fa i fatti sò e delle sciarriatine tra parrini oramà sinni futti. In chiesa non ci va più nisciuno».

Si levò il cappeddro, principiò a svintuliarsi. Al soli, faciva cavudo.

«Vuliti trasiri in casa?».

«Vi dispiaci se resto qua fora? Questo postu è bello assà».

L'occhio parse cadergli, come per casu, sull'asta indovi la duminica Zosimo isava la sò bannera.

«E quella a che vi servi?».

Non aspittò che Zosimo gli dasse risposta. Si susì.

«Mi dispiaci, ma devu turnari a Montelusa. Quanno mi sarò arritirato, mi vogliu fari una casuzza comu
la vostra».

S'avviò lentu, un pedi leva e l'altro metti, montò a
cavaddro, e taliò torno torno gli àrboli con i frutti, il
frumentu, la vigna.

«Tirrenu bello e curatu» disse con un surrisinu. «Si
vede propio che siete un divoto di santu Campagnolo».

Era chiaru che Montaperto sapiva tutto quello che
doviva sapiri e che con lui si stava addivertendo come
il gattu cu lu surci.

Una notti dei primi di fivraro del milli e setticento
e sidici, Zosimo fece un sogno, anzi ne fece dù, uno
infilatu dintra all'altro. S'assognò che mentri durmiva
come stava durmenno, sintenno rumorata nella càmmara, s'arrisbigliava. Ma la rumorata viniva dalla càmmara di sutta, era la vuci di una fìmmina che cantava.
Allura capì che, come spissu succedi nei sogni, il tempu si era messo a girari all'incontrariu, e ora si stava
arripetendo la stissa 'ntifica situazioni del jorno appresso
a quanno si era maritato. Si vistì, scinnì. Ciccina stava famiando il forno per infornarvi il pani già pripa-
ratu. Sulamenti che sta volta Ciccina si addunava della sò prisenzia e ci faciva:

«Finu a tardu durmisti, durmigliuni! E hai tantu chiffari!».

«Chiffari? Io?».

«Ti lo scordasti che ti sarà datu l'incarrico?».

«Ma quali incarrico?».

Allura Ciccina si puliziava le mano nel fallarino e po' ci diciva:

«Venimi appresso che te lo faccio vidiri».

Niscivano e pigliavano a caminare, Ciccina avanti e Zosimo narrè.

Caminavano e caminavano, ora in mezzo a tirreni abbrusciati dall'arsura e cummigliati d'ossa d'òmini e d'armàli, ora in mezzo a lu frumentu alto che si piegava e si rialzava come se fosse un mare giallo, ora in mezzo a strate di paìsi indovi c'era genti morta appisa che pinnuliava dai balconi, ora in mezzo a un centinaro di picciliddri che jocavano, ora in mezzo a un campu di battaglia con cataferi che fetevano e feriti che si lamentiavano alla dispirata. Doppo Zosimo arriconobbe che erano arrivati proprio davanti alla grotta di patre Uhù.

«Lo vidisti quantu c'è di fari?» gli spiò Ciccina.

E trasì nella grotta. Zosimo l'asseguì. E nello scuro sintì la voci di sò mogliere che ci disse:

«Io me ne devo turnari nell'altra grotta. Tu resta ccà e dormi».

Zosimo obbidì, chiudì gli occhi, s'addrummiscì e sognò.

S'assognò che stava sutta a una scala fatta di cinco graduna e che lui doveva per forza acchianarla. Sul pri-

mo graduni c'era una fila di formicole con la testa d'o-
mo. Le formicole erano tanto granni e accussì fitte che,
per acchianare, abbisognava farsi largo. S'attrovò in mano, senza manco sapiri come, una spata. Accomenzò a
dare botte di spata all'urbigna, tagliò quarche testa umana di formicola, s'allordò di sangue, arriniscì ad arrivari supra il secondo graduni. E qui ci stava patre Uhù
come se l'arricordava picciotto, scàvusu, i longhi capiddri
al ventu, la croci sulle spalli.

«Acchiana, Zosimo, acchiana!» gli disse patre Uhù
con gli occhi che parivano dù fiammi di foco. «Tu solo puoi abbattiri lu Dimoniu!».

Supra il terzu graduni ci stava sò matri Filonia che
lo stava partorennu. Allato aviva una gallina bianca e
una capra girgentana. Parlò la capra e disse:

«Pi chisto tò matre ti sta partorenno, Zosimo! Pirchì tu devi acchianari all'altro graduni».

E Zosimo acchianò, sintennusi però sempri più stancu.

Ora allatu a lui ci stava un omo inginucchiatu, un omo
che in testa aviva un cappeddru colori cilestre e gli prui-
va un cannocchiale. L'arriconobbe: era il mago Apparenzio che aviva incontratu quanno era picciliddro.

«Talìa! Talìa!» gli disse il mago.

Zosimo portò agli occhi il cannocchiale e abbarba-
gliò. Vitti un paìsi le cui case avivano i tetti d'oro, le
finestre d'oro, le strate d'oro.

«Accussì sarà se tu lu vuoi» fece Apparenzio.

Nel quinto graduni non c'era nisciuno. Si sintiva solamenti una vuci, alta, sullenni, ma le paroli non si ca-
pivanu.

Doppo Zosimo dette un passu e arrivò a una pidana supra della quali ci stava una seggia di paglia mezzu sfunnata.

«Chistu è u trono tò» fece una voce. «Assettati!».

Zosimo s'assittò. Comparse un picciliddro che nelle mano portava un circuni di ferro. S'avvicinò, glielo mise in testa, scomparse.

«Chista è la tò corona» disse l'istissa vuci.

E di subito a Zosimo la corona principiò a pisare. Pisava tanto che il collo gli si piegava. Ma come potiva essiri accussì pisanti se l'aviva portata un picciliddro? Un attimu appresso, la corona accomenzò a quadiare. E quadìa quadìa, arrovintò. Zosimo sintiva che gli stava abbruscianno la testa e allura tentò di livarsela. Provò e riprovò, ma non c'era versu, il ferru gli si era attaccatu alla pelli. Si mise a fari voci d'aiutu.

S'arrisbigliò nel suo lettu, scantatu e sudatizzu.

Nelle riunioni della duminica doppopranzo, che certe volte tiravano avanti sino a notti funna, Zosimo cuntava la storia di lu munnu procedenno a riversa, nel senso che era partuto dal tempu prisenti e via via se ne acchianava lungo u passatu. Ai sò òmini ci insignava macari il leggiùtu e lo scrivùtu, pirchì diciva che quattro sono li cosi che fanno la dignitate di l'omo: il travagliu, la littra (epperciò vuliva che sapissiro liggiri e scriviri), l'anuri e la parola data. Un jorno Zosimo cuntò la facenna degli Orazi e dei Curiazi. Spiegò che una volta, a lu tempu di li tempi, Roma e un paìsi vicinu, che di nome faciva Alba, stavano per farisi la guerra.

371

«Ma pirchì sta facenna nun l'arrisorvemu cu tanticchia di ciriveddro?» fece il romanu all'albisi.

«E comu?» spiò l'albisi.

«Visto e consideratu ca nun semu arrinisciuti a truvari un accordu e che guerra devi essiri, pirchì inveci di fari cummattiri i nostri eserciti, ca significa centinara di morti e firuti, nun facemu fari un cummattimentu a tri dei nostri contro tri dei vostri? Cu vinci, si piglia tuttu».

«D'accordu» feci l'albisi.

«Comu la battaglia dei tri contro i tri ca c'è nella storia dei palatini di Francia!» interruppe Fofò La Bella.

«Sissignuri» ripigliò Zosimo «sulu che il cummattimentu dei palatini non arrisolse nenti. A farla curta, i romani desiro l'incarrico a tri gemelli che di nome facivano Orazi e gli albisi ficiro l'istisso con tre gemelli che di nome facivano Curiazi. Il cummattimentu fu tirribili, arristò vivu sulamenti unu di li Orazi. Accussì Roma si pigliò la citate di Alba a prezzu di dù morti».

«Bella pinsàta daveru!» commentò Giurlannu Cucinotta.

«Abbisognerebbe che tutti l'òmini di la terra si mittissero d'accordu» disse Zosimo che pariva pinsoso «a fari una speci di tribunali universali che addecidi su tutte le quistioni e le liti che ci possono essiri tra una nazioni e l'altra. Questo tribunali havi tempu tri misi per arrisolviri una liti. Si nun ci arrinesci e le nazioni nun volinu accordarsi, allura si passa al cummattimentu di tri soldati di una nazioni contru tri soldati di la nazioni nimica. Questo sarebbi un modu di scansari le guerri che ci fanno addivintari a tutti vestie sirvaggie. Allura nun ci sarebbi più bisognu d'aviri un esercitu e di pagarlu a pisu d'oru».

Doppo queste paroli, calò silenzio.

A matina prestu di lunedì, si susì con un pinsèro priciso ne la testa. Mezzu vistuto, pigliò la scala di ligno e l'appuiò a un àrbolo di zorbi che c'era darrè la sò casina. Il sorbo havi il fusto dritto come un fuso eppirciò era adatto a quello che voliva fari. Principiò a scortecciarlo dall'alto, abbadando di non fare tacche, di lassari il tronco paru paru, liscio e biancu. Ci mise dù jorni a livaricci la corteccia e po' lassò l'àrbolo al soli, ad asciucarsi. Doppo una simanata acchianò nuovamenti nella scala e accomenzò, con un puntarolo, a scriviri le sò liggi nell'àrbolo, principiando sempri dall'alto. Ci volliro una decina di jorni per incidere la prima liggi, che era quella del tribunali mondiali e delle guerre arrisolte col cummattimentu di tri contru tri. Finito il travaglio, cummigliò lo scrivùto con fascine di ristuccia, che è la paglia che resta doppo aviri mitutu lu frumentu, tenute 'nzemmula da fili di raffia. E da quel jorno, ogni liggi che pinsava, doppo averne parlatu con gli amici, la scriveva nello zorbo.

Capitolo terzo

Via via che le simanate passavanu, lo zorbu addivintava sempri più scrivùto. All'èbica, Zosimo pinsò a tante liggi. Per esempio, oltre all'abolizioni della nobiltà, vuliva quella che chiamava «l'ineguaglianza discreta» ottinuta «cu una proporziuni più prudenti tra povirtà e ricchizza». A tutti sarebbi stata data la possibilità di campari col proprio travagliu. Si qualichi pirsuna nun aviva gana di travagliu, sarebbe stato 'ncarzarata e cunnannata al lavoru obbligatu. Il travagliu di ogni omo però duviva essiri intervallatu pirchì, alle ore nicissarie al mangiari, ci dovivano macari essiri quelle dedicate allo studio, all'arti e alla scienzia. Infini, vistu e considiratu che la natura dell'omo è purtata al mali, ci sarebbi statu un premiu per ogni citatinu che s'ammostrava bono e ginirusu.

Queste, e altre liggi di Zosimo, furono spiegate campagne campagne ai viddrani, ai bracciatanti, ai jornatanti e nun c'era più nisciunu che non vulisse a Zosimo comu capo.

«Zosimo è giustu! Zosimo è a favuri dei povirazzi! L'avemu a fari nostru re!» accomenzò a diri la genti.

L'anno milli e setticento e diciotto principiò malo e malo assà. Vittorio Amedeo nun faciva altro che addimannare al Viceré sò di spremiri, di mungiri, di sucari il sangue dei siciliani con sempri più tasse, i denari non erano bastevoli per accattarsi manco una scanata di pani, tuttu trasiva nelle casse senza funno dei piamontesi.

Tantu che ci fu unu che si pigliò lo spassu di scangiari le littri del nome del re, che in latinu era Victorius Amedeus, facendole addivintari «Cor eius est avidum». E per quantu arriguardava la controversia, fici dichiarari nulle, dalla Giunta di Palermo, tutte le scomuniche, le bolle, le lettiri del Papa. Chi ne era in possessu, addoviva cunsignarle ai Capitani di Giustizia. Per chi non lo faciva, c'era l'immidiata cunnanna a morti. E a Montelusa arrivò, quali rapprisintanti della Giunta palermitana, un grannissimo fituso, un omo senza cori, capaci di squartari la panza di una fìmmina prena che di nome faciva Pompeo Grugno. E siccomu che nella parlata montelusana «grugnu» viene a diri faccia tinta, faccia laida, la genti si lamentiava a vuci vascia:

«Ah! Lu grugnu di lu Grugno!».

E sputava 'n terra.

Alla riunioni di la prima duminica di maju, Zosimo prestamenti alliquitò 'na poco tra quelli che si erano appresentati e restò con una vintina degli amici sò, i più antichi, i più fidati e i più addecisi. Erano Fofò La Bella, Tanu Gangarossa, Nenè Zammuto, Giurlannu Cucinotta, Nonò Martorana, Salvo Tortorici, Ninì Sferlazza,

Binnu Lopresti, Gnaziu Fichera, Lollò Disalvo, Piddru Catalano, Michele Guttadauria, Saro Epifanio e altri.

«V'arricordate» fece «che io vi dissi che il tempu nostru sarebbe venuto e che bisognava aspittari il mumentu giustu? Epperciò io vi dico che il mumentu giustu sta arrivannu e il mumentu è quanno il jorno sta finenno e la notti sta principianno, ma non è più jorno e non è ancora notti. L'ora di lu lupu, la chiamanu in certi pàisi. Se voi siete sempri d'accordu con mia, dicitimillu ora».

«Certu ca semu d'accordu» disse per tutti Tanu Gangarossa.

«Allura duviti fari una cosa. Spartitivi tuttu lu territoriu di Montelusa e dei pàisi vicini. Ognunu di voi, a partiri da dumani matina istissa, firria la sò zona e parla cu tutti i cristiani che incontra, spiega come stannu le cosi e addumanna chi è d'accordu con nui. A quelli che capisci che sono d'accordu supra u seriu e no a chiacchiri, ci dice che ci sarà da cummattiri e capaci che c'è macari il piriculu di piridiricci la vita. Ogni gruppu devi aviri un puntu di riunioni che stabilite voi. Quanno ci sarà la chiamata, ognuno s'appresenterà al puntu assignatu. E ognuno devi essiri armatu di una qualisisiasi cosa, cuteddru, fanci, tridenti, zappuni. Non faremo più riunioni. A la fini di questo misi tornate tutti qua e mi dicite quanti òmini aviti arreclutato e quali punti di riunioni avete stabilitu. M'aviti a spiari quarchi cosa?».

«Io questa facenna che tu mi stai dicennu» disse Tanu Gangarossa «è già da un misi ca la fici. Io haiu centutridici cristiani ai mè ordini. E sunnu tutti armati».

«Iu puru» fece ridennu Fofò La Bella. «Sulu ca i mè òmini sunnu centusetti. Ma hannu macari quattro sciaboli».

A la fini di maju, i capi banna di Zosimo s'appresentarono alla riunioni cuntenti e agitati. Zosimo abbrazzò e vasò i figli sò che eranu vinuti a trovarlo pirchì volivano partecipari all'imprisa, ma lui gliene fece sullenni proibizioni, disse che non voliva che, per corpa sò, i nipoti ristassero orfani e li mandò via. I capi banna eranu cuntenti pirchì, fatti tutti i cunti, avivano formatu un esercito di quasi milli òmini, scarcagnati e mezzo morti di fami, chisto è vero, ma tutti addisidirosi di libirarsi dei savojardi e di fari i patroni in casa sò. Però eranu agitati pirchì currivano voci che gli spagnoli si fossiro pigliata la Sardegna e avivanu 'ntinzioni di navicari versu Palermo. I soldati savojardi a Montelusa non erano tanti e po' erano macari tanticchia indecisi pirchì sintivano che qualichi cosa non stava andando per il verso giustu. Eppirciò non sarebbi stato difficili, doppo quarchi mortu, cunvincilli ad arrendersi.

Ma davanti alle truppi spagnoli la cosa cangiava, pirchì quelli arrivavanu bene armati e abbramati di pigliarisi la terra ch'era stata di loro duminio. Quindi, che fare? Cummattiri contru gli spagnoli significava guerra persa in partenza.

«Nui» fece Zosimo «dobbiamo appresentarci quanno il jorno nun è più jorno e la notti nun è ancora notti. Vali a diri mentri i savojardi sinni stanno iennu e gli spagnoli stannu arrivannu».

«Ma comu facemo a sapiri quann'è chistu mumentu?» spiò Tanu Gangarossa.

«Ce lo dirannu iddri, i savojardi» arrispose Zosimo.

«E i savojardi lo vannu a diri a tia?» disse ammaravigliatu Fofò La Bella.

«Ma quannu mai! Siccome che sono quattro gatti, appena sentono fetu d'abbrusciatu o sinni scappanu abbannunannu la citati o addimannanu rinforzi dai paìsi vicini. E nuàltri, in un modu o nell'altro, lo veniamo a sapiri. E quello è il mumentu pricisu ca c'interessa. La testa mi fa dire che è sulu questioni di jorni».

Il jorno otto di lugliu, alle tri di doppopranzo, a Montelusa si scatinò il catuniu, il bissibirissi, il tirribiliu. Non si sapi da indovi, non si sapi da chi, non si sapi pircome e pirchì partì la filama che gli spagnoli eranu sbarcati a Palermo, che la capitali era caduta nelle loro mani quasi senza resistenzia, che la popolazioni era in festa dato che i savojardi se n'erano scappati e che i primi soldati spagnoli, tempu dù jorni al massimo, sarebbiro trasuti a Montelusa. La filama ci mise nenti a cangiarsi in timpesta, i montelusani scinnirono strate strate a fari una sula vuci:

«Viva la Spagna! Viva lu re Filippu cinco!».

I savojardi militari s'inserrarono nel castello in aspittanza d'ordini. La popolazioni pariva tutta 'mbriacata e Pompeo Grugno s'apprioccupò.

Mandò a chiamari il Capitano di Giustizia Montaperto che aviva il sò chiffari a evitari che la filicità dei cristiani non si cangiasse in ferocia.

«Ho già mandato a domandare rinforzi a Naro» disse Grugno.

«Me ne compiaccio» arrispose Montaperto. «Posso tornari a fari quello che stavo facenno?».

Pompeo Grugno s'arrizzelò della risposta.

«Che avete?».

«È inutili che mi dumannate consiglio quanno avete già pigliato la vostra decisioni».

«Avete ragioni. Ma il mumentu è quello che è, non si può perdiri tempu con le discussioni, le proposti e le contraproposti».

«Allura dicidite vui da solo».

Versu la scurata, la situazioni si fece più pirigliusa in quanto il marchisi Boscofino, al quali i savojardi avivano assiquistrato un feudu, raprì le porti del palazzo e si misi a offriri vinu a vulùntà. Fu a questo puntu che le vuci cangiarono, non più «ebbiva!», ma «a morti!».

«A morti li Savoja! A morti Pompeo Grugno!».

Pompeo Grugno si scantò. I rinforzi non sarebbiro arrivati prima di la matina appresso e c'era tuttu il tempu di moriri scannatu. Accomenzò a volari quarche pietrata verso i finestroni del palazzo indovi ci stava la rapprisintanza della Giunta, vali a diri l'istisso Grugno e sò frati Nicola.

A sira tutta la citati apparse illuminata come la notti di l'Ascensioni, la genti cantava e ballava. Le pitrate si fecero più fitte via via che il vinu del marchisi Boscofino scorreva a sciumi. Appagnatu, Grugno, che aviva tri soldati a sua disposizioni, desi ordini a uno di loro d'acchianari in cima alla collina che c'era darrè il palazzo e di dari foco a una grannissima vutti china di matriale che produciva vampe altissime: era una dimanna d'aiuto concordata coi soldati dei paìsi vicini.

Quanno il Capitano Montaperto vitti ni la notti scura la gran vampata, s'apprecipitò come un pazzu a palazzo della Giunta:

«Astutati quella vampa!».

Ma, a parte che una volta addrumata quella vampa non s'astutava, era già tardu. Zosimo dalla sò casa a Sanpietro l'aveva vista macari lui e aviva accapito che a Montelusa i savojardi addimannavanu soccorsu.

Nella notti tra l'otto e il novi ogni capo banna arradunò i sò òmini e po' le colonne s'addiressero verso il quatrivio di Spinasanta.

Quanno ci furono tutti e si cuntarono, si addunarono che erano una migliarata e passa di pirsone armate di li cose più stramme, c'era chi non avendo altro si era purtato appresso un sacco di petri firrigne. Zosimo mandò la squatra di Nenè Zammuto a Vigàta con la cunsigna di arrivari alle porte del paìsi e di aspittari ordini; mandò la chiurma di Giurlannu Cucinotta sulla strata che veniva da Catellonisetta a firmari eventuali soldati savojardi che venivano a aiutare Grugno; l'istissa cosa cumannò a Nonò Martorana per la strata di Palermo; l'istisso con Salvo Tortorici per la strata di Palma. Doppodiché, s'addiresse con gli altri verso Montelusa. A Porta di Ponte, da la quali si trasiva nella citati, pigliò con lui Fofò La Bella e Tanu Gangarossa e i loro òmini che facivano più di ducento pirsone e s'addiresse al castello indovi ci stavano i soldati savojardi. A guardia non c'era nisciuno, i militari sinni stavano insirrati dintra. Tanu Gangarossa, che aviva travagliato ni la minera, assistimò nel portoni del castello quattro carriche di polvere a miccia corta e stava per addrumarle quanno Zosimo gli disse:

«Metti altre carriche».

«E pirchì? Queste abbastano».

«Stammi a sintiri, Tanu: più forte è il botto e più si scantano».

Il portoni si schiantò polverizzannusi, ma il botto fu tali che persino Zosimo e i sò òmini intronarono. Passata la momintania surdità, da dintra il castello si sentirono vuci:

«Gli spagnoli! Gli spagnoli!».

Poi ci fu qualichi ordini che non s'accapì. Doppo non capitò nenti, silenziu totali.

«Che facemu?» spiò Fofò La Bella.

«Trasemu!» disse Zosimo e si mise a curriri verso il castello con una spata che qualichiduno gli aviva dato e facendo vuci. «Cu mia! Tutti appressu a mia! Cu mia!».

Ducentu e passa cristiani gli andarono appresso. Ma quanno furono trasuti nel granni curtiglio ammuttannusi, biastemiannu, rischiannu di cavarsi reciprocamenti gli occhi coi forconi, si firmarono di colpo squasi per magarìa. Una trintina di soldati savojardi sinni stavanu ordinati in fila, impalati e armatissimi. Il tinenti che li cumannava tiniva isata nella mano dritta una bannera. Bianca.

Ma tutti e trenta i soldati, trentunu col tinenti, erano con gli occhi sbarracati: si aspettavano le truppe spagnoli e inveci avivanu davanti ducentu fitusi scammisati, scàvusi, sbrindillati, pizzenti.

«Che veni a diri quella pezza bianca?» spiò perplesso Tanu.

«Si arrenninu» disse Zosimo. «Disarmatili subito prima che se la pentinu e nni fannu un culu tantu».

I savojardi si ficiro disarmari senza diri biz. Per la filicità di come la cosa si era arrisolta, Fofò La Bella li abbrazzò e li vasò unu a unu. Zosimo desi l'ordini di metterli in un cammaroni e, a notti, doppo aver dato loro un pezzo di pani, accumpagnarli fora di Porta di Ponte e lassarli in libirtà.

Danno non putivano fari, sarebbiro stati certamenti pigliati prigionieri dagli spagnoli che avanzavano su Montelusa.

La parti maggiore delle armi cunsignate dai savojardi, macari quelle trovate nei magazzini, Zosimo le mandò a Nonò Martorana che guardava la strata di Palermo e a Giurlannu Cucinotta che guardava la strata di Catellonisetta e ci mandò comu rinforzu tutti quelli che aspittavano a Porta di Ponte. Desi puro l'ordini alla squatra di Nenè Zammuto di accupare Vigàta.

Il gran botto aviva arrisbigliato tutta Montelusa, ma nisciuno scinnì in strata. Se quel botto stava a significari che erano arrivati gli spagnoli, la megliu era di non venirsi a trovari in mezzo ai cummattimenti. L'istisso botto però fici appizzare le grecchie al Capitano di giustizia Montaperto il quali, con tutta la sò forza consistenti in deci òmini, s'avviò di prescia verso il castello. Ci misi picca e nenti a accapiri, strata facenno, come stava la facenna, del resto si l'aspittava che Zosimo era omo il quali, prima o doppo, avrebbe fatto qualche bella alzata d'ingegnu. Siccome era pirsuna prudenti, arrivato davanti al pirtuso che era stato il portoni del castello, disse ai sò omini di non trasire con lui, di aspittarlo fora e di non fari o diri cose che avrebbiro potuto provocari azzuffatine coi viddrani.

Nel curtiglio c'erano gli òmini che avivano pigliato il castello: chi jocava, chi mangiava, chi durmiva. Molti l'arriconobbero, ma vistolo solo e disarmatu, non ficiro né ai né bai. Spiò di Zosimo e gli arrisposero che era nel cammaroni delle riunioni. Acchianò le scale e, già dal corridoio, sintì voci arraggiate che discutivano:

«Pompeo Grugno la devi pagari subitu!».

«Arristamulu!».

«Nossignuri, a Pompeo Grugno ci va subitu tagliata la testa!».

«Giustu: ammazzamulu!».

«Ammazzamulu! Ammazzamulu!».

S'appresentò sulla porta e le voci si zittero. Zosimo era assittato e cinco o sei pirsune gli stavano intorno.

«C'è primisso?».

Tanu Gangarossa agguantò la spata che aviva posata sul tavolinu.

«Carma!» fece Zosimo.

E arrivolto a Montaperto:

«Bonvinuto! Avanti! Pigliatevi una seggia e accomodativi».

383

Tranquillu, come se fosse vinuto a fari una visita di societati, il Capitano s'assittò. Non taliava in faccia a nisciun altro salvo che a Zosimo.

«Siete vinuto sulu?».

«No, ho una decina d'òmini fora del castello».

«Lo sapiti che i savojardi si sono arrinnuti?».

«L'ho accapito. Li aviti ammazzati?».

«No».

«Aviti fattu beni».

«E gli spagnoli a che distanzia stannu?».

Montaperto si misi a ridiri. Prima adasciu, doppo sempri più forti. Arridiva asciucannusi gli occhi per le lagrime. Poi finalimenti poté parlari:

«Ma quali spagnoli e spagnoli! Nun ci nni stannu spagnoli!».

Tutti lo taliarono ammammaloccuti. Il Capitano tirò fora una littra nella quali si vedeva ancora il sigillo reali rotto. La pruì a Zosimo.

«È arrivata stanotti da Palermo con un cavalliggero. Ma Grugno non gli volle raprire, pinsava a un trainello. Allura il cavalliggero la detti a mia e sinni ripartì».

Zosimo la liggì. Era una littra dell'aiutanti del Viceré indovi si diciva che currivanu voci che gli spagnoli eranu sbarcati in Sicilia, ma non era veru, la loro flotta era arrivata al largu di Palermo al trenta di giugnu, ma non eranu sbarcati. E bisognava vidiri se ce l'avrebbero fatta, a sbarcari. Era nicissariu pirciò soffocari qualisisiasi rivolta, insurrezione e via discorrennu. Da un latu, Zosimo s'alligrò, datosi che una cosa erano i piamontisi che non avevano più gana di cummattiri e un'altra eranu gli spagnoli. Dall'altro, s'infuscò: questo stava a significari che lui si era mosso non quannu aviva stabilitu, nell'incerta linea che addividi la luci dallo scuru, ma troppu anticipatu. Aviva fattu lo sbaglio di cridiri vera una fantasia, un agurio della popolazioni: ma per i piamontisi era ancora jorno. Però oramà la strata era signata. Pigliò una decisioni.

«Capitano, aviti nenti in cuntrario a continuare a fari con mia quello che facivati coi savojardi?».

«E che minchia!» commentò, sdignatu, Tanu.

Zosimo lo furminò con gli occhi.

«Nun haiu problemi» rispose Montaperto.

«Ma chistu è prontu a vinniricci ai piamontisi per un tarì!» esplosi Gangarossa che non arrinisciva a tinirsi.

Zosimo fici finta di non sintirlo.

«Allura, Capitano, arristate a Pompeo Grugno e a tutti quelli che trovate 'nzemmula a lui nel palazzu del Governu».

Montaperto lo taliò ammirato.

«Aviti pigliatu la decisioni giusta. Lo vado ad arristari subitu e ve lo porto qua. Anzi, sarebbi megliu che voi, Zosimo, e la vostra truppa vi spostate al palazzo di Governo. È più giusto. Ora a guvirnari siete vui. Al castello è megliu che ci sto io con i mè òmini».

«D'accordu».

Una mezzorata appresso, Montaperto, visto che nisciuno arrispunniva all'ordini di rapriri, fici sfunnari la porta del palazzu e arrestò a Pompeo Grugno e a sò frati Nicola che si erano tutti e dù parati con corazza e gammali, e tutti gli altri che trovò dintra e che erano a favori del governu piamontisi: Tano Modica e sò figliu Litteriu, Pepè Ficani e sò figliu Jacomu, il notaru Aitano Cosentino e sò figliu Niria, il cancilleri Luiginu Lombardi. Arristò macari i soldati che erano a disposizioni di Grugno. E li portò tutti al castello, incarzarannuli.

Nel doppopranzo, cinco squatre di Zosimo armate di scale, marteddru, martiddrina e scarpeddru, accomenzarono a scarpiddrari tutte le insegne dei nobili che erano scorpite o supra o allato ai portoni dei palazzi. Dù banditori con i tammuri spiegavanu la facenna:

«Pi ordini di Zosimo, da ora in po' la nobirtà a Montelusa nun c'è più».

Nisciuno s'arribbillò, i portoni restarono inserrati. Qualichi povirazzo invece si sintì arricriari e currì ad arrollarsi nelle fila dei viddrani.

Il marchisi Boscofino, quanno accapì che un viddrano che di nome faciva Zosimo aviva pigliatu la citati, raprì il portone e si mise a taliare quelli che gli volivano scarpiddrari lo stemma, ma non ci la facivano pirchì era assistimatu alto assà e la scala non ci arrivava.

«E i piemontesi li avete ammazzati?» spiò.

«No, sunnu prigiuneri».

«Peccato» fece il marchisi. E po' dissi:

«Vi faccio portare una scala più lunga».

Portarono la scala.

«Quando avete finito» fece il marchisi trasendo nel sò palazzo «i miei servi hanno l'ordine di offrirvi da bere. A volontà. A voi e ai vostri amici».

Nell'istisso doppopranzo il notaro Francesco Ballarò sinni stava agginucchiatu davanti a un quatro della Madonna e 'nzemmula a lui ci stavano la mogliere Fidele, il figliu maggiuri Peppi con la moglieri 'Ntunietta e i tri figli nichi; il figliu minuri Arisio con la mogliere Gemma che era prena e la serva Niculina. Era da quanno il botto li aviva arrisbigliati che sinni stavano a ricitari poste di rosario pirchì la Madunnuzza li scampasse dallo stirminio che immaginavanu sicuru. Non avivano mangiatu nenti, avivanu lu stomacu strittu, i figli nichi di Peppi chiangivanu senza sapiri pirchì. All'impruviso, sintirono tuppiari forte al portoni e una vuci che diciva:

«Rapriti, in nomu di Zosimo!».

Madunnuzza santa! Zosimo! Il briganti che aviva pigliato la citati, come oramà era risaputu, dato che il fattu era stato cuntatu da finestra a finestra.

Trimannu, il notaro desi un ordini: tutta la sò famiglia, fatta cizzione del figliu granni, se ne doviva acchianari nel tettomorto, chiudiri la botola e supra mittiricci baulli e cose pisanti. Intantu, tuppiarono più forti.

«Aprite senza scanto! Sono io, Zosimo in pirsona, e haiu bisognu di parlari col nutaru!».

Appena la famiglia spirì nel tettomorto, il notaro fici rapriri il portoni dal figliu Peppi. Trasì Zosimo con dù armati.

«In che posso servirvi?» spiò il notaro facenno la vuci di quanno una capra è stranguliata dalla corda.

«Haiu bisognu che mi faciti un attu».

Il notaro strammò, si sintì assufficari per lo stupore.

«Un atto notarili?».

«Sissignura».

«E che atto?».

«Che da oggi in po' chista citati, per mio ordini, non si chiama più Montelusa, che è sempri stato un nomu di fantasia, ma Girgenti, che è il nomu che le avivanu dato l'arabi».

Il notaro non stette a spiarisi se quell'atto aviva valori o serviva sulamenti a puliziarisi u culu. Lo scrisse, ci mise la firma, il timbru, il sigillu.

«Quantu veni?» addumannò Zosimo alla fine.

«Per carità! Nenti!» fece il notaro.

Un'orata appresso tri bannitori, ognunu col tammuro sò, annunziavano ai montelusani che da quel momentu si sarebbiro chiamati girgentani.

Capitolo quarto

Quella prima notti di patruni di Girgenti Zosimo la passò malamenti, appena arrinisciva a chiudiri gli occhi un pinsèro gli trapassava il ciriveddro e l'arrisbigliava. E po' c'era da mettiri in cuntu la scommodità del letto che aviva attrovato nella càmmara indovi ci aviva abitatu Pompeo Grugno, c'erano matarazzi che uno ci sprufunnava dintra e si scantava di muriri assufficato. Tantu che a un certo puntu Zosimo si susì, livò i matarazzi e si stinnicchiò supra le tavole di ligno. Ma fu 'nutili l'istisso. Alle quattro e mezza raprì il finestrone della càmmara e s'affacciò. Dalla strata qualichiduno lo chiamò:

«Zosimo! Sì tu Zosimo?».

«Sì, iu sugnu. E tu cu sì?».

«Mi chiamu Peppi Lanzetta e fazzo il carritteri. La vò sapiri una cosa? I dù furna della citati sono chiusi. E iu minni vaiu a travagliare senza pani. Accomenzi bonu, tu!».

Ma come? I forni erano arristati chiusi eppirciò il pane sarebbe quel giorno mancato a Girgenti? Ma questa era una cosa che potiva scatinari una rivoluzioni! Senza pirdiri tempu andò ad arrisbigliari a Fofò La Bella che durmiva supra u tavulinu del saloni del consiglio.

«Fofò, mi dissiro ora ora che i furnari stanno chiusi. Pigliati 'na para d'òmini armati e obbligali a rapri-re e a fare subitu il pani».

E Fofò si partì di cursa, macari lui sapiva quello che la facenna putiva viniri a significari. Zosimo tornò nella sò càmmara e niscì arrè di prescia.

«Tanu! Tanu Gangarossa!».

«Ccà sugnu» fici Tanu affacciannu la testa da una càmmara.

«Tanu, stamu facennu una minchiata!!».

«Ni stamu facennu tante ca una più una menu...».

«Stammi a sintiri. Montaperto ci ha fattu vidiri la littra che dice che gli spagnoli non sono sbarcati».

«Tu ti fidi troppu di Montapertu».

«Tanu, lassati prigari, la littra è autentica. Questo pirciò viene a diri che ci sono sulamenti i piamontisi. D'accordu?».

«D'accordu».

«E lo sai che stiamo facennu nui? Ci siamo messi a difisa dagli spagnoli che non ci sunnu e non abbiamo fattu difisa dai piamontisi che invece ci sunnu».

«Minchia, veru è!» fece Tanu folgorato.

«E quindi nella strata di Naro non abbiamo nisciu-no. Piglia gli òmini tò e vacci di cursa».

Partuto Tanu, s'appresentò Montaperto friscu come un quarto di pollo.

«Nuttata calma. Quarchi sciarriatina senza impor-tanza. Aviti qualichicosa da dirmi?».

«Sì, Capitano. Entro un'orata al massimu vurria che venissero qua il magistratu comunali e i giurati consi-glieri. Ci vogliu parlari».

«Sicuramenti si scanteranno di viniri ammazzati».

«Putiti garantiri voi».

«E a mia chi mi garantisci?».

«Io» disse Zosimo.

«D'accordu» fece Montaperto «ma badati che se io dugnu la mè parola che non saranno toccati, io questa parola la mantengo, a costo di farla finiri a schifìo».

Un'ora appresso, scortati dagli òmini del Capitano, arrivarono il giuratu magistratu, che di nome faciva Gerardo Sterlino, e i tri giurati consiglieri che di nome facivano Sala, Pitacciolo e Garì. C'erano altre dù pirsone che Montaperto prisintò come Scalia, eletto aggiunto di Vicenzella, e Perticone, eletto aggiunto di Vigàta. Erano chiaramenti scantatizzi e sudatizzi non sulamenti per il gran càvudo che faciva. Zosimo li fece accomodare e persi un'ora a tranquillizzarli. Avrebbero addovuto ristari ai loro posti e far caminare le cose della citati come avivano fatto sino a quel mumentu, non cangiava nenti. Niscero dal palazzu del Governu tanticchia megliu di comu eranu trasuti. Il municipio venne rapruto, a guardia ci venniro mittuti dù òmini di Montaperto.

Nisciuti loro, trasì Fofò La Bella a rifiriri che i furnari avivano ripigliatu a travagliari, che le putìe eranu aperte e che la genti faciva le cose di ogni jorno. Ancora non si vidivano in giru né i nobili né i grossi burgisi.

«Non mi pari veru» concluse.

«Chi è che non ti pari veru?» spiò Zosimo.

«Che abbiamo pigliatu Montelusa senza perdiri un omo e che tuttu prucedi tranquillu».

«E forsi nun è veru» fece pinsoso Zosimo.

Furono interrotti da unu che s'appresentò come Savatteri Onofrio.

«Secuennu lu vostru sempiu» disse «due orate fa abbiamo pigliato il paìsi di Gallotta. C'eranu dù soldati piamontisi ca avemu ammazzatu. Iu sugnu ccà pi dirivi che Gallotta aspetta ordini da Zosimo».

«Sempre preghiere» fece Zosimo cirimonioso.

E datosi che non c'era più nenti da diri, Onofrio Savatteri fici un mezzu inchinu, infilò la porta e spirì.

«Tu lo sai quanti abitanti fa Gallotta?» spiò Zosimo, ancora imparpagliatu, a Fofò.

«Sì, una quarantina al massimu massimu. E hanno ammazzatu a dù piamontisi che quelli, appena ci capita l'occasioni, ce li mettono in cuntu e ce li fannu pagari».

«Lo vedi?» fece Zosimo. «Un minutu fa tutta la facenna per come era andata ti pariva un sognu e ora non ti pari più».

Zosimo e Fofò stavanu ancora parlanno che sentirono un cavaddro che trasiva al galoppu nel cortiglio del palazzo e una vuci agitata che faciva:

«Largu! Largu!».

S'affacciarono. A parlari cuncitatu con gli òmini di Fofò La Bella era Tanu Gangarossa che cuntava qualichi cosa che provocava la raggia di chi lo stava a sintiri. Tanu aviva la fronti cummigliata da una pezza insanguliata.

Ma non duviva attruvarsi sulla strata di Naro? E pirchì era firuto?

Certamenti era capitata una quarche facenna disgraziata. Doppo vittiro che Tanu ad ammuttuna si faciva largu.

«Sta vinennu qua» disse Fofò.

Non aspittarono che Tanu trasisse nel cammaroni, gli corsero incontro.

«Che fu? Che successe?».

Tanu Gangarossa pariva a un tempu mortu di stanchizza e vivu di raggia che a malappena arrinisciva a tiniri.

«Te la sei pinsata giusta, tu» disse rivolto a Zosimo.

Fu allura che una voci dal cortiglio gridò:

«Morti a Pompeo Grugnu!».

«A morti» ci arrisposero un centinaro di vuci.

«Ma si po' sapiri che minchia sta succidennu?» spiò Zosimo.

«Successi che doppo manco mezz'ora che caminavamu sulla strata di Naro, vittimu arrivari a unu di cursa supra un cavaddro. Era Peppi Schillaci, della nostra squatra di Vigàta, lo quali aviva avutu il primisso di andari a trovari sò patri che è malatu assà. Mentri stava facennu ritorno sulla trazzera di Pinnicchiu, s'addunò che sulla strata di Naro c'era pruvulazzu, c'era come una nivola approvocata dagli zoccoli dei cavaddri. S'ammucciò e li vitti. Eranu una trintina di cavalliggeri piamontisi che stavano vinennu ccà».

«E tu che facisti?» spiò Zosimo.

«Pi fortuna è un tirrenu che accanusciu. Caminai ancora finu al Canaluni di Cumella che è chiusu a dritta e a manca dalli rocci, supra a chisti rocci ci appostai i mè òmini armati di muschettu, una trintina li fici ammucciari passatu il Canaluni, di manera che se si volivanu arritirari non ce la facevano, io e un'altra trintina li aspittai sulla strata. Appena i savojardi si addunarono di nui, vinniru all'attaccu e trasironu nel Canaluni. E fu la fini loro. Nui avemu perso una decina d'òmini, i savojardi una quinnicina, gli altri sono arrinisciuti a scappari».

«Bravu» fici sinceramenti ammiratu Zosimo.

Le voci nel cortiglio ripigliarono. Ora non erano sulamenti gli òmini di Fofò La Bella, a loro si erano aggiunti molti girgentani.

«Ma pirchì volinu la morti di Grugnu?» spiò Fofò La Bella.

«Pirchì nella tracolla del tinenti che cumannava i cavalleggeri e che è mortu, avemu attruvatu sta littra».

La cavò dalla sacchetta e la pruì a Zosimo. Non era favusa, i sigilli eranu rotti ma autentichi. La littra, firmata da Pompeo Grugnu, era indirizzata al Colonnello Sannazzaro, comandante la guarnigioni di Naro e addimannava aiutu essennusi fatta la situazioni a Montelusa difficili assà. Grugno finiva dicennosi prigionieru dei montelusani in rivolta.

«Ebbè?» fece Zosimo.

«Comu, ebbè?!» replicò Tanu. «Me lo spieghi come fa Grugnu dal carzaro ad addimannari aiutu? Veni a diri che ancora ccà ci ha amiciuzzi pronti a favurirlu!».

Zosimo non arrispose, sintiva che c'era qualichi cosa che non quatrava, ma non ebbi tempu né di fari né di diri nenti. Una vintina d'òmini trasirono facenno voci, Zosimo s'arritrovò con una spata in mano, a caminare verso il castello con alimenu tricentu pirsune inferociute che gli andavano appressu.

Davanti al pirtuso che una volta era la porta, ci stavanu dù guardie di Montaperto che non ficiru resistenza, consignarono i muschetti e si ficiru infilari dintra a una cella. I dù fratelli Grugno erano stati messi in una càmmara a parte, in un cammaruni ci stavanu invece gli altri diciassetti prigionieri. Dintra al sò cori, Zosimo non sintiva né raggia né odiu, ma era la raggia e l'odiu di quelli che gli stavanu darrè e l'incitavanu con le loro vuci, col loro fetu di sudori e di disperazioni, a farlu agiri. Non era lui che faciva, eranu gli altri che lo facivanu fari. Raprì la porta. Pompeo Grugno e sò frati Nicola, che avivano sentito le voci, accapirono che a raprire quella porta era la mano della morti. Cadirono prima in ginocchio e po', non reggendosi manco accussì, si mossero a quattro zampe, appicurunati, verso Zosimo:

«Pi l'amuri di Diu! Pietà!».

Indossavano ancora la corazza che avivanu al mumentu dell'arrestu e a Zosimo ci ficiro l'imprissioni di dù formicole con la testa d'omo. Calò la spata prima sulla testa di Pompeo e po' su quella di Nicola e mentri il sangue l'assammarava, seppe che quella scena l'aviva già viduta, in sogno. Lassò cadiri la spata, scappò. Ma aviva dato il signali. La porta del cammaruni venne aperta, i diciassetti che ci stavanu dintra furono tutti ammazzati a cutiddrati, a colpi di spata, a muschittati. Doppo tanticchia, arrivarono diciannovi carretti mandati a pigliari da Tanu Gangarossa. Supra a ognunu ci misero un mortu e ficiro una prucessioni per tutte le strate di

Girgenti. Alla fine, i morti vennero appisi per i pedi nella balconata del palazzo di Governo. Granni popolazioni s'arradunò e ognunu inzurtava a quelli che pinnuliavanu e ci tiravanu petrate e ci sputavanu.

Tutti dicivanu:

«Ficiro la morti ca miritavanu!».

E tutti s'addimannavanu:

«Ma indovi è Zosimo ca nun si vidi?».

Nisciuto dalla càmmara dove aviva ammazzato i fratelli Grugno, Zosimo s'attrovò davanti a un pianirottulo di quattordici passi, po' una scala di vintunu graduna, doppo un corridoio di novantanovi passi e appresso una scala di quarantadù graduna e doppo ancora un pianirottulo di sette passi e ancora una scala di vintunu graduna e po' un corridoio di trentatrì passi che dava in un saluni. Ci trasì, s'assittò supra una seggia e si misi a chiangiri.

Alla scurata s'arrisolse. Si susì, scinnì, niscì fora. Caminò e strata strata non incontrò anima criata, Girgenti pariva diserta. S'addiresse verso la piazza dalla quali invece si partivano risate, canti, vuciate. Appena arrivatu, la prima cosa che vitti furono i diciannovi cataferi sconciati che pinnuliavanu e po' una marea di genti che beveva e mangiava: il marchisi Boscofino aviva rapruto li sò dispenzi e li sò cantini per fari festa, la morti dei Grugno e de' sò amici l'aviva riempiutu di filicità. Zosimo non seppi mai né pirchì né pircomu, ma s'arritrovò di colpo supra a un carrettu ancora impaiatu a un mulu:

«Girgentani!».

Tutti si voltarono versu indovi viniva quella voci putenti e vittiru a Zosimo, coi vestita insanguliati, gli occhi che parivano vampe di foco. Una specie di raggia tinuta lo faciva trimari. Ammutolirono, scantati.

«Girgentani, lo viditi stu sangue che m'allorda i vistita? Chisto sangue nun allorda sulamenti i mè vistita, allorda macari la mè cuscienza! Puro se chisti diciannovi disgraziati la morti si la miritavanu, si miritavanu una morti d'òmini e non di vestie scannate! E voi che ora arriditi vidennuli appisi, non vi affruntati di quello che faciti? Nun vi vrigugnati? Nun lo sapiti che sangue chiama sangue? Agginucchiatevi, tutti, come mi staiu agginucchiannu iu!».

Quanno tutta la piazza si fu agginucchiata, Zosimo disse:

«Ripititi con mia: Giuru sulennementi…».

«Giuru sulennementi» fici la piazza.

«…ca a Girgenti nun ci sarà più nisciuno morto ammazzatu!».

La folla ripitì le paroli. Allura Zosimo si susì e cumannò:

«Dati giusta e cristiana siportura a sti poviri infilici».

E mentri che gli appisi vinivanu calati 'n terra, prima unu, po' dù, po' tri, po' deci, po' centu, po' centu e centu si misiro a fare voci:

«Tu sì, Zosimo, che sei giustu! Tu sulu, Zosimu, sei giustu! A tia vulemu comu re! Zosimo devi essiri lu nostru re!».

E di colpo fu un coro:

«Viva Zosimo re!».

Supra il carrettu dal quali era scinnutu Zosimo, acchianò Fofò La Bella.

«Girgentani! Dumani matina alli novi tutti davanti alla Catidrali! Facemu re a Zosimo!».

Mentre la genti acclamava e battiva le mano, Zosimo, che era tanticchia frasturniatu da quella babilonia, si sentì tirari per un vrazzo. Era il marchisi Boscofino.

«Non potete essiri incoronato re con i vestiti allordati di sangue. Avete di che cambiarvi?».

«No» disse Zosimo.

«Venite a palazzo».

Zosimo lo seguì. Arrivati nella càmmara da letto, il marchisi raprì un armuar granni che pariva una casa.

«Scegliete».

E come si faciva? Erano tutti abiti di lussu, arriccamati d'oro e d'argentu.

Zosimo pinsò che si se ne mittiva uno, sarebbe parso un buffo, uno di quelli che si guadagnano la vita facenno ridere la genti. Finalimenti, cerca ca ti cerca, trovò un abito di caccia e se lo misi. Fora dalla càmmara, l'aspittava il marchisi che s'era immaginatu di vidirlu vistuto in altro modo.

«Siete un omo di senno» disse. «Però non credo che ce la spunterete».

«Spiegativi».

«Voi aviti valore, intelligenza, cultura. Ma siete sempri un viddranu. E oltre a questa migliarata di dispirati, chi volete che vi venga appressu? I borgisi? Quelli pensano sulamenti all'intiresse loro. I nobili? Quelli pensano sulamenti ai privilegi. I piamontesi ce li hanno levati, gli spagnoli, questo è certo, ce li ridaranno. La nobiltà di Montelusa non ha ancora pigliato partito: fino a quanno ammazzate savojardi va beni, ma quanno vi metterete ad ammazzari spagnoli, se mai ci arriniscirete ad ammazzarne uno, li avrete tutti contro. Voi siete solo. E non avete a chi domandare aiuto, pirchì nessun altro viddrano è stato capace di fare quello che state facenno voi. E allura a conti fatti, che ci state dando a questi che vi vengono appresso?».

Zosimo lo taliò, sorrise.

«Non lu capirete mai quello che gli sto dando».

«Mi sforzerò».

«Non potiti, pirchì nun aviti patitu la fami, la miseria nìvura. Ma vi lo dico l'istisso: ci staiu arrigalannu un sognu».

Il marchisi s'inchinò fino a terra.

Tinenno in mano la lampa che gli aviva dato il marchisi, Zosimo sinni tornò a palazzo. Mentri caminava, qualichiduno l'arraccanosciva.

«Bonanotti, signuri e Re».

«Bonanotti, Maistà».

«Bonanotti, bonanotti» arrisponniva Zosimo incuputo, sia pirchì ripinsava al quatro fatto dal marchisi Boscofino sia pirchì i vistita che non erano i sò l'impacciavanu assà.

Nel cortiglio del palazzo non c'era nisciuno, sulamenti un'ùmmira che disse:

«Vi aspittavo, Maistà».

Era il Capitano Montaperto.

«Ma indovi siete statu tutta la santa jurnata?» spiò Zosimo. E aggiunse:

«Se c'eravate voi, forsi…».

«Meglio accussì» fece Montaperto. «Se ci stavo io, vi avrei dovuto impidire l'ammazzatina, la carnificina. E capace che finiva a schifìu tra di noi. D'altra parti, io non avevo garantito la vita a Pompeo Grugno e ai sò amici. Quanno vitti la malaparata e seppi che i mè dù omini non erano stati ammazzati, me ne andai a vidiri che si diciva a Vigàta».

«E che si dici a Vigàta?».

«Tuttu tranquillu».

Erano arrivati nel saluni. S'assittarono e Zosimo gli contò quello che gli aviva detto Boscofino.

«Il marchisi ha ragiuni» disse Montaperto. «Voi doviti cataminarvi con prudenzia. Dumani, quanno vi fanno re, parlati?».

«No, dumani matina no, ma nel doppopranzo sì».

«E in questo discorso del doppopranzo c'è qualichi cosa che arriguarda la nobiltà?».

«La nobiltà è abolita».

«A chiacchiere, re mio, a chiacchiere. Arrivamu alla sustanzia: ci voliti livari le ricchizze, i palazzi, i pussedimenti?».

«I palazzi e le ricchizze, no. La metà dei feudi, sì».

«Tempu una simana trovirannu a quarcunu che v'ammazza. O farannu la contrarivolluzioni».

«E con quali òmini?».

«Òmini ne hanno a tinchitè. Il baruni Tuttolomondo, tantu pi fari un esempiu, tra camperi, suttacamperi e surviglianti teni una sissantina di òmini armati boni e che sanno usari tanto il cuteddro che il muschettu. Il principi Tomasi tiene una sittantina di pirsone armate agli ordini del capo camperi Manzella. Anzi, m'arresulta per certu che questo Manzella ha mandato uno dal principi a spiargli che dovìva fari e il principi ci mandò a diri di non fari nenti piccamora, ma che si tenesse pronto. In quanto al marchisi Ficarra...».

«M'abbasta» fece Zosimo.

«Aspettanu, mio caru Re, pronti a tirarsi la loro convinienza. Ora comu ora, i nobili sono d'accordo con voi pirchì siete tanticchia megliu dei piamontisi. Aspettanu a vidiri da indovi viene il ventu per isare le loro vele. Mi spiegai?».

«Benissimu» disse Zosimo. «Ma io quello che ho in testa lo devu diri e lo devu fari».

Montaperto allargò le vrazza.

«Livatimi una curiosità» spiò Zosimo. «Vui da chi parti stati?».

«Io non sto con nisciuno. Io faccio arrispittari la liggi. In questo mumentu le liggi le fate voi e io l'arrispetto e le faccio arrispittari».

«E se dumani arriva unu, m'ammazza e fa un'altra liggi voi comu vi comportati?».

«Faccio arrispittari la nova liggi».

«Ma non aviti un pinsèro, una piniòne vostra?».

«Certu. Ma mi la tegnu pi mia e non m'impidisce di fari il duviri mio».

Calò silenzio. Poi Zosimo parlò.

«Capitano, da omo a omo: comu mi considerati?».

«Omo digno del massimo rispettu».

«Ma se vi dunanu l'ordine d'arristarmi, m'arristati».

«Certu» disse Montaperto. « Però circati di non fa-
rivi arristari».

Fofò La Bella e Tanu Gangarossa travagliarono tutta la nuttata per priparari la 'ncoronazioni. Siccome che
Zosimo aviva datu l'ordini di mettiri in libirtà tutti i
parrini arristati dai piamontisi, il canonico De Martino, nisciutu doppo tri misi di càrzaro, pritinniva che
la 'ncoronazioni si facesse nella Catidrali e che fosse
lui a mettiri in testa a Zosimo la curuna. Ma siccome
Fofò e Tanu sapivanu come Zosimo si la pinsava in fatto di parrini, arrisposero che la 'ncoronazioni si doviva fari davanti e non dintra la Catidrali. Alla fini arrivarono a un compromisso, mentri Zosimo veniva in-
curunatu, il canonico diciva una missa sullenne di *Tad-
deum* con le porti della Catidrali aperte al massimo accussì la genti, macari tanticchia strambica, vali a diri
con un occhio a Cristu e l'altro a san Giuvanni, putiva seguiri le dù cose 'nzemmula. Per il tappito rosso
arrisolsero facili, ce n'era uno granni nel saluni del cunsiglio in municipiu, lo pigliaro, l'arravogliaro e lo sti-
siro in cima alle scali del portoni della Catidrali che c'e-
ra spazio assufficenti.

In quanto al trono, si vittiro persi. Ci vuliva qualichi
cosa di spiciali e Fofò e Tanu non sapivano indovi sbattere le corna. Arrisbigliarono il marchisi Boscofino e ci
spiarono cunsiglio. Il marchisi ci pinsò supra tanticchia.

«Seguitemi» disse.

Li portò nel saluni di ricevimentu e ci fici vidiri una vecchia putruna di ligno addorato.

«Non mi pari tutta sta gran cosa» fece Tanu. «Ni putemu truvari di megliu».

Il marchisi si misi a ridere.

«Gnuranti! Questa è una poltrona storica! È di un valore inestimabile!».

«Ah, sì?» disse Fofò. «Allura ci la impristassi».

«Eh, no» ribatté il marchisi. «Ci faccio mala figura con gli altri nobili se ve la do di mia vuluntà. Facciamo accussì: voi siete venuti qua con la 'ntinzioni di pigliarvela, io mi sono opposto e voi ve la siete portata via a malgrado della mia resistenza».

Si misero a fare voci che arrisbigliarono mezzo paìsi.

«Lasciatela, mascalzoni!».

«E nui ci la pigliamu!».

«No!».

«Sì!».

A farla brevi, doppo una decina di minuti di tiatro, niscero dal palazzo con la putruna e la misero supra il tappito rosso. Però capitò che don Gualberto Boscofino, il marchisi patre che era novantino, stolito e surdu come una campana, a malgrado della surdia sentì che c'era statu movimentu in casa e chiamò il figliu. E il marchisi duvette spiegargli che dù sdilinquenti si erano arrubbata la poltrona.

Alla notizia, don Gualberto si portò una mano al cori e s'abbannunò nel letto che parse morto. Su quella poltrona, tra gli altri, si eranu assittati: nel 1296 Farinata degli Uberti, nel 1307 Costanza Chiaromonte figlia di Federico II, nel 1398 Re Martino, nel 1449 il Viceré Lupo Ximenes, nel 1701 Filippo V. Putiva una simile poltrona supportare l'affrunto del culu di un viddranazzo qualisisiasi?

La piazza della Catidrali, già di prima matina era china di pirsone tra le quali non ci passava manco un cani. Ai lati della poltrona si misero Fofò La Bella con la bannera di Zosimo, quella con la testa del toro, e Tanu Gangarossa che in una mano teneva una fance e nell'altra uno zappuni, che erano gli stromenti del travaglio dei viddrani. Il Capitano Montaperto con i sò òmini mantiniva l'ordini. Alle novi pricise sonarono le campani della Catidrali e il canonico De Martino attaccò la missa. Un attimo appresso dalle porti spalancate niscì Zosimo salutatu da vociate e battute di mano.

Si andò ad assittare sulla putruna e aspittò che qualichiduno facisse qualichi cosa. Fofò e Tanu si taliarono e aggiarniarono. S'erano scordati completamenti della curuna. E ora comu si arrimediava? A picca a picca la folla, vistu ca non capitava nenti, s'azzittì. Che malo intoppo c'era? Doppo tanticchia, unu dalla piazza si fici curaggiu e spiò:

«Si po' sapiri chi succedi?».

«Nni scurdammu la curuna» disse Fofò 'mpacciatu.

Zosimo non seppi tenersi e si misi a ridere. La sò risata cuntagiò le prime file di pirsune, s'ingrossò, arrivò alle urtime file. Tutti arridivanu. E in mezzu a quelle risate, proprio dal funno della piazza, si sentì una vuci:

«Ci dugnu iu la mè curuna!».

A parlari era statu un povirazzu che campava addimannannu la limosina a povirazzi come lui. Lo chiamavanu «Gisuzzu» pirchì teneva sempri in testa una curuna di spini proprio uguali a quella che si vidiva nei quatri dell'Ecciomo. Allura nella piazza calò di colpo silenziu. La folla si spartì in dù e in mezzu passò Gisuzzu che era macari sciancatu. Acchianò a fatica i cinco graduna della scalunata della Catidrali, arrivò all'altizza di Zosimo, si levò la curuna e gliela pruì.

Allura Zosimo, pigliata in mano la curuna, si susì e disse, facendola vidiri alla genti:

«Chista è la vera curuna ca ogni veru re doviria purtari. Le spini assignificanu li duviri e le prioccupazioni che ogni re si deve accollari. Iu, Michele Zosimo, accettu chista curuna e mi proclamu Re di Girgenti».

Si misi la curuna in testa e se la incarcò forte apposta, in modo che dalla fronti ci niscisse qualiche guccia di sangue e ci calasse lungo la faccia. A quella vista, commossa, la genti si gettò in ginocchiu. Poi Zosimo si susì e disse, allarganno le vrazza:

«Vi abbrazzu a tutti!».

Quindi s'arritirò nella Catidrali in un subisso d'acclamazioni, battimano, sparatine, urla, pianti, risate, sbinimenti, azzuffatine che non mancano mai, mentri il Capitano Montaperto fermava a stento i più agitati che volevano trasiri nella Catidrali e obbligari il canonico a proclamari Zosimo non sulamenti re, ma macari santu.

Capitolo quinto

Nel doppopranzo istisso della sò 'ncoronazioni, Zosimo scrisse una littra della quali fece tri copie 'ntifiche firmandole tutte Zosimo I, Re di Girgenti. Le littre, che fece cunsignari a mano, erano indirizzate al baroni Tuttolomondo, al principi Tomasi, al marchisi Ficarra e al marchisi Boscofino.

In ogni littra si diciva che Zosimo aviva la 'ntinzioni di procediri, prima possibili, a un rilevamento dei feudi di proprietà dei nobili girgentani. Una volta fattu questo rilevamento, i feudi sarebbero stati divisi a metà. Una metà restava di proprietà del nobile propietariu, l'altra metà sarebbe stata divisa in centinara di piccoli campi che addivintavano di proprietà di quelli che vi avevano travagliato prima o come viddrani o come bracciatanti stascionali.

Finiva dicenno che l'ordine reali sarebbi stato fatto eseguiri macari con la forza se i signori nobili non si assuggittavano di volontà sò.

Appena spidute le littre, fece chiamare coi tammurinari la popolazioni di Girgenti e, dal finestrone del palazzo, liggì quello che aviva scrivuto alla nobiltà. A malappena arriniscì a otteniri silenzio tanto eranu le vociate di gioia e le grida di:

«Ebbiva Zosimo!».

Ripigliò dicenno che tutti quelli che avivanu travagliatu in un dato feudo, dovivanu apprisentarsi in municipio e fari scriviri il loro nomu in una lista apposita, in modo da dividere la metà del feudo in tante parti quante eranu le pirsone che su quel tirreno avivanu ghittatu sudori, fatica, sangue e vita.

Aviva allura allura finutu di parlari che arrivò il marchisi Boscofino currennu come un furgarone, un razzo di quelli che si sparanu nei jochi di focu. Agitava sutta il nasu di Zosimo la littra che aveva arricivuta e manco arrinisciva a parlari per la raggia che gli faciva stringiri i denti.

«Vvvvoooi aaavete osato mannarimi questa lettera? A mia?! A mia?! Al marchisi Orazio Boscofino?!».

«Sissignura».

«Ma come? Doppo che io ho fatto per voi quello che ho fatto?».

«Scusate, marchisi, ma che aviti fattu?».

«Vi ho dato un vistitu pulito! Vi ho dato un trono!».

«Comu viditi il vostru vistitu me lo livai. Questo che ho ora è miu, lo mannai a pigliari da la casa mia. Il vostru lu sto facennu purtari nel vostru palazzu 'nzemmula con la putruna. E datu che siete ccà, accittati lu me ringraziu».

«Col vostru ringraziu mi ci pulizio 'u culu! Dunque voi aviti l'intinzioni di livarmi più terra di quella che m'hanno livata i piamontisi?».

«Nun lu sacciu quanta ve ne hanno livata i piamontisi, per parte mia iu vogliu la metà di tutti i vostri feudi e di quelli dei pari vostri».

«E per mia, che vi sono amicu, non c'è cizzioni?».

«No».

Quel no sicco ebbe sul marchisi l'istisso effettu di un sì. Di colpo si calmò, gli passò tutta la raggia.

«Bongiorno» disse.

E sinni niscì.

«E mi sono fattu un nemico chiussà» commentò dintra di sé Zosimo.

Verso le cinque, mentri Zosimo era arriunitu con Fofò e Tanu, uno degli òmini di guardia avvisò che fora della porta c'era un tali, vistuto bono, un borgisi, che voliva audienzia.

«Fallu passari» fece Zosimo.

Trasì un omo alto, imponenti, tuttu vistutu di nìvuru. Un carcarazzu.

Fici un inchinu che la fronti gli toccò terra.

«Sono Annibale Zaccaria» s'appresentò. «E ho l'ardire di voler essere onorato di una vostra benigna e benevola e paziente e paterna udienza secomè che sono di voi, Maestà illustrissima, l'ultimo dei divoti servitori».

«Chi è chisto Secomè?» spiò Fofò impressionato da quello che gli era parso un cognomu.

«Io certamente non ho il bene sommo, l'inestimabile fortuna d'esser da voi conosciuto. Ma, forzando l'innata mia modestia, trovomi costretto a dir chi sono. Io sono...».

«Bih, chi camurria!» fece Tanu. «L'aviti ditto ora ora, siti Annibale Zaccaria!».

«... io sono» ripigliò Zaccaria senza scoraggiarisi «assai stimato e, non mi perito di dire, puranco onorato infra color che aiutano a trovar la via della giustizia nel labirintico intrico, nei garbugli di norme, decreti che...».

«Un dutturi di liggi?» spiò Zosimo.

«Con tutta umiltà: un maestro riconosciuto».

«Va beni, va beni, parlate».

«A quattr'occhi» fece Annibale Zaccaria. «Ammesso che i miei, a confronto dei vostri, possano dirsi occhi».

Quanno Fofò e Tanu niscero, Zaccaria ristò addritta e muto.

«Assittatevi e parlati» disse Zosimo.

L'abbocato s'assittò e principiò a parlari. Principiò, continuò e non la finì cchiù. La pigliò alla larga. Disse che lui a Palermu curava l'interessi del baroni Tuttolomondo del quali era amico e che si trovava a Montelusa da qualche jorno e aviva avuto modo di capire in quale considerazioni era tenuto Zosimo dai sò sudditi per i quali la sò parola era liggi. Ma cos'era la liggi? Cos'era lo jus? E spiegò a Zosimo, per una mezzorata bona, che lo jus, dal tempu dei tempi, era fattu da òmini putenti nell'interesse istesso della loro putenzia. E che c'era putenzia e putenzia, ma che la putenzia più putenti di tutte era quella che viniva da Diu. E Diu a chi la dava da sempri? Agli imperatori, ai re, ai nobili. E spiegò macari che c'erano re e re, sarvannu naturalmenti tutto il rispetto dovuto alla Maistà che gli stava davanti.

«Sta scuranno» fece Zosimo talianno fora dal finestrone.

Allura il dutturi di liggi gli spiegò che della facenna della divisioni dei feudi ne avivano parlatu lui, il baroni Tuttolomondo, il principe Tomasi, il marchisi Boscofino e il marchisi Ficarra i quali, in sustanzia, non eranu cuntrari per principiu e pinsavanu che si putissi fari un accordu. Ma un accordu accussì abbisognava di tempu e meditazioni. La proposta che lui era incarricatu di portari a Zosimo era la siguenti. Dato che questo tempu era assolutamenti nicissario, pirchì non riparlari della quistioni facenno passari mettiamo un'annata e intanto lassanno le cose come stavanu? Se Zosimo cunsentiva, ne avrebbe avuto vantaggio.

«Quale?».

Annibale Zaccaria abbassò la voci, avvicinò la sò seggia a quella di Zosimo. E gli disse qual era il vantaggio. Quinnici sarme di terra, coltivata a mandorle e frumento, che appartinivano a un parenti del baroni Tuttolomondo e che confinavano propiu col tirrenu che Zosimo possedeva. Abbastava mezza parola e la terra l'indomani istisso sarebbi divenuta di propietà sò.

«Mi scusasse, torno subito» fece Zosimo susennosi e niscenno dalla càmmara. Fora c'era ancora Tanu che parlava con tri òmini sò.

«Tanu» disse Zosimo «fammi un favuri, arresta stu strunzu che sta ddra dintra e jettalu 'n càrzaru. Dumani a matina fallu turnari a la casa cu un càvuciu 'n culu».

Il baroni Tuttolomondo restò a vucca aperta, senza attrovari paroli, alla notizia che gli desi un servu. Poi s'arripigliò tanticchia e tornò nello studio. O almenu, in quella càmmara che lui chiamava studiu ma indovi non c'era né un libru né un fogliu di carta, datosi che mai si era vulutu abbassari a studiari qualisisiasi altra cosa all'infora del vinu francisi.

«L'ha fatto arrestare!» fece abbattendosi su una putruna che si lamentiò pirchì il baroni stazzava supra il quintali.

«Me l'aspettavo» fece il principi Tomasi.

Si eranu arradunati nel palazzo del baruni appena arricivuta la littra di Zosimo e avivanu addeciso di mandari Zaccaria a fari la loro offerta. Ma il risultato non era stato brillanti. Addivintarono più mutangheri di prima, le loro taliate erano torvole.

«Come sta questo Zosimo a fìmmine?» s'informò il marchisi Ficarra.

«Pirchì?» spiò il marchisi Boscofino, oramà passato dalla loro parti.

«Bah, pinsavo che se gli piacciono le fìmmine, facciamo venire una bella buttana da fora, gliela portiamo a canusciri e poi…».

«E poi arresta macari a lei» concluse il baroni Tuttolomondo. «Non mi pare una bona pinsata».

«E allora che facciamo?» scattò nirbuso il marchisi Ficarra. «Ci arrendiamo? Gli diciamo: maestà, si accomodi, si pigli pure le nostre terre, i nostri palazzi…».

«E macari se glieli diamo» incalzò il baroni «a quello non gli basta. Un giorno si presenta e ci dice: le signorie vostre mi vogliono fare un piacere? Si calano i pantaloni e si mettono a culo a ponte? Noi siamo obbligati a farci inculare e lui, dopo, ci taglia la testa!».

«Calma» fece a questo punto il principi che era risaputo che parlava picca e nenti ma che era capaci di futtiri macari il diavulu in pirsona. «Calma. Il più grosso errore che possiamo fare in questo momento è perdere la testa e pigliare questo Zosimo di petto. Bisogna travagliare di fino».

Tutti s'azzittero. Il principi si vivì il vinu ch'era ristato nel bicchieri.

«Ottimo» disse.

«Ancora un altro?» fece il baroni.

Il principi calò la testa. Il baroni gli inchì il bicchieri ma il principi manco l'arringraziò. Si vidiva ch'era persu darrè un pinsèro.

«Forse ho trovato» disse a un certo mumentu.

All'arba del jorno appresso un dù alberi, armatu di spingarda e battenti bannera piamontisi, s'appresentò davanti al molo caricatore di Vigàta e accominciò a fari le manopere per attraccare.

Nenè Zammuto, che coi sò òmini aviva pigliatu posessu della torri, costruita da Carlo quinto per protiggiri la costa dai saraceni, teneva sempre pronti i quattru cannuna che c'eranu nella terrazza in cima alla torri e che funzionavanu boni dato che Nenè li aviva fattu sparari per prova.

«Che fazzu?» spiò Filippu Bellavia ch'era statu nominatu capocannoneri.

«Aspetta che si mette di puppa» fece Nenè.

Per attraccari, il dù alberi doviva di nicissità mettersi di puppa e quindi si viniva a truvari con la spingarda appuntata dalla parti opposta alla torri.

Quanno finalimenti Nenè stimò che aveva il tiro a favori, ordinò:

«Foco!».

Il primo cannoni s'arrefutò di sparari, il colpo del secondo cadì in acqua a una decina di metri dalla navi, quello del terzu andò a finiri supra gli scogli e in quanto a quello del quarto di partiri partì, questo è sicuro, ma non si capì mai indovi fosse andato a finiri.

Quelli del dù alberi strammarono. Non sapenno nenti di Zosimo, povirazzi che chisà da quantu tempu erano in navicazioni, dovittiro pinsari di aviri sbagliatu rotta e di essiri finuti in un paìsi nemicu. Difatto un marinaru acchianò a riva e spiò con le bannere:

«Dove siamo?».

«Nella merda» arrispose, a vuci, Nenè.

E in quel mumentu il primu cannoni s'addecisi a sparari. Macari questo colpo cadì in acqua, ma abbastò. Isate le vele, il dù alberi pigliò il largu, spirì all'orizzonti.

Saputa la cosa, Zosimo s'apprioccupò. Sicuramenti quel dù alberi avrebbe dato l'allarmi. E se arrivavano vele grosse e armate supra 'u seriu, come avrebbe fattu Nenè Zammuto a resistere? E i savojardi di Naro, sarebbero tornati in forze?

Lo scontru avvenne alli tri di doppopranzo, ma dalla parti indovi Zosimo menu se l'aspittava, vali a diri sulla strata di Catellonisetta. Qui c'eranu un centinaru d'òmini cumannati da Giurlannu Cucinotta il quali, prima di mittiri la testa a partitu e maritarisi, era statu briganti di passu. Cucinotta aviva fattu attistari i sò òmi-

ni propio nel punto che la strata passava in mezzo al boscu dettu della Chiapparina. Era un bosco fittu. Quanno l'omo di guardia avvisò che stavanu arrivanno una
trentina di savojardi a cavaddro armatissimi, Giurlannu
fece ammucciare i sò ai dù lati della strata, darrè le
macchie di spinasanta. Quanno i soldati si trovarono in
mezzo agli appostati, questi spararono coi deci moschetti
che avevano, cinco per parti. Tri soldati morirono pigliati
in pieno, gli altri scinnero dai cavaddri, pirchì con le vestie era impossibile trasire nel boscu, e accomenzarono
ad assicutari quelli che avivanu sparatu. E fu la loro ruvina, come aviva prividutu Cucinotta. I piamontesi si trovarono spersi e furono ammazzati da genti che cadeva
dagli àrboli col cuteddru tra i denti. Se ne salvarono una
decina che rimòntarono a cavaddro e sinni scapparono.
Cucinotta non persi manco un omo.

Ma Zosimo passò una nuttata amara, al contrario dei
girgentani che ficiro festa: capiva che finu a stu mumentu aviva avuta la fortuna a favori. Ma se la fortuna gli votava le spalli? Non aveva òmini abbastevoli a
una vera difisa e bisognava attrovarli. E tuttu era corpa dell'errori che aviva fattu: si era mosso prima del
tempu giustu, che era quanno i savojardi sarebbiro stati impignati contro gli spagnoli. Accussì inveci, quanno lo volevano, potevano concentrarsi su Girgenti e ac-
cuparla con quattro colpi di cannoni.

I girgentani si misero a rumori di prima matina in
quanto che si era sparsa la vuci che, nella nuttata, dintra la casa di don Masino Incontrera, un burgisi ricco

commercianti di favi, frumentu e mènnuli, il quali impristava un sordo e po' nni vuliva centu, eranu trasuti i latri, gli avivanu spaccatu la testa e l'avivanu arrubbatu. Ma sulamenti il dinaro si erano purtati, l'argenteria, le cosi priziose le avivanu lassate al loro posto. Don Masino non era morto, ma si attrovava malo combinatu in casa di un sò frati che di nome faciva Agatino. Arriniscì a cuntari al Capitano Montaperto, a malgrado il duluri di testa, che i latri eranu quattro, infaccialati, che cercavano danaru currenti e che ne avivano attrovatu quantu ne vulivano nelle quattro cassette che teneva ammucciate sutta il letto in caso di pronto prestitu. E datu che impristava a commercianti e a burgisi, le quattro cassette eranu stipate.

«C'era di che pagari un esercitu!» chiangiva don Masino.

E queste paroli misero in testa al Capitano una mezza idea. Nisciuto da quella casa, s'addiresse verso il palazzo di Governu. Dal cortiglio alla scalunata, dalla scalunata al corridoio, dal corridoio fino a darrè una porta chiusa c'era una fila d'òmini di Zosimo che aspittava. Raprì la porta chiusa senza tuppiari e trasì. Addritta davanti a un tavuluni ci stava Fofò che pigliava danaru da una delle quattro cassette che aviva davanti, lo contava e lo passava a Tanu che scriviva la cifra su un fogliu e sistimava il danaru a muntagneddri.

«Jorno di paga, eh?» disse allegro.

«Eh, già» fece Tanu taliandolo malamenti.

«Sua Maistà si è arzatu?».

«Sì».

Niscì da quella càmmara e tuppiò alla porta di quella appresso.

«Avanti».

Trasì. Zosimo era assittatu e scriviva.

«Lo sapiti» attaccò il Capitano «che i soldi coi quali oggi fate la paga al vostru esercitu sono stati arrubbati stanotte?».

«Sì» fece Zosimo.

Montaperto non se l'aspittava.

«Lo sapevate?! Siete stato voi a dare l'ordini?».

«No, me l'hannu dittu a cosi fatte, stamatina».

«E voi?».

«Ho appruvatu. E vi spiegu pirchì. Iu sacciu di essiri nel giustu, so di fare le cose che ci volino per mettiri a posto, solo di tanticchia, questa società. E perciò nun me ne importa, minni futtu se a un riccu ci levanu 'u sò dinaru per favuriri il miu proponimentu. È chiaru?».

«Chiarissimo» fece il Capitano. «E comu pinsati di andare avanti? Arrubbando ancora?».

«Si è nicissariu, sì. E vui, Capitano, arraggiunate macari vui: nun è megliu che arrubba unu sulu e po' spartisci a tutti, chiuttosto che sianu tutti ad arrubbari per contu propiu? Alla dispirata? Macari ammazzannu?».

Montaperto non trovò paroli.

«Che pinsate di fare?» gli spiò Zosimo.

«Nenti» concluse il Capitano di Giustizia.

A matino tardo, a palazzo di Governo s'appresentarono il marchisi Boscofino e il marchisi Ficarra. Era-

416

nu nirbusi, agitati, e addimannarono di parlari a sulu con Zosimo.

«Il fatto che io sia qui, davanti a voi» principiò il marchisi Ficarra «non significa da parte mia riconoscimento alcuno della vostra regalità, ma del vostro presente potere. Questo mi preme dire prima di ogni altra cosa».

Fatta la sullenni primissa in talianu, passò a parlari megliu.

«Vegnu cu 'u mè amicu Boscofino macari a nomu do principi Tomasi e do baruni Tuttolomondo».

E doppo fici 'nzinga a Boscofino che attuccava a lui.

«Stamatina alle sett'arbe m'hanno cunsignata questa littra del mio amicu, il conti Bonaca di Catellonisetta» fece Boscofino.

La pruì a Zosimo che la pigliò e la liggì.

«Amico mio, gli spagnoli hanno pigliata Palermo senza quasi colpo ferire, ma i savojardi stanno preparandosi a una gagliarda difesa. Per far ciò, han necessità di esser certi di non dover patire tradimenti, congiure, assalti alle spalle. Quindi so per certo che muoveranno alla volta di Montelusa onde eliminare ogni disordine. Aspettatevi perciò un imminente attacco. Ben conoscendo i vostri sentimenti anti savojardi ho voluto mettervi in guardia per tempo. Vi saluta il vostro Contardo Bonaca di Catellonisetta».

E Zosimo allura si spiegò quello che era capitato il jorno avanti, il dù alberi a Vigàta, l'attaccu sulla strata di Catellonisetta: i savojardi principiavanu a cataminarsi. Ma se sti dù strunzi di nobili vulivanu che si arrennisse solo davanti a una littra minazzevoli, si sbagliavanu assà.

«Si la situazioni s'appresenta accussì» ripigliò il marchisi Ficarra «nun c'è che da fari una sula cosa».

«E quali?» spiò Zosimo.

Tuttu s'aspittava, menu che quella risposta.

«Cummattiri 'nzemmula, nobili e populu. Se uniamu le nostre forzi, possiamo resistiri a longo a un assediu savojardo. Noi possiamo distribuiri a tutti robba di mangiari, ne abbiamo a tinchitè. E in quantu a genti armata, a cuntu fattu, disponiamo di oltri ducento òmini».

«Indovi stannu?».

«Li abbiamo fatto riuniri nel feudo Baldacchino del principi Tomasi, tutti agli ordini del capo camperi Manzella. Una vostra parola, e questi òmini si metteranno al servizio vostru e nostru, nel comuni interesse».

«Capisciu l'interessi del marchisi Boscofino» disse Zosimo «ma il vostru? E quello degli altri nobili?».

«In prìmisi» arrispose il marchisi Ficarra «a lentu a lentu i savojardi, a forza di tasse, ci arridurrannu poviri e pazzi. Vui ci vuliti livari la mità dei feudi e ce lo dite. Loro, senza ca ci lo dicono, nni levanu macari la cammisa. In secùnnisi, appena arrivanu, vorranno cuntu e ragiuni del pirchì non vi abbiamo ammazzatu. Diranno ca semu complici vostri e chista sarà una bona ragiuni per fotterci definitivamenti. Allura che decidite?».

«Prima ne parlu cu i mè òmini» disse Zosimo.

«Sì, ma fate di prescia, non c'è tempu» concluse Ficarra.

Zosimo ne parlò a longo con Fofò e Tanu.

Fofò reagì di forza.

«Ma tu lo sai che questo capo camperi Manzella ha ammazzatu di mano sò a tri bracciatanti che si eranu arribbillati?».

Tanu invece parsi più ragiunevuli.

«Se le cose stannu comu i nobili dicinu, e iu cridu che stannu veramenti accussì, sti ducentu òmini ci sono di commudu. Si tratta di tenerli d'occhiu, d'impidiri che fannu colpi di cuda».

Discutero, s'azzuffaro, ficiro la paci, ripigliaro a parlari. Alla fini Zosimo disse a Fofò La Bella:

«Vai da Boscofino e digli che semu d'accordu».

Alli setti di sira centu òmini armati, cumannati dal capo camperi Manzella, arrivarono, tutti a cavaddro, a Girgenti. S'assistimarono nel cortiglio del palazzo del principi Tomasi.

Manzella s'appresentò a Zosimo, s'inchinò, si levò la birritta.

«Agli ordini di sò Maistà».

«Mi avivanu parlatu di ducentu òmini» fece Zosimo.

«Dumani a matinu i centu ca mancanu saranno qua».

Zosimo l'alliquitò subitu. Non sopportava di vidirselo davanti. Era una cosa fitusa che feteva di sudori e di carne apputrefatta.

Sentì il bisognu di parlari della facenna col Capitano Montaperto e lo mannò a chiamari. Ma non l'attrovarono.

Non l'attrovarono pirchì Montaperto era davanti al

principi Tomasi che gli aviva fattu una dumanna semprici e chiara:

«Voi, Capitano, siete sempre agli ordini del re Vittorio Amedeo, al quale tra l'altro avete giurato fedeltà e obbedienza, o agli ordini di questo villan rifatto che si chiama Zosimo?».

Quella sira istissa Zosimo, sempri più persuaso che i savojardi arrivavanu da un mumentu all'autru, mandò Fofò La Bella e la sò truppa a rinforzo degli òmini di Vigàta. Tanu Gangarossa ristò a Girgenti con una decina d'òmini fidati, il rimanenti partì a dari cunsistenza alla difisa delle strate di Palermo, Naro e Catellonisetta. Fu la prima notti che Zosimo durmì.

La matina appresso Zosimo s'arrisbigliò tardo, erano le setti, già lu suli era autu. La stanchizza dei jorni passati era tanta e gli era calata di colpo nelle carni. S'affacciò al finestrone, la citati era calma, la genti faciva le solite cose. Tanu durmiva ancora macari lui.

«Tanu, vestiti e veni cu mia. Ni mittemu a cavaddro e andiamu a vidiri come sono assistimati i nostri a Vigàta. Haju in menti di pigliari gli òmini di Fofò e mettirli costa costa, casomà i savojardi vulissiru fari ammucciuni quarche sbarcu».

Nel cortiglio non incontraro gli òmini di Tanu. Ne vittiro invece dù nella piazza che parlavanu col Capitano Montaperto e con tri guardie.

S'avvicinarono al gruppu.

«Bongiorno, Maistà» fece il Capitano.

«Bongiorno» arrispose Zosimo.

«Indovi sono i vostri cumpagni?» spiò Tanu ai dù òmini sò.

Ma non ebbi bisognu di risposta. Nelle loro facci liggì 'u tradimentu. Però era tardu per fari qualisisiasi cosa.

«Scappa, Zosimo!» gridò prima che le tri guardie gli satassiro di supra.

Scappari? E indovi? E pirchì? Ristò faccia a faccia col Capitano. Ma fu un attimu, pirchì la situazioni cangiò. Mentri i dù traditura scappavanu, Tanu arriniscì a libirarsi dalle guardie e agguantò alle spalle Montaperto puntandogli un pugnali nel collo. Gangarossa era omo fortissimu, capaci di rumpiri la schina a una pirsuna con la forza delle sole vrazza, il Capitano si sintiva pigliatu in una morsa, capì che gli ristavanu picca mumenti di vita.

«No!» fece Zosimo, fermo, duro. «Nun mi tradiri macari tu, Tanu. Desi la mè parola che non ci sarebbe statu altro sangue. Rispettami».

Allura Tanu dette un ammuttuni viulentu al Capitano che traballiò, raprì la vucca, fici un gridu spavintusu, d'armàlu, e s'infilò il ferru nella panza.

Mentre cadiva, le tri guardie lo pigliaro a sciabolate.

«Vi dichiaro in arresto, Maestà» disse Montaperto. E nella sò vuci non c'era dileggiu, sconcica, ironia, c'era sulu profunnu rispettu.

Caminavano in silenziu versu il castello, Zosimo e il Capitano, l'uno allato all'altro. Montaperto aviva mannatu via le guardie. E la genti che li vidiva passari nun ci capiva nenti. Ma era veru o no ca a Zosimo l'avivanu arristatu? E si l'avivanu arristatu pirchì nun era incatinatu e pariva libiro come un aceddru? Doppo Zosimo parlò:

«Me lo putite cuntari comu fu?».

E il Capitano gli contò che tutta la facenna era stata priparata dal principi Tomasi. Che la littra al marchisi Boscofino era favusa. Che l'arrivu del dù alberi e lo scontru sulla strata di Catellonisetta coi savojardi eranu capitati per combinazioni, ma avivanu jucatu a favuri del principi. Che duranti la nuttata i centu òmini cumannati da Manzella eranu nisciuti dalla citati e si eranu uniti all'autri centu che li aspittavanu fora mura. Doppo, spartuti a gruppi, avivanu assugliatu comu lupi gli òmini di Zosimo a Vigàta e negli autri posti. Conclusioni: una cinquantina di prigionieri che già eranu nelle celle del castello, il rimanenti della truppa di Zosimo se ne era turnatu alla sò casa. Fofò La Bella, Nenè Zammuto, Giurlannu Cucinotta, morti ammazzati. Salvo Tortorici e Nonò Martorana eranu già carzarati.

Arrivati al castello, che era survigliatu dai deci òmini del Capitano, più un'altra vintina di volontari scigliuti tra 'mpiegati e servi dei burgisi, Montaperto fece trasire a Zosimo nel saluni delle riunioni.

«Vi metto qua pirchì le celle sono piene».

«E po' che succedi?».

«Vi farò sapiri. Saccio per sicuru che hanno già dato l'ordini di costruiri la forca. Hannu 'ntinzioni di afforcarvi dumani a mezzojorno, alla prisenza dei primi soldati savojardi. Accussì i signuri nobili s'arrifanno agli occhi di re Vittorio Amedeo».

Nel doppopranzo tutta la citati seppi che Zosimo era statu 'ncarzaratu.

Peppi Imbornuni, paraliticu e ciecu, stava a lu postu solitu a dimannari la limosina. Passò unu.

«Peppi, a Zosimo arristaru».

«Iu» fece Peppi «essennu cecu, a chistu Zosimu nun lo vitti mai. Pi mia, po' nun essiri esistitu, possu sempri diri che forsi me l'insognai».

«Ho l'ordine di andare subitu nella vostra casa e abbrusciarla» disse il Capitano. «C'è qualichi cosa che vulite salvari?».

«Sì» arrispose Zosimo «una casciteddra di ligno, nica. La tengo ammucciata, ma vi dicu indovi».

«Che c'è dintra?».

«L'occurrenti pi fari una comerdia».

Montaperto abbrusciò sulamenti la casa, non l'àrbolo di zorbi che c'era darrè. Il troncu era tuttu scrivutu, ma non si liggiva nenti, la pianta stava ripigliando a fari la corteccia. Allato alla cassetta di ligno, che dintra aviva quattro stecche di canna, un foglio di carta velina cilestre, un grossu gomitolo di spago e un pugnu di farina, c'eranu puru cinco libri e macari chisti non si potivanu leggiri, eranu tutti strazzati e sfarinati. A Montaperto ci parsi di capiri un titolo, «Comedia» o qualichi cosa di simili di un tali Lighieri e un altro, in latinu, che faciva «...gnitate hominis» di uno che di nome faciva Pico. Li ghittò nel rogo della casa.

A sira, il Capitano s'appresentò a Zosimo con la cassetta di ligno. Zosimo l'arringraziò.

«Vi devo dire una cosa» fece Montaperto. «Sono riuscito a convincere il principi Tomasi e gli altri nobili a farvi impiccari alle otto di dumani a matina. Vuliti un parrinu?».

«No. Ma pirchì vi è vinuta tanta prescia?».

«Pirchì sugnu pirsuaso che i savojardi vorranno essiri loro a impiccarvi. E nisciuno ci potrà diri nenti in cuntrariu. E a mia non mi piaci che la storia vostra finisce accussì, mortu per manu stranea. Megliu arrisolverla tra di noi, di la stessa terra».

«Grazie» disse Zosimo.

Parte quinta

Come fu che Zosimo morì

LA FABBRICA DELLA COMERDIA

Questa è la vera difficortà di la doppia morti, la morti cchiù amara, la morti cchiù disgraziata, che non è moriri senza sapiri di moriri, e questa sarebbe la morti semplici, ma moriri sapenno di moriri, quanno ti fanno accanusciri il momento priciso di la morti tò, quanno vidi che questo pugno di rena che ti hanno posato davanti dicendoti: «quanno lu tempo se lo è portato via granello appresso granello, a questo mumentu stabilitu la vita tò è finuta», quanno un ponentino leggiu leggiu accumenza a fàrisi sentiri e tu hai voglia a inserrare porte e finestre, hai voglia a sigillare minime fessure, hai voglia a tappare pirtusa, nenti, nenti, quel ponentino che non si arrinesce a capire da dove s'infila, trova sempri modo di trasire e di fare scumparire la rena granello appresso granello e tu sai, tu accapisci che ogni cosa che fai non la potrai rifare cchiù doppo semplicementi pirchì non ci sarà cchiù un doppo e perciò se finisci di fabbricare la comerdia, quanno che hai finuto di fabbricare la comerdia, quanno la comerdia è fatta, quanno la comerdia è fabbricata, quanno la comerdia è finuta, quanno alla comerdia non c'è cchiù nenti da aggiungere, quanno la comerdia

è pronta a volari, sei tu stesso che finendo di fabbricare la
comerdia hai dato una soffiata forte a quello che resta del
pugno di rena e ne hai fatto volare via minimu minimu la
metà e allura che faccio? la metto o non la metto quest'ultima
strisciolina di carta velina? e se la metto e la comerdia è fi-
nita non è macari finita la vita mè? sai che ti dico? eh, sai
che ti dico? iu non ci penso cchiù iu lo mettu l'ultimo pez-
zu di carta velina e itivinni a pigliarvela 'n culu tutti quan-
ti ecco fatto l'ho messo vediamo se la colla di farina tiene
la comerdia è finuta bonanotti bonanotti macari se sta ac-
comenzanno proprio ora a fare jorno.

IL SONNO

Il sonno lo pigliò a tradimento appena ch'ebbe finuta
la comerdia e non era solamenti il sonno, ma macari una
stanchizza piombigna che gli fece dolìri le scapole e la
vucca dello stomaco. Taliò fora dal finestrone del saluni: c'era un punto nel panno nìvuro del cielo che accominciava a consumarsi, a farsi meno spesso e quindi un tri ore di sonno se le poteva fare. Taliò la pirsona che gli avevano messo di guardia, ch'era di Naro e
omo affidato del Capitano Montaperto e di nome faceva Cono Trupia, lo quali sinni stava addrummisciuto in una putruna e teneva il moschettone di traverso
supra le gambi. Zosimo scostò tanticchia la comerdia,
stinnì li vrazza sul tavolino, ci posò la testa e calumò
nel sonno comu uno che si getta a mare e per anniga-
ri cchiù di prescia si mette la màzara al collo.

La porta si raprì di colpo. Il Capitano Montaperto trasì e videnno che carzareri e carzarato dormivano, li arrisbigliò con un gran salutu «Bona jurnata a tutti!!».

Cono Trupia satò addritta, scantato e il moschettone gli cadì 'n terra.

«All'ordine sto, Capitano».

«L'ordine è quello di levarti dai cabasisi».

Cono si calò a pigliare l'arma. Doppo taliò a Zosimo, voliva dire qualichi cosa, ma dalla vucca non gli venne fora nenti, anzi sì, qualichi cosa si sintì, una specie di raschio, comu capita prima di sputari:

«Baciamulemano, Maistà».

E sinni niscì. Montaperto chiuse la porta. Taliò la comerdia posata sul tavolino. Era proprio bella, fabbricata a regola, equilibrata in ogni parti sò, pareva viva, pareva squasi che fremesse a starsene accussì ferma, pareva che non aspittava che il minimo suspiro di vento per pigliari il volo.

«Noi semo pronti» disse il Capitano. «E voi?».

«Macari io sono pronto» fece Zosimo.

Il Capitano parse dubbitoso.

«E di sta comerdia che ve ne fate? Ve la volete portare appresso fino alla forca?».

«È proibitu?».

«Proibitu no, ma non mi pari giustu lu momentu».

«Se mi raprite il finestrone, la faccio volare. Questa è l'ora bona, c'è il venticeddro del matino».

«Mi levate una curiosità?» spiò Montaperto.

«A disposizione vostra».

«Pirchì date tanta importanzia a una comerdia ch'è joco di picciliddri? Scusatemi se ve lo dico, ma non mi pare cosa d'omo granni».

«Volete sapiri che rapprisenta pi mia questa comerdia? Non rapprisenta nenti, questa comerdia è sulamenti una comerdia».

Il Capitano lo taliò 'ncertu. Montaperto era omo di guerra, ma era macari uno che gli piaciva speculare, trovare alle cose una significazioni diversa da come le cose parevano.

«E allura?».

«Ci jucai un jornu ch'ero picciliddro e mi parse una meraviglia, un miracolo, mi parse di stare volanno con la comerdia istissa, mi sentii lèggiu lèggiu, allato ai passeri, alle palumme, ai carcarazzi, alle allodole, aceddro tra gli aceddri. E feci giuramentu sullenne, allura, che nell'ora di la morti, avrei fatto vulare un'autra comerdia per lassare sta terra leggiu leggiu, scordannomi lu piso di lu corpu. V'abbasta comu spiegazioni?».

Il Capitano fece 'nzinga di sì calando la testa. Raprì il balcuni che dava nel cortiglio interno del castello e Zosimo, pigliata delicatamente la comerdia, lo seguì fora. Abbrividenno per la friscanzana, teneva la comerdia con due dita strette nel punto in cui lo spaco era stato legato, proprio all'incrocio delle due listelle di canna che ne formavano lo scheletro. Di subito si fece pirsuaso che era arrinisciuto a fabbricare un apparecchio miracolosamente perfetto, magicamente equilibrato in ogni singola parti sò. Già tenuta accussì, la comerdia vibrava a ogni minima alitata del matino e pareva una criatura viva, un falco artigliato alla mano del falconiere. Zosimo aspittò tanticchia col vrazzo isato poi arrivò una folata di vento, ma Zosimo capì che non teneva consistenza, avrebbe fatto capozziare la comerdia mandandola macari a sbattere supra i tetti. Doppo ne venne n'autra, né troppo forti né troppo deboli, giusta, e lui allentò la stritta delle due dita e in mezzo a li dita lo spaco principiò a scorrere veloci sempri cchiù veloci via via che la comerdia pigliava la correnti per il verso giustu e acchianava 'n celu, acchianava con la cima puntata dritta, comu se fosse stata sparata, tirandosi appresso la cordicella con tanta forza e prescianza che Zosimo sentì la pelle delle dù dita prima irritarsi e doppo principiare ad abbrusciargli comu se quello non fosse semprici spaco ma una lama di foco. La comerdia oramà squasi si era confonnuta con una nevola e lo spaco era finito. Zosimo ne tenne ancora tanticchia stritto il capo non arrisolvendosi a perdiri per sempri la criatura sò.

CHE SIGNIFICA LASCIARE LO SPACO

Me l'arricordo precisu comu fu quann'era picciliddro e mi fabbricai la comerdia cu la carta che mi aveva arrigalato la bonarma di don Aneto Purpigno. E la comerdia, mentri vulava, principiò a stracangiarsi, non era cchiù carta velina e colla di farina e listelli di canna, no, tutto 'nzemmula addiventò viva, si trasformò in palumma, una vera palumma, ma impastoiata, tenuta prigionera dallo spa-

co che iu serrava 'ntra li dita e tirava tirava tirava pi avi-
ri la sò libirtà comu sta facenno quest'autra comerdia e iu
ora ci la dugnu la sò libirtà ma lo so che se lasso stu spa-
co nun sulamenti mi perdo la comerdia ma mi perdo ma-
cari la fantasia, mi perdo la capacitati di cangiare li cosi
a piacimento mio e vidilli, tutti sti cosi, non comu sunnu
ma comu li ho fatti addivintare iu, va beni, ma che te ne
fotte della fantasia ora comu ora che ti trovi a un passu
di la morti, non è megliu perdiri la fantasia chiuttosto che
negari la libirtà a una comerdia?

IL PERCORSO

Dalla porta del saluni si partiva un corridoio di trentatré passi doppo si doviva scinniri una scala fatta di vintuno graduna doppo ancora c'era una specie di pianirottulo longo passi sette e da questo pianirottulo principiava una scala di quarantadù graduna e appresso viniva un corridoio di novantanovi passi e alla fine di questo corridoio ci stava un'autra scala fatta di vintuno graduna doppo principiava un pianirottulo di quattordici
passi e da qua una scala di quarantadù graduna che portava in un saluni longo trentatré passi e qua c'era una
porta che dava nella sala indovi che ci stava la guarnigioni e ch'era granni novantanove passi e nella sala ci
stava un portone che dava fora dal castello proprio sulla piazza e a diciotto passi dal portone del castello ci stava l'apparatu fabbricato per l'occorrenzia dal mastro-
dascia Filippo Aquilino lo quali propiamenti consiste-

va in un palco di ligno che ci si acchianava facendo cinco graduna altrettalimenti di ligno e supra di lo quali palco ci stava il palo di la forca e allato al palo di la forca ci stava lu boia mastro Casimirro Capuano fatto appositamenti viniri da Naro, omo giniroso e forti che ammazzava sempri al primo colpo e non faciva assoffrire malamenti i cunnannati e lui si era portato appresso i sò aiutanti, quelli che tiravano la corda, 'Ntonio Impiduglia e Binno Lopasquale macari loro di Naro.

IL RESPIRO

La prima cosa che Zosimo vitti niscendo dal portone del castello fu il palco della forca con supra il boia e dù altre pirsone; la seconda cosa che vitti fu che la piazza era completamenti vacanti, diserta e disolata. Nella piazza sboccavano cinco tra strate e stratuzze e a ogni sbocco c'erano soldati assistimati in fila a fare da cordone squasicché nisciuno potesse arrivare nei contorni, e va bene, ma il fatto era che darrè i soldati non c'era anima criata. Zosimo si fermò imparpagliato. Possibile che tutti, amici e nimici, già si fossero scordati di lui? Nuddru che venisse a baciargli la mano chiangendo? Nuddru che venisse a sputargli in faccia insurtandolo? Taliò strammato il Capitano. Montaperto, che aveva capito quello che stava passando pi la testa a Zosimo, tentò di dargliene spiegazioni:

«Lo saccio che moriri accussì è cosa laida, Maistà. Ma ho dovuto dare ordini che la gente non niscisse di casa».

433

E fu proprio in quel momentu, in mezzo alla fantasiosa friscatina di un merlo distante, che Zosimo sentì il respiro. Non era il sciato, il rispiru di un omo solo, ma di tante e tante pirsone che sciatavano adascio squasi per non farsi sentiri che c'erano, ma c'erano, e Zosimo accapì che quella specie di leggia risacca marina era fatta di sciato d'òmini e veniva di supra ai tetti dei palazzi e delle case che circondavano la piazza e accapì macari che a sciatare era la gente di Vigàta e di Montelusa, i paisani sò, gli amici sò, i canuscenti sò, venuti appositamenti per accumpagnarlo nel passu di la morti e lo stavano a taliare da supra i tetti, assistimati a panzasutta, affacciabbocconi, per non farsi vidiri dalle guardie che inveci li vedevano benissimo e facivano finta di non vederli e attisando le orecchie Zosimo distinse, in mezzo a tutti, il sciato smatico e raschioso di lu zù Minico Lofaro che era ottantino e zoppu – ma comu minchia avivano fatto a farlo arrampicare fino a supra u tettu di palazzo Contrera? – e distinse il sciato, che pareva il cricri di un grillo, di don Birtino Mascolo lo quali doviva starsene stinnicchiato supra i canala di casa Mongiardino, e quello vascio e profunno di Aitano Savatteri, e quello che pareva una risata di Bartulinu Sammarco che viniva di supra a palazzo Altieri e quello di Pippo Santacroce, di Giugiù Spampinato, di Masino Notarbartolo, di Giacuminu Nocera, di 'Ngiulinu Bianco, di Massiminu Vitale, e mentri che a uno a uno distingueva i sciati, ne vitti macari le facce e si sentì acconsolato.

Fecero in silenzio i diciotto passi che ci volevano per arrivare dal portone inzino al palco, anzi per la virità Montaperto di passi ne fece diciassetti pirchì caminava tenendosi sempri un metro darrè a Zosimo. E quanno arrivarono che abbisognava acchianare il primo dei cinco graduna, il capitano fece a voce vascia:

«Io mi fermo qua».

E lo disse in taliano, pirchì il mumentu era quello che era e quanno il mumentu è quello che ĕ, di nicissitate assoluta abbisogna adoperari il taliano, vasannò dicino che siete pirsone gnoranti, pirsone di scarto e non di considerazione.

Zosimo si fermò e si voltò a taliare il Capitano.

«Nun mi tiniti cumpagnia sino all'urtimu?».

«No, è megliu che acchianate solo, accussì la genti che è supra i tetti vi vidi megliu».

«E comu fati a sapiri che supra i tetti ci sta genti?».

«Pirchì stanotti i me surdati li aiutarono ad acchianare».

Stinnì la mano verso Zosimo, Zosimo gliela stringì forti.

«Grazii» disse.

«Agùri e bone cose» fece il Capitano non sapendo che dire.

«Macari a vui» ricambiò Zosimo.

Doppo ritirò la mano e, sempri taliando a Montaperto, fece:

«Beh, io vado».

In taliano, naturalmenti, pirchì il mumentu era quello che era. Si voltò per principiare ad acchianare i cinco graduna quanno, isando la testa, arriconobbe il boia. S'accanoscevano da tanto tempu, che erano ancora picciotteddri e una volta si erano 'mbriacati 'nzemmula e doppo si erano pigliati a lignati e doppo avivano fattu la paci e si erano daccapu 'mbriacati.

«Ti salutu, Casimì».

«Ti salutu, Zò» arrispunnì il boia, e ci fici un sorriseddru ca sempri Zosimo gli aviva fattu simpatia. Ma macari allura restò con le vrazza conserte, pirchì daccussì sempri stanno i boia mentri aspettano d'ammazzari, datosi che altrimenti non sanno che farsene né di vrazza né di mano.

IL PRIMO GRADUNI

Zosimo stava per fare il primo graduni, ma restò col piede a mezz'aria e doppo lo posò nuovamenti 'n terra, comu se s'arrefutasse d'acchianare.

S'acculò, taliando una fila di formicole nìvure e grosse che traversavano di prescia il piano di ligno, inchiffarate, e mentri scomparivano a mano mancina altre ne arrivavano da mano dritta e la fila pareva sempri eguali e sempri la stissa invece le formicole che la componevano erano di continuo altre macari se all'apparenzia parevano le istisse.

Pigliato di curiosità, il capitano Montaperto fece un passo avanti e s'acculò macari lui allato a Zosimo. Taliò la fila di formicole, ma non ci attrovò nenti di particolare. Si spirciò il ciriveddro per tentari di capiri pirchì il cunnannato si fosse fermato, poi ci parse di poter dare una risposta alla dimanna che si era fatta.

«Maistà, forsi che vi scantate di scrafazzare le formicole col vostro pedi mentre che acchianate supra il graduni?».

Zosimo manco gli arrispunnì. Isò il vrazzo dritto, calò l'indice a perpindicolo supra la fila e lo tenne accussì, sospiso. Doppo parlò a una formicola e le disse:

«Tu passa».

E la fece continuare nel cammino sò.

Doppo disse a una secunna formicola:

«Macari tu passa».

E la fece continuare nel cammino sò.

Il Capitano lo taliava imparpagliato.

«Tu no» fece Zosimo a una terza formicola.

Calò l'indice e la scrafazzò. E poi continuò:

«Tu sì... tu sì... tu sì... tu no... tu no... tu sì...».

A questo punto il Capitano pinsò d'aviri addovinato quello che Zosimo stava facenno. E s'arricreò tutto, pirchì finalimenti Zosimo faceva una cosa che rappresentava una significanza diversa da quella che pareva.

«Ho capito, Maistà. Voi state parabolando il distino dell'omo».

Zosimo si voltò verso il Capitano e parse sinceramente strammato.

«Iu? Il distino?».

«Certu. Il distino che decidi a casu, a nasu, a ventu, a cazzu di cani chi è che deve campari e chi è che deve muriri».

«Ma quanno mai» fece Zosimo. «Non mi passava manco per l'anticàmmara del ciriveddro che questo che stavo facenno putissi significari una cosa diversa da quella che era».

«E che era?».

«Nenti. Una minchiata. Un jocu che facevo quann'era picciliddro».

Si susì e acchianò il primo graduni, abbadanno però a non scrafazzare la fila di formicole.

IL SECONDO GRADUNI

Sul secondo graduni si fermò e tutti quelli che sinni stavanu supra i tetti e macari il Capitano Montaperto vittiro che Zosimo rapriva e chiudeva la vucca come se parlava con qualichiduno che gli stava allato, ma allato a lui non c'era e non ci putiva essiri nisciuno.

E invece no, qualichiduno c'era ed era propio patre Uhù comparso d'impruvisata, o alimeno quello che ristava di patre Uhù pirchì non aviva cchiù la croci e ci ammancavano una gamba, un vrazzo, un occhio, una grecchia, a lu postu di la panza aviva un pirtuso e n'autru pirtuso c'era a lu postu di la vucca. Feteva e vermi ci caminavanu in ogni parti. Zosimo s'impressionò.

«Ti scanti di mia?» ci spiò 'u parrinu.

«Scantarimi no, ma scuncirtarimi sì» replicò Zosimo. «E se siete arridotto accussì, capace che è puro colpa mia, quanno che feci saltari in aria il catafero vostro con tutti quelli che ci stavanu vicino».

438

«Beh» fece patre Uhù. «Tu ci ha dato il contributo tò, ma il fatto è che ci vuole tempo assà prima di moriri».

«Che mi venite a contare, parrì? Voi siete morto che a momenti fanno…».

«Ah, tu allura credi che si è morti quanno si chiudono gli occhi per sempri? No, Zosimo, quello è sulamenti il comincio di la morti, da quel momentu si principia a moriri, preciso intifico comu quanno uno nasci e accomenza a campare. E passa tempu assà prima che finalimenti si mori, ci voli tempu assà prima di perdiri tutta la carni sempri cchiù fitusa e stracangiarsi in osso nettu e tempu ancora cchiù assà ci voli prima che l'osso s'incrina, si rumpi, si sfarina, addiventanno polvire sterili che non produce nenti se sei stato connannato alla dannazioni eterna opuro concime bono, grasso, che porta frutti e sciuri se sei stato pirdonato. Questa è la salvazioni vera e unica e no le altre minchiate che t'impapocchiano. E iu di cori st'aguriu ti lu fazzu, di cangiarti in concime che tra una millennata d'anni ha fatto crisciri un àrbolo».

Scomparse.

IL TERZO GRADUNI

Sul terzo graduni lo videro come allegrarsi tutto e calarsi tanticchia in avanti e con la mano dritta fari comu una carizza a una vestia che non c'era e non ci putiva essiri.

La vestia era una capra girgentana, alta e grossa, di lungo pelame marrò, con dù corna di liocorno e granni minne scu-

re. Allato aveva una gallina bianca. Zosimo ne la vita sò aveva sempri avuto questa: che era capace d'arricordare ogni singolo armàlo, gli bastava averlo taliato una volta. Si sforzò la menti, ma queste dù vestie non l'aveva mai viste prima.

«Certo che non ci arriconosci» fece la capra che gli aveva liggiuto il pinsèro. «Iu sugnu quella che allattò a tò matre Filònia che si era allura allura sgravata di tia. E il latte che Filònia ti desi dalle sue minne era macari latte mio».

«E iu» disse la gallina bianca «a tò matre Filònia ci feci ripigliari le forze con un ovo càvudo càvudo. E macari tu ti nutricasti di mia».

«E che viene a significare la vostra presenzia qua, in chistu momentu?» spiò Zosimo mentri carezzava lu pilu di la capra.

Le due vestie si taliarono.

«Significare?» spiò la gallina alla capra. «Che voli dire?».

«Boh» arrispunnì la capra.

E scomparsero.

IL QUARTO GRADUNI

Supra il quarto graduni la genti e il capitano vittiro a Zosimo che, doppo essersi fermato, si voltava e, con le dù mano all'altizza dell'occhio dritto, si metteva a taliare prima lu celu e appresso li palazzi tomo tomo mentri parlava a uno che non c'era e non ci putiva essiri.

Inveci uno c'era, ma per quanto Zosimo lo taliasse non ce la faciva ad arraccanoscerlo. A st'omo, ch'era nudu, man-

cavano completamente le gambe però arrinisciva a stare addritta l'istisso, ed era malamente arridotto come a patre Uhù, vermi e fetore compresi.

«Tu» fece l'omo «eri picciliddro quanno mi vidisti. Allura iu aviva in testa un cappello colore cilestre àuto àuto ca finiva a punta e aviva macari un mantello addisegnato con stiddri e mezze lune...».

«Apparenzio! 'U magu!» sclamò a questo punto Zosimo.

«C'inzertasti» fece compiaciuto il mago.

E allura a Zosimo ci tornò a menti una cosa. S'arricordò ca il magu lo aveva fatto taliare col cannocchiale e lui aveva vidutu la luna da vicinu, accussì vicinu che ne avia sintutu perfinu la musica.

«Ci l'hai ancora 'u cannucchiali?» spiò.

Lo strumentio spuntò ni la mano d'Apparenzio.

«Eccolo».

Zosimo lo pigliò, l'allungò al massimo e lo puntò verso il celu. Voleva vidiri a che altizza era arrivata la comerdia. Ma vitti sulamenti scuro nìvuro e per quanto manoprasse lo strumentio sempri scuro nìvuro vidiva.

Allura l'arrivolse verso le case e i palazzi ch'erano vicini, ma ottenni sempri lu stissu resultatu.

«Stu cannucchiali havi a essiri attuppatu» disse al mago.

Apparenzio fece 'nzinga di no con la testa e con l'indice della mano dritta.

«Stu cannucchiali funziona benissimu» replicò. «E le lenti sono tanto puliziate che sparluccicano».

«E allura com'è che iu non vedo nenti di nenti?».

«Pirchì tu» spiegò Apparenzio «abbenché ancora respiri, sei già mortu. E i morti nun vidinu cchiù un'amata min-

chia. Le cose si vidinu megliu quanno si è vivi e meglissimu quanno si è picciliddri. Ridammi 'u cannucchiali ca si fici tardu».

Zosimo gli restituì lo strumentio e quello spirì.

IL QUINTO GRADUNI

Supra il quinto graduni nuovamenti si fermò, doppo si voltò e parlò senza sono e nisciuno arriniscì perciò a sentiri nenti.

Da lu pozzo cchiù profunno della mimoria gli tornarono a menti 'na poco di parole: forse gli erano assumate in testa pirchì era arrivato in cima ai graduna e gli era venuto di pinsari che ora era al som de l'escalina.

Proprio accussì, al som de l'escalina. Ma che parlata era? Sicuramenti era cosa che aviva liggiuta tantu tempu prima, ma non arricordava indovi.

Gli venne macari di dire: «Ara vos prec», ma non ne capì la significanza.

E non capì manco la significanza delle altre parole che gli vennero appresso: «sovenha vos a temps de ma dolor».

E allura arrisolvette di non dirle, queste parole. Se d'una cosa ti sei persa la vera significanza, che la dici a fare?

DAL SOM DE L'ESCALINA

Dal som de l'escalina al punto indovi ci stava il boia c'erano sei passi e Zosimo li fece squasi di prescia pirchì si scantava che gli comparissero ancora morti viventi e armàli parlanti a scassargli i cabasisi, a dargli o a spiargli significanze. Si fermò davanti a Casimirro Capuano.

«Faccio una cosa sverta sverta» lo rassicurò il boia.

«Non dubito della maistranza tò» fece Zosimo.

«Girati».

Zosimo gli dette le spalli. 'Ntonio Impiduglia, uno degli aiutanti, s'avanzò con una cordicella in mano e fece per attaccare i polsi di Zosimo darrè la schina.

«No» ordinò il Capitano Montaperto.

Impiduglia s'arretirò e al posto sò avanzò l'altro aiutante, Binno Lopasquale, che teneva nelle mano un cappuccio nìvuro da mettiri 'n testa al connannato.

«No» disse ancora il Capitano Montaperto.

Macari Lopasquale s'arretirò. Zosimo si voltò a mezzo verso il Capitano e gli fece un sorriso di ringrazio. Casimirro, con mano dilicate che parivano quelle di una fìmmina, passò la corda intorno al collo di Zosimo, gliela assistimò bene. Doppo fece 'nzinga agli aiutanti e i due pigliarono la corda e s'addiposero uno avanti e uno narrè, come ci si mette quanno si fa lu jocu del tiro alla funi. Casimirro isò la testa e controllò a vista la carrucola dintra la quali passava la corda. Tutto pareva a posto. Taliò il Capitano per fargli accapire che, supra il palco, boia e connannato erano pronti e aspittavano l'ordini. E il Capitano isò un vrazzo.

A Zosimo venne bisogno di stranutare come per un raffriddori improvviso. Si tenne a forza. Ma il naso gli chiurì di nuovo. Isò una mano per darsi una grattateddra e le dita sò incontrarono qualichi cosa sospisa. Era uno spaco che pinniva dall'alto. Taliò strammato verso il cielo e vitti la comerdia. La comerdia era tornata e ora sinni stava alta e ferma a pirpindicolo priciso supra la sò testa. Comu aviva fatto a tornari? E pirchì era tornata? Doppo capì e si sentì slargare il core: lui aviva pinsato di perdiri la fantasia lascianno lo spaco della comerdia e inveci le cose stavano diverso. E nel priciso momentu nel quali il Capitano abbasciava il vrazzo, Zosimo agguantò lo spaco con le due mano sentendo uno strappo violento, certamente quello della comerdia che ripigliava movimento e altezza.

Lesto, principiò ad acchianare lungo lo spaco e inveci di provare stanchizza per la faticata a ogni bracciata si sentiva cchiù leggiu e cchiù liberatu.

A un certo punto si fermò e taliò verso terra. Vitti la piazza, le case con la gente supra i tetti che accomenzava ad andarsene e in mezzo alla piazza vitti macari il palco e una cosa, una specie di sacco, che pinnuliava dalla forca dunnuliando.

Rise. E ripigliò ad acchianare.

Nota

Nel giugno del 1994 nella libreria romana quotidianamente frequentata mi capitò di sfogliare un libretto intitolato *Agrigento*. E subito lessi queste parole che riporto e che si riferivano a un episodio del 1718 accaduto in quella città, quando si chiamava ancora Girgenti:

Il popolo riuscì allora a sopraffare la guarnigione sabauda, strumento di un sovrano scomunicato dal pontefice, assunse il controllo di Girgenti e puntò a riorganizzare il potere politico disarmando i nobili, facendo giustizia sommaria di diversi amministratori, funzionari e guardie locali, e addirittura proclamando re il proprio capo, un contadino di nome Zosimo. Ma la mancanza di un realistico programma politico privò di sbocchi positivi quella protesta distruttiva, e poco dopo fu facile per il Capitano Pietro Montaperto avere ragione degli insorti e riprendere il controllo della città.

Restai strammato. Ma come, Agrigento, dove ho studiato fino al liceo, era stata, sia pure per poco, un regno con a capo un contadino e nessuno ne sapeva praticamente niente? Comprai il libretto edito da «Fenice 2000» (autori ne erano Antonino Marrone e Daniela

Maria Ragusa), lo lessi trovandolo estremamente interessante. Due mesi dopo andai in vacanza al mio paese che dista qualche chilometro da Agrigento e riuscii a mettermi in contatto con Antonino Marrone. Fu gentilissimo, mi spiegò che quella vicenda l'aveva letta nelle *Memorie storiche agrigentine* di Giuseppe Picone, edite nel 1866. Un amico me ne regalò una copia anastatica.

Picone dedica all'episodio due frettolose mezze paginette, definendo «belva inferocita» lo Zosimo e mantenendosi sempre sulle generali, tanto che non si capisce se il re sia stato giustiziato o se sia morto d'influenza.

Di Zosimo si parla macari nel primo dei tre volumi di Luigi Riccobene, *Sicilia ed Europa* (Sellerio 1996): una decina di righe in tutto, dalle quali si apprende che Zosimo beveva vino miscelato con polvere da sparo.

Tutte queste omissioni, distrazioni, tergiversazioni non fecero che confermarmi nel proposito di scrivere una biografia di Zosimo senza fare altre ricerche, tutta inventata. Le poche pagine che non sono di fantasia il lettore le riconoscerà agevolmente. Come agevolmente potrà riconoscere le citazioni (ad esempio, le «leggi» di Zosimo, scritte su un albero scortecciato, sono prese in prestito dall'abate Meli). Ancora: molte parole, verbi, avverbi sono talvolta scritti in modo ineguale; ma non si tratta né di errori né di refusi. Un grazie di cuore ad Angelo Morino, gentilmente intervenuto a correggere i miei azzardi «spagnoli».

A. C.

Indice

Il re di Girgenti

Questo volume è stato stampato
su carta Palatina
delle Cartiere Miliani di Fabriano
nel mese di ottobre 2001
presso la Leva Arti Grafiche s.p.a. - Sesto S. Giovanni (MI)
e confezionato
presso la Legatoria Liccione - Cologno Monzese (MI)

La memoria